Road Atlas of

Forsyth County

North Carolina

DISCLAIMER

Data Sources:

U.S. Census Bureau

U.S. Fish & Wildlife Service

U.S. Geological Survey

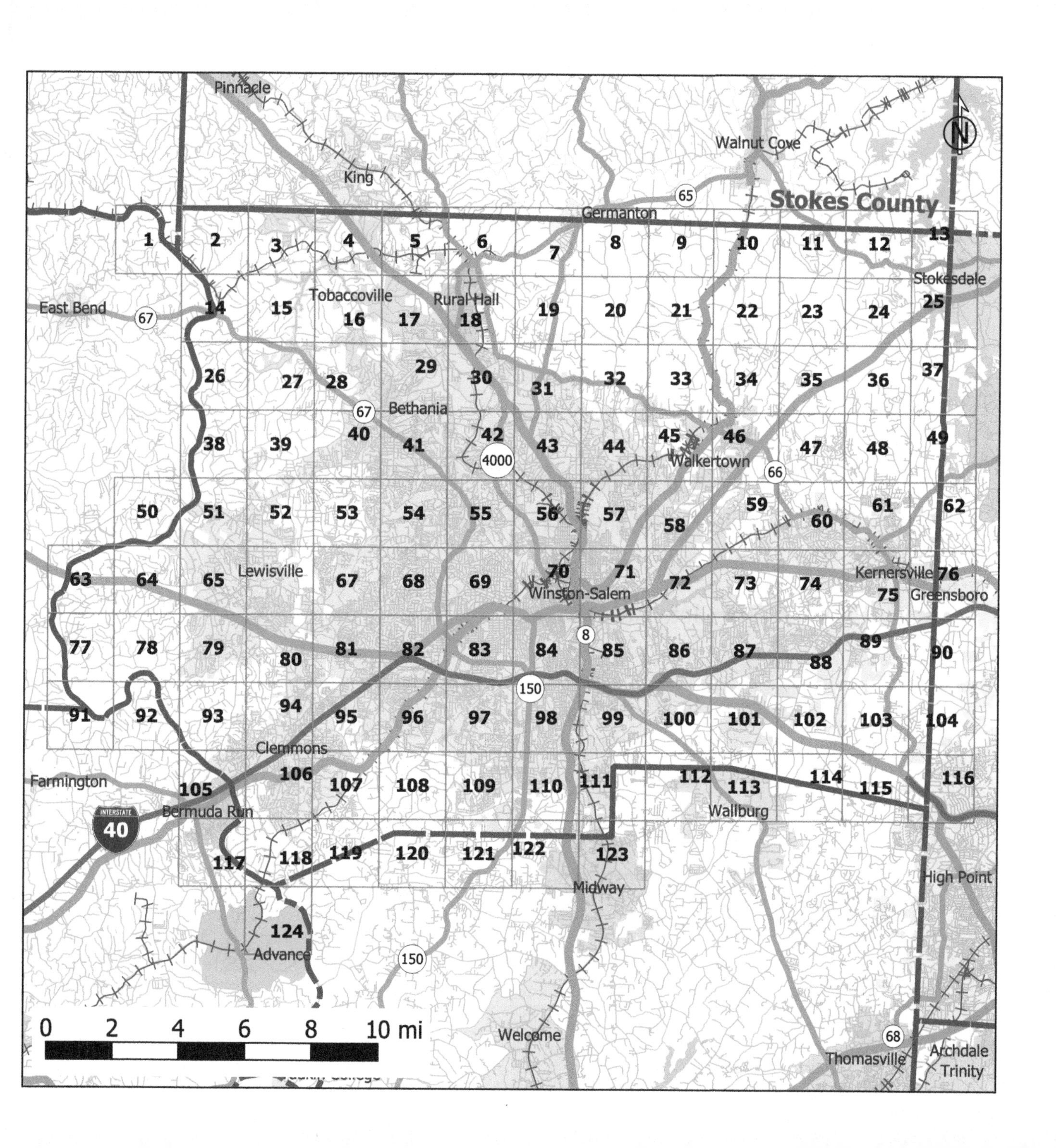

Pinnacle
King
Walnut Cove
65
Stokes County
Germanton
1
2
3
4
5
6
7
8
9
10
11
12
13
Stokesdale
East Bend
67
14
15
Tobaccoville
16
17
Rural Hall
18
19
20
21
22
23
24
25
26
27
28
29
30
31
32
33
34
35
36
37
67
Bethania
38
39
40
41
42
4000
43
44
45
46
Walkertown
66
47
48
49
50
51
52
53
54
55
56
57
58
59
60
61
62
63
64
65
Lewisville
67
68
69
70
71
Winston-Salem
72
73
74
Kernersville
75
76
Greensboro
77
78
79
80
81
82
83
84
8
85
86
87
88
89
90
150
91
92
93
94
95
96
97
98
99
100
101
102
103
104
Clemmons
Farmington
105
106
107
108
109
110
111
112
113
114
115
116
Bermuda Run
Wallburg
INTERSTATE
40
117
118
119
120
121
122
123
Midway
High Point
124
Advance
150
0
2
4
6
8
10 mi
Welcome
68
Thomasville
Archdale
Trinity

LEGEND

- County Boundary
- Township Boundary
- Municipal Boundary
- Water
- Military Installation
- Native American Area
- Park
- Interstate Highway
- US Route
- State Route
- Local Road
- Railway
- Airport
- Cemetery
- Church
- Cliff
- Dam/Levee
- Falls
- Harbor
- Heliport
- Hospital
- Mine
- Park
- Post Office
- School
- Spring
- Summit
- Tower
- Well

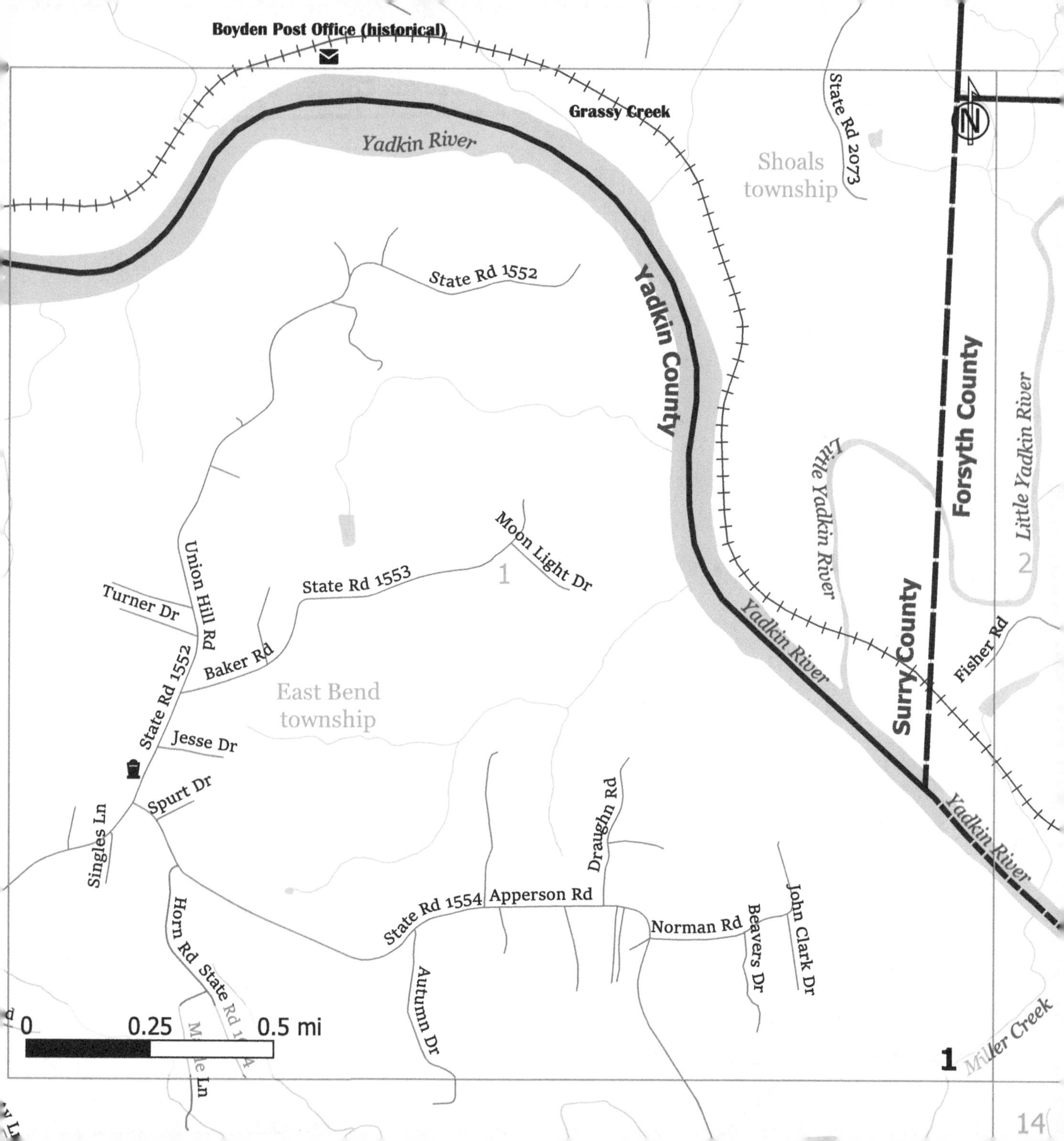
Boyden Post Office (historical)
Grassy Creek
Yadkin River
Shoals township
State Rd 2073
State Rd 1552
Yadkin County
Forsyth County
Little Yadkin River
Little Yadkin River
Moon Light Dr
1
State Rd 1553
Union Hill Rd
Turner Dr
Baker Rd
State Rd 1552
East Bend township
Yadkin River
Surry County
Fisher Rd
2
Jesse Dr
Spurt Dr
Singles Ln
Draughn Rd
Yadkin River
State Rd 1554
Apperson Rd
Norman Rd
Beavers Dr
John Clark Dr
Horn Rd
State Rd 1554
Autumn Dr
0
0.25
0.5 mi
Miller Creek
1
14

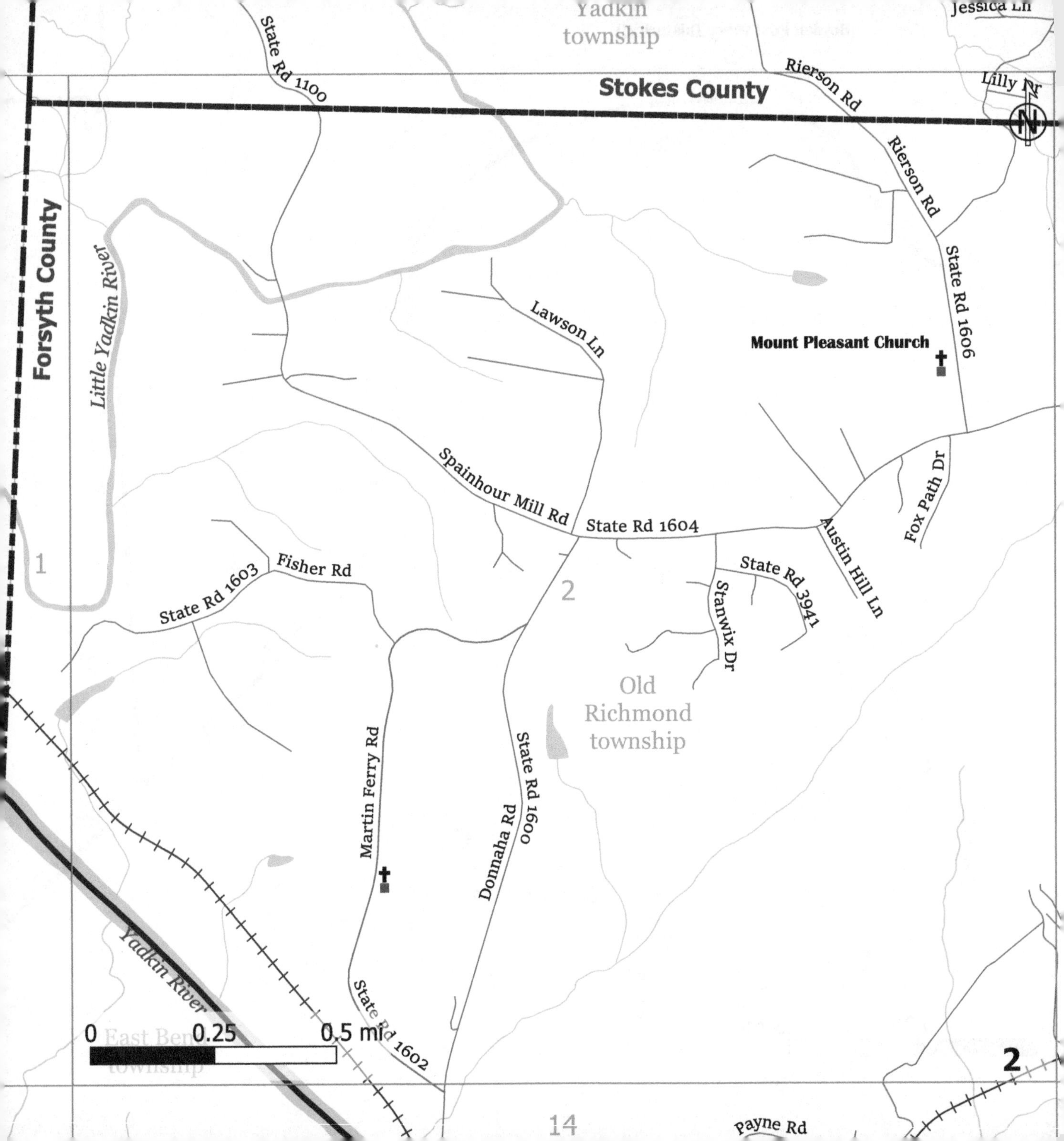

Yadkin
township
Jessica Ln
State Rd 1100
Rierson Rd
Stokes County
Lilly Dr
Forsyth County
Little Yadkin River
Rierson Rd
State Rd 1606
Lawson Ln
Mount Pleasant Church
Spainhour Mill Rd
State Rd 1604
Fox Path Dr
Austin Hill Ln
1
Fisher Rd
State Rd 1603
2
State Rd 3941
Stanwix Dr
Old
Richmond
township
Martin Ferry Rd
State Rd 1600
Donnaha Rd
Yadkin River
State Rd 1602
0
0.25
0.5 mi
East Bend
township
2
14
Payne Rd

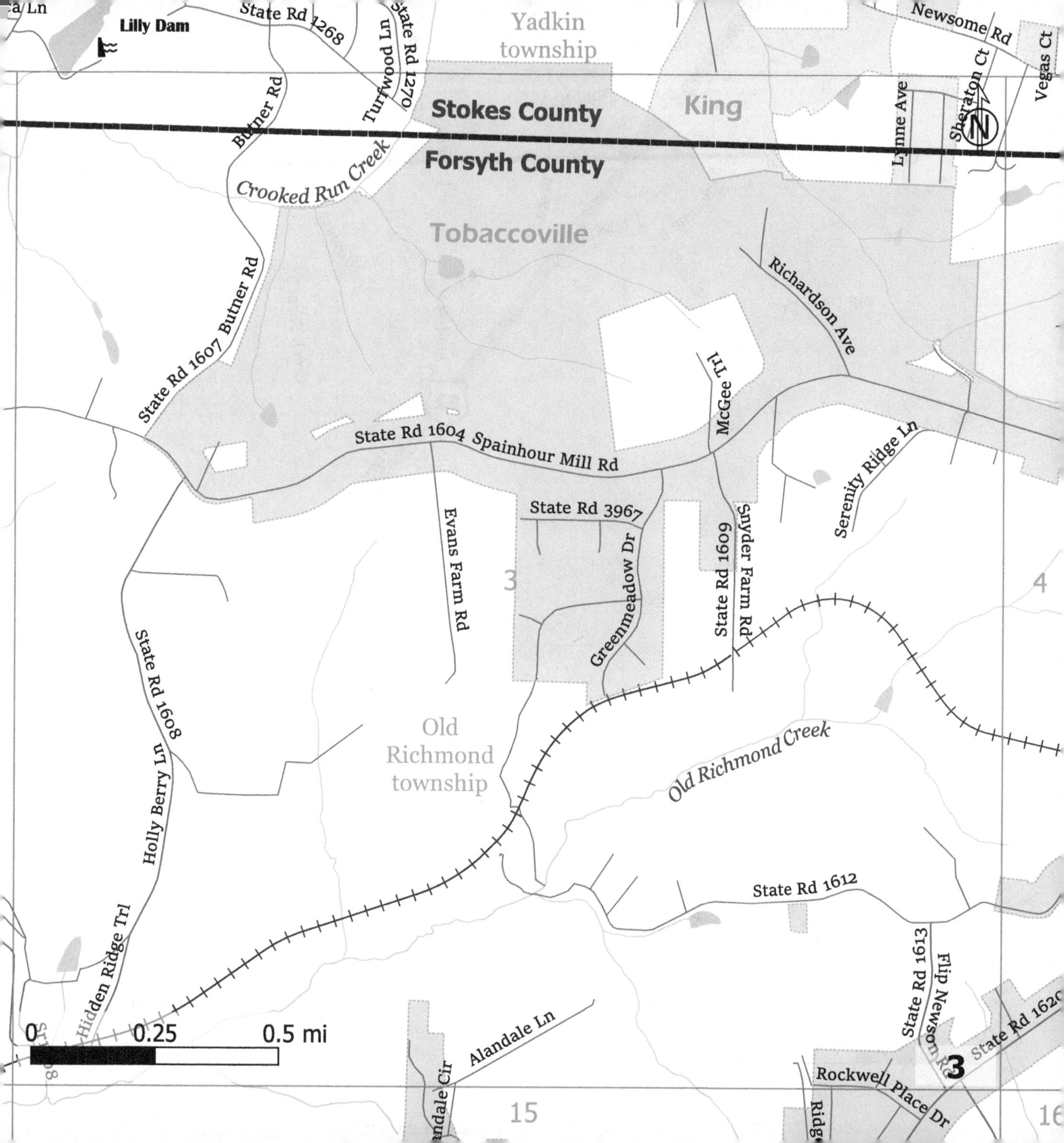
Lilly Dam
State Rd 1268
Turfwood Ln
State Rd 1270
Yadkin township
Newsome Rd
Vegas Ct
Sheraton Ct
Lynne Ave
King
Stokes County
Forsyth County
Butner Rd
Crooked Run Creek
Tobaccoville
State Rd 1607 Butner Rd
Richardson Ave
McGee Trl
State Rd 1604 Spainhour Mill Rd
Serenity Ridge Ln
State Rd 3967
Evans Farm Rd
Greenmeadow Dr
State Rd 1609
Snyder Farm Rd
3
4
State Rd 1608
Holly Berry Ln
Old Richmond township
Old Richmond Creek
State Rd 1612
Hidden Ridge Trl
State Rd 1613
Flip Newsom Rd
Alandale Ln
Rockwell Place Dr
0
0.25
0.5 mi
15
3

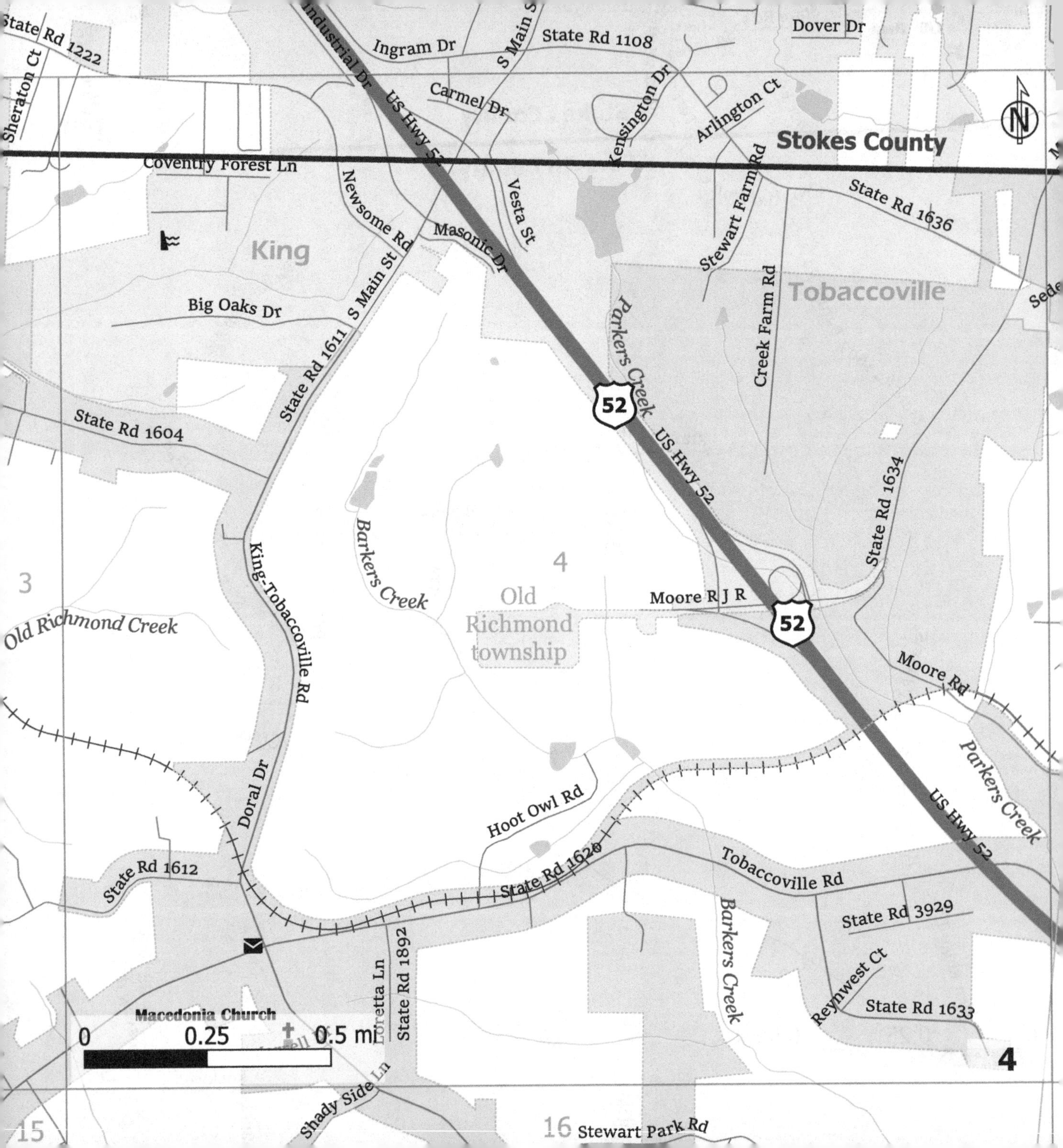
State Rd 1222
Sheraton Ct
Industrial Dr
Ingram Dr
S Main St
State Rd 1108
Dover Dr
Carmel Dr
US Hwy 52
Kensington Dr
Arlington Ct
Stokes County
Coventry Forest Ln
Newsome Rd
Vesta St
Stewart Farm Rd
State Rd 1636
Masonic Dr
King
S Main St
Creek Farm Rd
Tobaccoville
Big Oaks Dr
Parkers Creek
State Rd 1611
52
State Rd 1604
US Hwy 52
State Rd 1634
Barkers Creek
4
Old Richmond township
3
Moore R J R
52
Old Richmond Creek
King-Tobaccoville Rd
Moore Rd
Parkers Creek
Doral Dr
Hoot Owl Rd
US Hwy 52
State Rd 1612
State Rd 1620
Tobaccoville Rd
Barkers Creek
State Rd 3929
Reynwest Ct
State Rd 1633
Macedonia Church
Loretta Ln
State Rd 1892
0
0.25
0.5 mi
4
Shady Side Ln
15
16
Stewart Park Rd

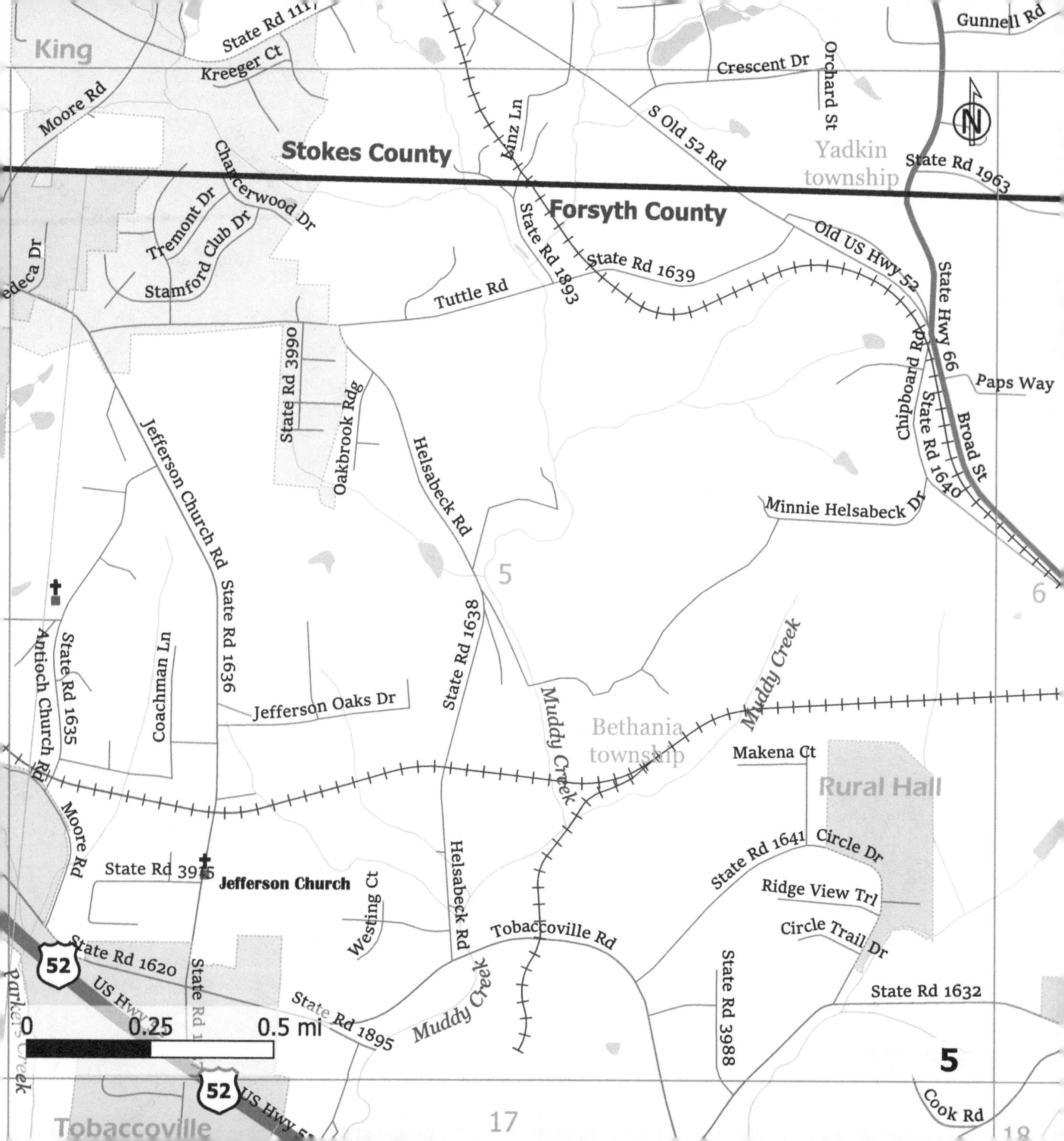

State Rd 1117
King
Kreeger Ct
Gunnell Rd
Crescent Dr
Orchard St
Moore Rd
Minz Ln
S Old 52 Rd
Stokes County
Yadkin township
State Rd 1963
Chancerwood Dr
Tremont Dr
Forsyth County
Stamford Club Dr
State Rd 1893
Old US Hwy 52
Seneca Dr
State Rd 1639
Tuttle Rd
State Hwy 66
Chipboard Rd
State Rd 3990
Oakbrook Rdg
Paps Way
State Rd 1640
Broad St
Jefferson Church Rd
Helsabeck Rd
Minnie Helsabeck Dr
5
6
State Rd 1636
State Rd 1638
Antioch Church Rd
State Rd 1635
Coachman Ln
Muddy Creek
Jefferson Oaks Dr
Bethania township
Makena Ct
Rural Hall
Moore Rd
State Rd 1641
Circle Dr
State Rd 3915
Jefferson Church
Westing Ct
Helsabeck Rd
Ridge View Trl
Tobaccoville Rd
Circle Trail Dr
52
State Rd 1620
State Rd 1632
US Hwy 52
State Rd 1895
Muddy Creek
State Rd 3988
0
0.25
0.5 mi
Parkers Creek
5
Cook Rd
Tobaccoville
17
18

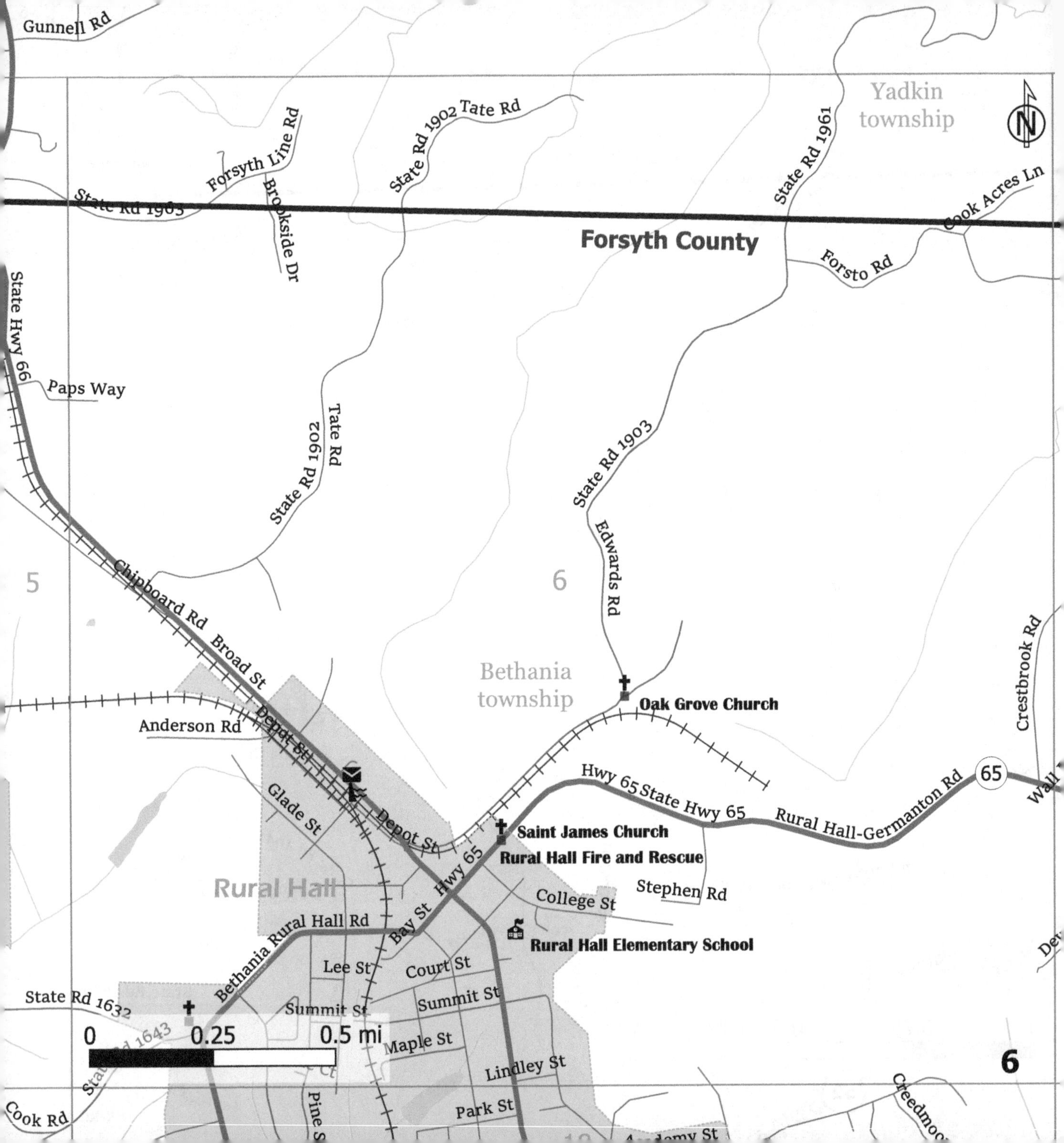
Gunnell Rd
Yadkin township
N
State Rd 1902 Tate Rd
Forsyth Line Rd
State Rd 1961
Cook Acres Ln
State Rd 1963
Brookside Dr
Forsyth County
Forsto Rd
State Hwy 66
Paps Way
State Rd 1902
Tate Rd
State Rd 1903
Edwards Rd
5
6
Chipboard Rd
Broad St
Crestbrook Rd
Bethania township
Oak Grove Church
Anderson Rd
Depot St
Hwy 65 State Hwy 65
Rural Hall-Germanton Rd
65
Glade St
Depot St
Saint James Church
Rural Hall Fire and Rescue
Hwy 65
Rural Hall
College St
Stephen Rd
Bay St
Bethania Rural Hall Rd
Rural Hall Elementary School
Lee St
Court St
State Rd 1632
Summit St
Summit St
0
0.25
0.5 mi
Maple St
Lindley St
Cook Rd
Pine St
Park St
Academy St
6

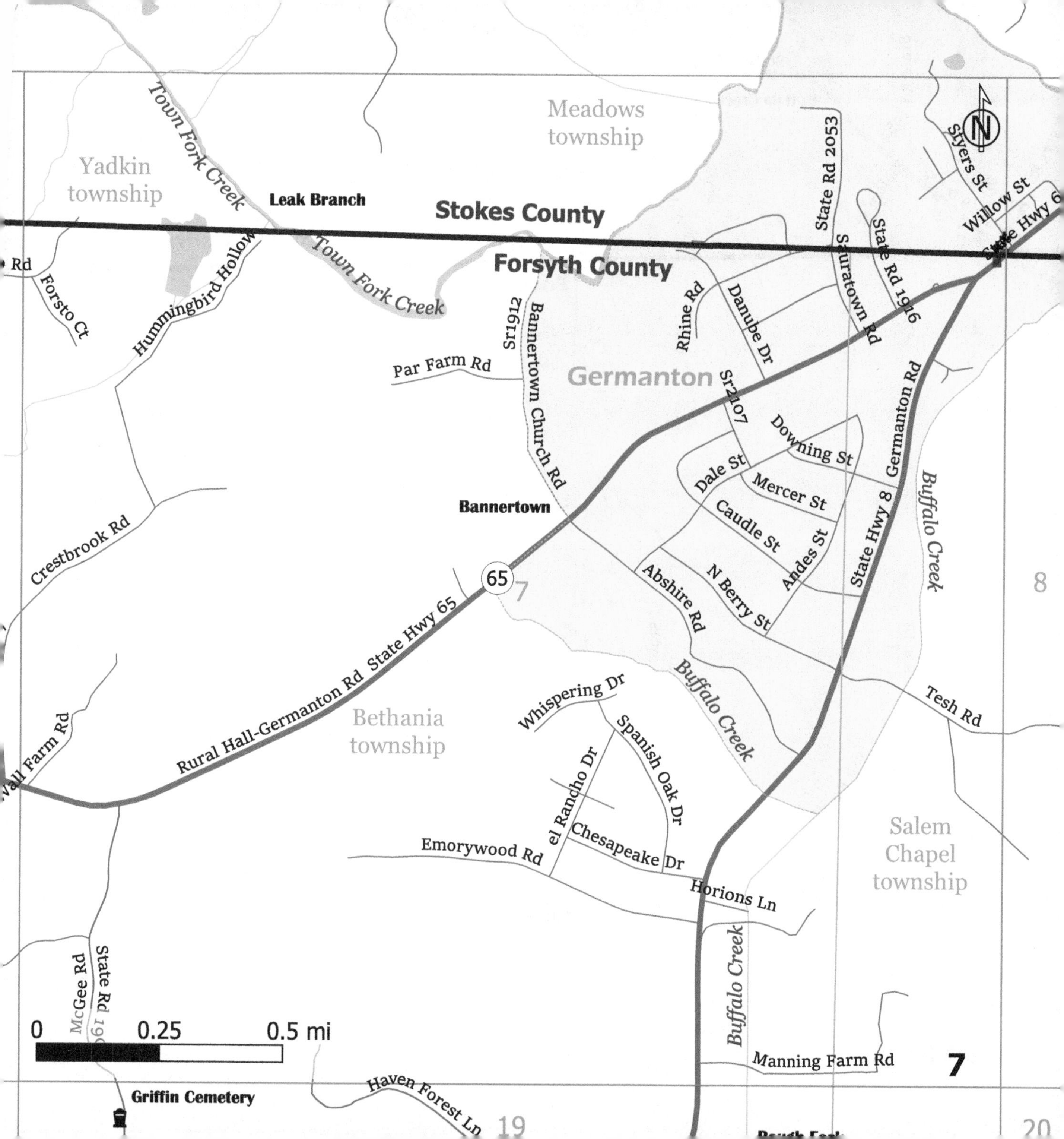

Meadows township
Yadkin township
Town Fork Creek
Leak Branch
Stokes County
Forsyth County
Rd
Forsto Ct
Hummingbird Hollow
Town Fork Creek
Sr1912
Bannertown Church Rd
Par Farm Rd
Germanton
Rhine Rd
Danube Dr
State Rd 2053
Sauratown Rd
State Rd 1916
Styers St
Willow St
State Hwy 6
Sr2107
Downing St
Germanton Rd
Dale St
Mercer St
Caudle St
Andes St
State Hwy 8
Buffalo Creek
Bannertown
Crestbrook Rd
65
7
8
Abshire Rd
N Berry St
Rural Hall-Germanton Rd State Hwy 65
Bethania township
Whispering Dr
Spanish Oak Dr
Buffalo Creek
Tesh Rd
Wall Farm Rd
el Rancho Dr
Chesapeake Dr
Emorywood Rd
Horions Ln
Salem Chapel township
McGee Rd
State Rd 190
Buffalo Creek
0
0.25
0.5 mi
Manning Farm Rd
7
Griffin Cemetery
Haven Forest Ln
19
20

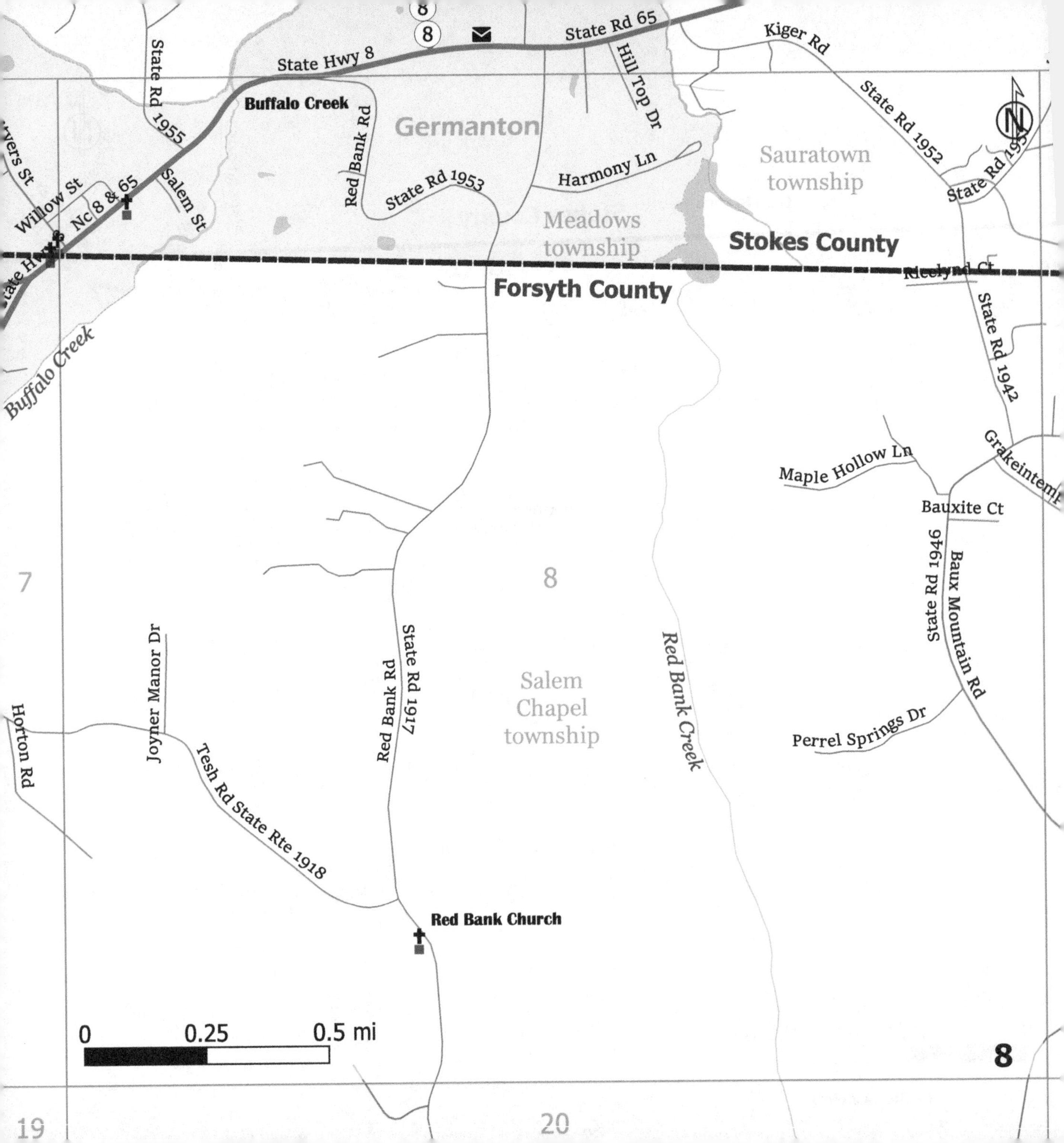

State Rd 65
State Hwy 8
Kiger Rd
State Rd 1955
Hill Top Dr
Buffalo Creek
Red Bank Rd
Germanton
State Rd 1952
Sauratown township
Willow St
Nc 8 & 65
Salem St
State Rd 1953
Harmony Ln
Meadows township
Stokes County
Forsyth County
Buffalo Creek
State Rd 1942
Maple Hollow Ln
Bauxite Ct
7
8
State Rd 1946
Baux Mountain Rd
Joyner Manor Dr
State Rd 1917
Red Bank Rd
Salem Chapel township
Red Bank Creek
Perrel Springs Dr
Horton Rd
Tesh Rd State Rte 1918
Red Bank Church
0
0.25
0.5 mi
8
19
20

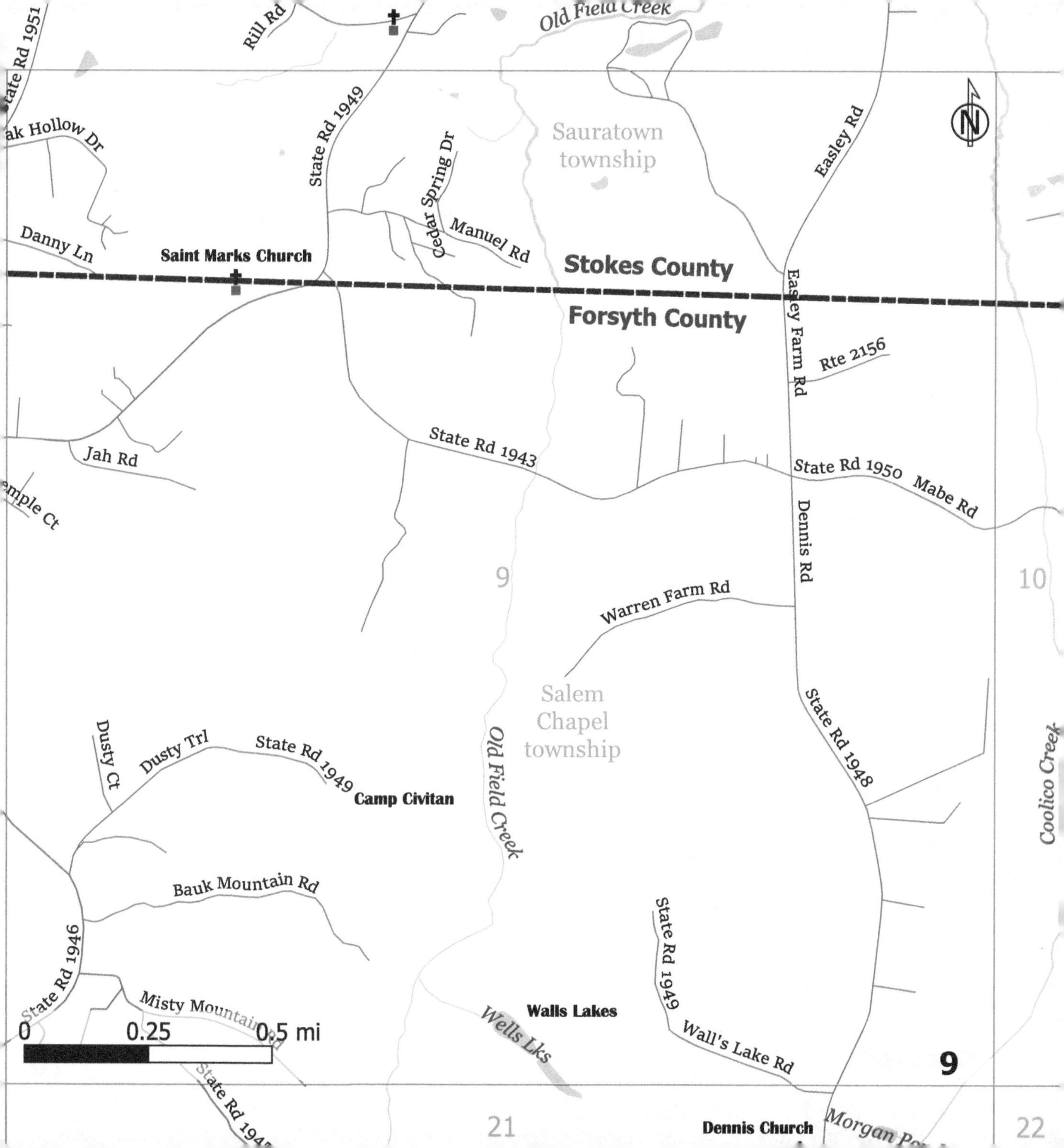
Old Field Creek
Rill Rd
State Rd 1951
ak Hollow Dr
State Rd 1949
Cedar Spring Dr
Sauratown
township
Easley Rd
Manuel Rd
Danny Ln
Saint Marks Church
Stokes County
Forsyth County
Easley Farm Rd
Rte 2156
State Rd 1943
Jah Rd
State Rd 1950
Mabe Rd
emple Ct
Dennis Rd
9
10
Warren Farm Rd
Salem
Chapel
township
Dusty Ct
Dusty Trl
State Rd 1949
Camp Civitan
Old Field Creek
State Rd 1948
Coolico Creek
Bauk Mountain Rd
State Rd 1946
State Rd 1949
Misty Mountain Rd
0
0.25
0.5 mi
Walls Lakes
Wells Lks
Wall's Lake Rd
9
21
Dennis Church
Morgan Po
22

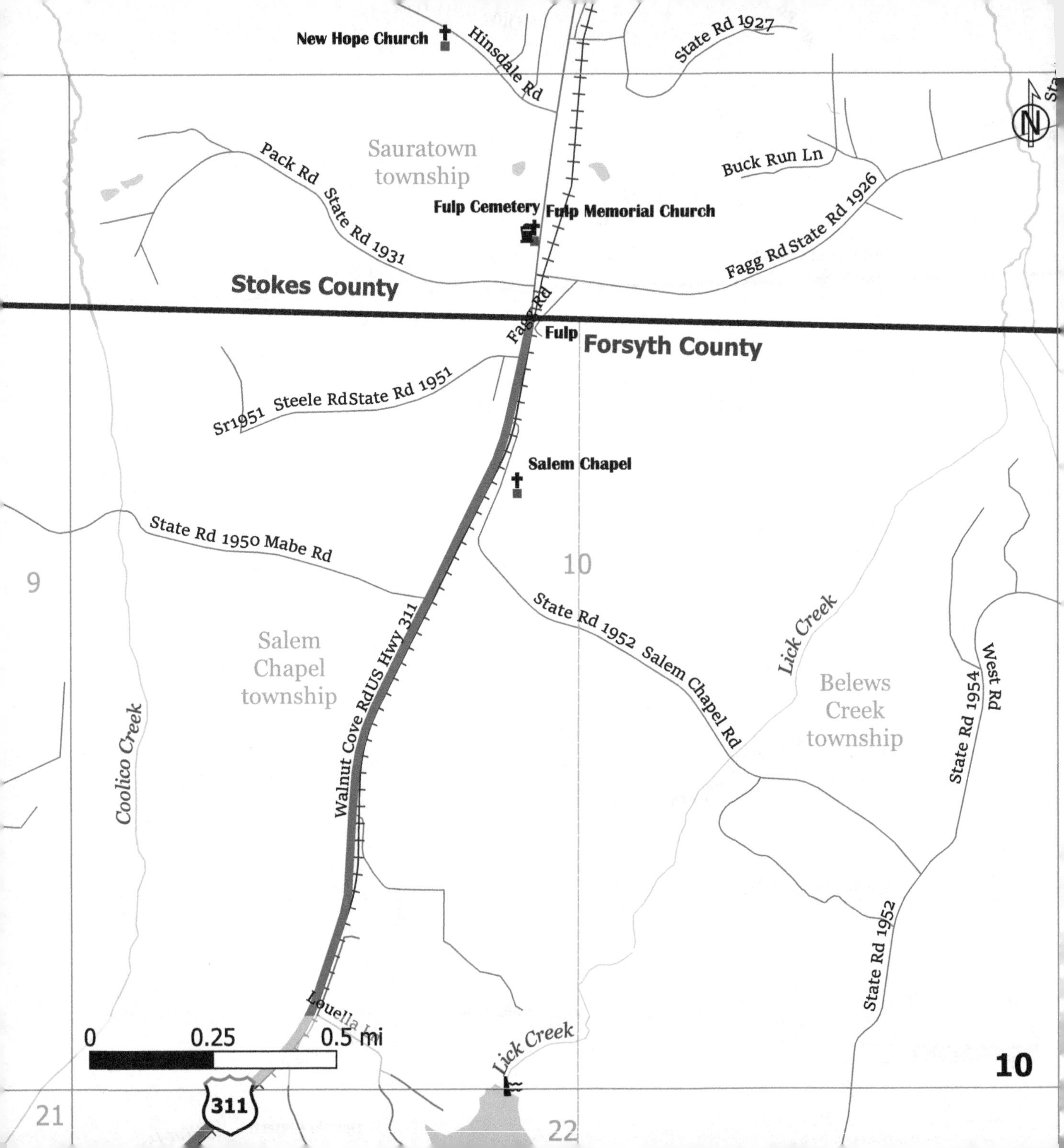
New Hope Church
Hinsdale Rd
State Rd 1927
Sauratown
township
Buck Run Ln
Pack Rd
State Rd 1931
Fulp Cemetery
Fulp Memorial Church
Fagg Rd State Rd 1926
Stokes County
Fagg Rd
Fulp
Forsyth County
Sr1951
Steele Rd State Rd 1951
Salem Chapel
State Rd 1950 Mabe Rd
9
10
State Rd 1952
Salem Chapel Rd
Walnut Cove Rd US Hwy 311
Salem
Chapel
township
Lick Creek
Belews
Creek
township
West Rd
State Rd 1954
Coolico Creek
State Rd 1952
Louella Ln
0
0.25
0.5 mi
Lick Creek
311
21
22
10

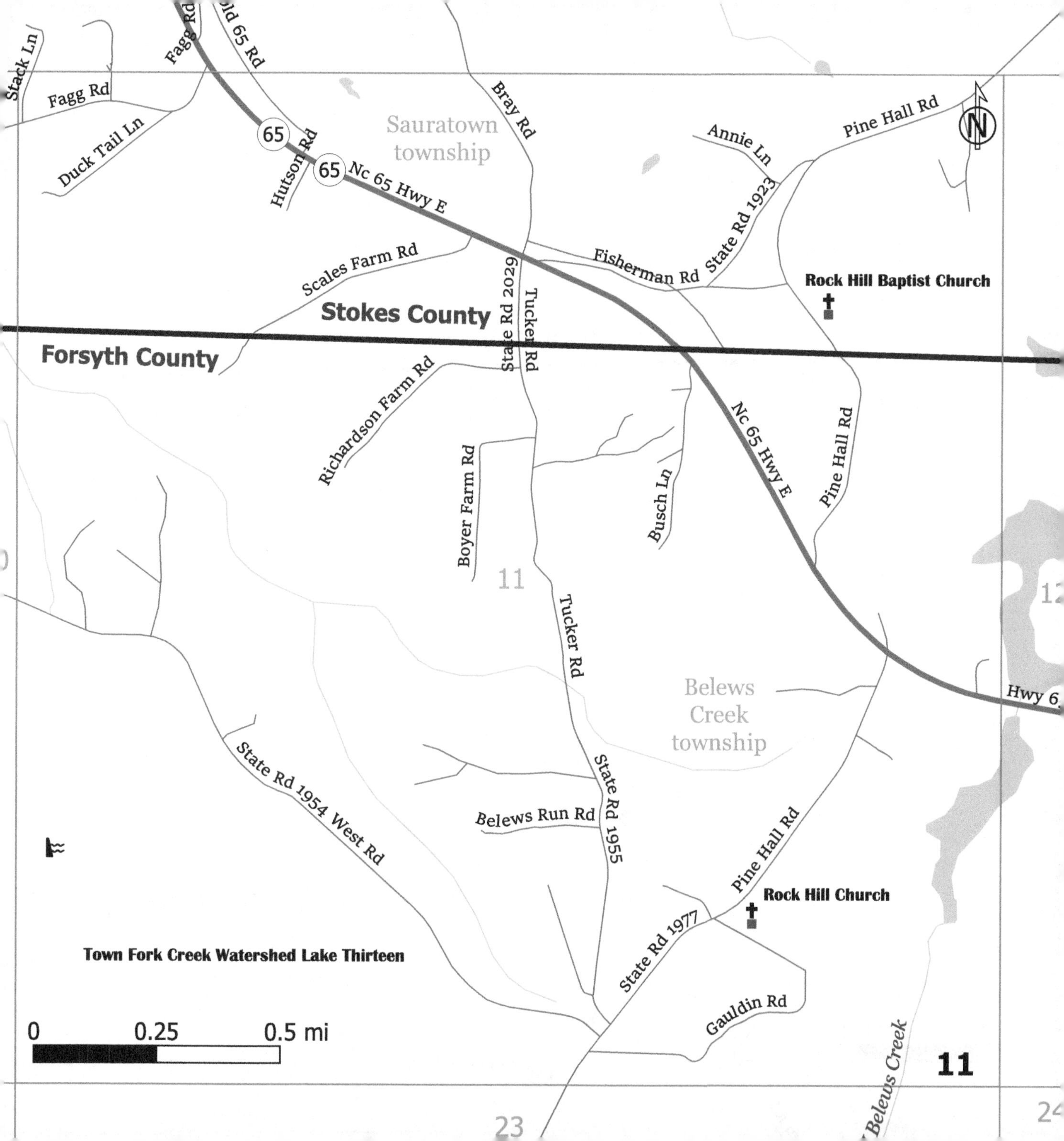

Stack Ln
Fagg Rd
Fagg Rd
Old 65 Rd
Duck Tail Ln
65
65
Hutson Rd
Nc 65 Hwy E
Bray Rd
Sauratown township
Annie Ln
Pine Hall Rd
N
State Rd 1923
Scales Farm Rd
Fisherman Rd
Rock Hill Baptist Church
Stokes County
State Rd 2029
Tucker Rd
Forsyth County
Richardson Farm Rd
Nc 65 Hwy E
Pine Hall Rd
Boyer Farm Rd
Busch Ln
11
12
Tucker Rd
Belews Creek township
Hwy 6
State Rd 1954 West Rd
State Rd 1955
Belews Run Rd
Pine Hall Rd
Rock Hill Church
State Rd 1977
Town Fork Creek Watershed Lake Thirteen
Gauldin Rd
0
0.25
0.5 mi
Belews Creek
11
23
24

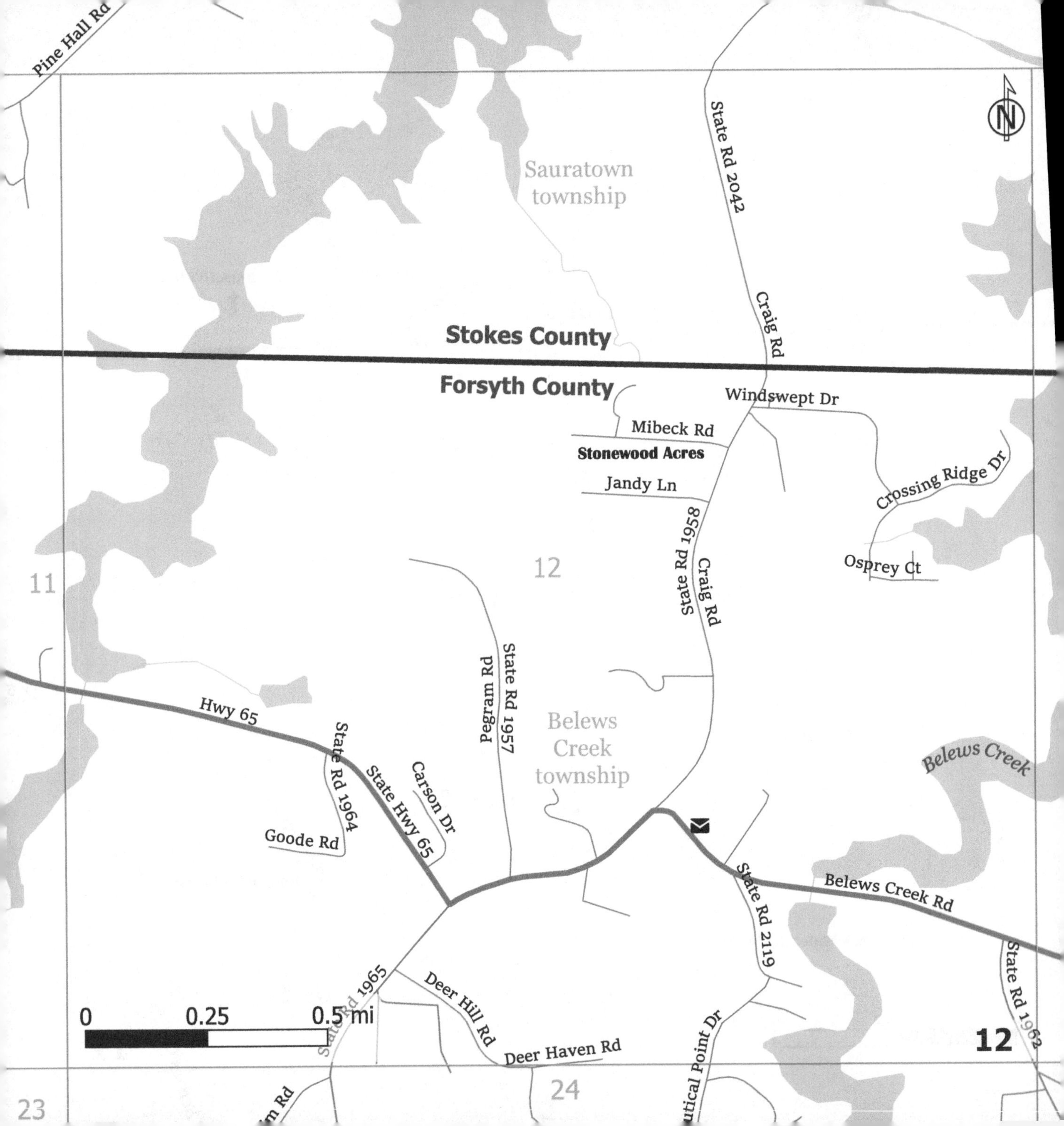
Pine Hall Rd
Sauratown township
State Rd 2042
Craig Rd
Stokes County
Forsyth County
Windswept Dr
Mibeck Rd
Stonewood Acres
Jandy Ln
Crossing Ridge Dr
State Rd 1958
Craig Rd
Osprey Ct
12
11
Pegram Rd
State Rd 1957
Belews Creek township
Belews Creek
Hwy 65
State Rd 1964
State Hwy 65
Carson Dr
Goode Rd
State Rd 2119
Belews Creek Rd
State Rd 1965
Deer Hill Rd
Deer Haven Rd
State Rd 1962
0
0.25
0.5 mi
24
23

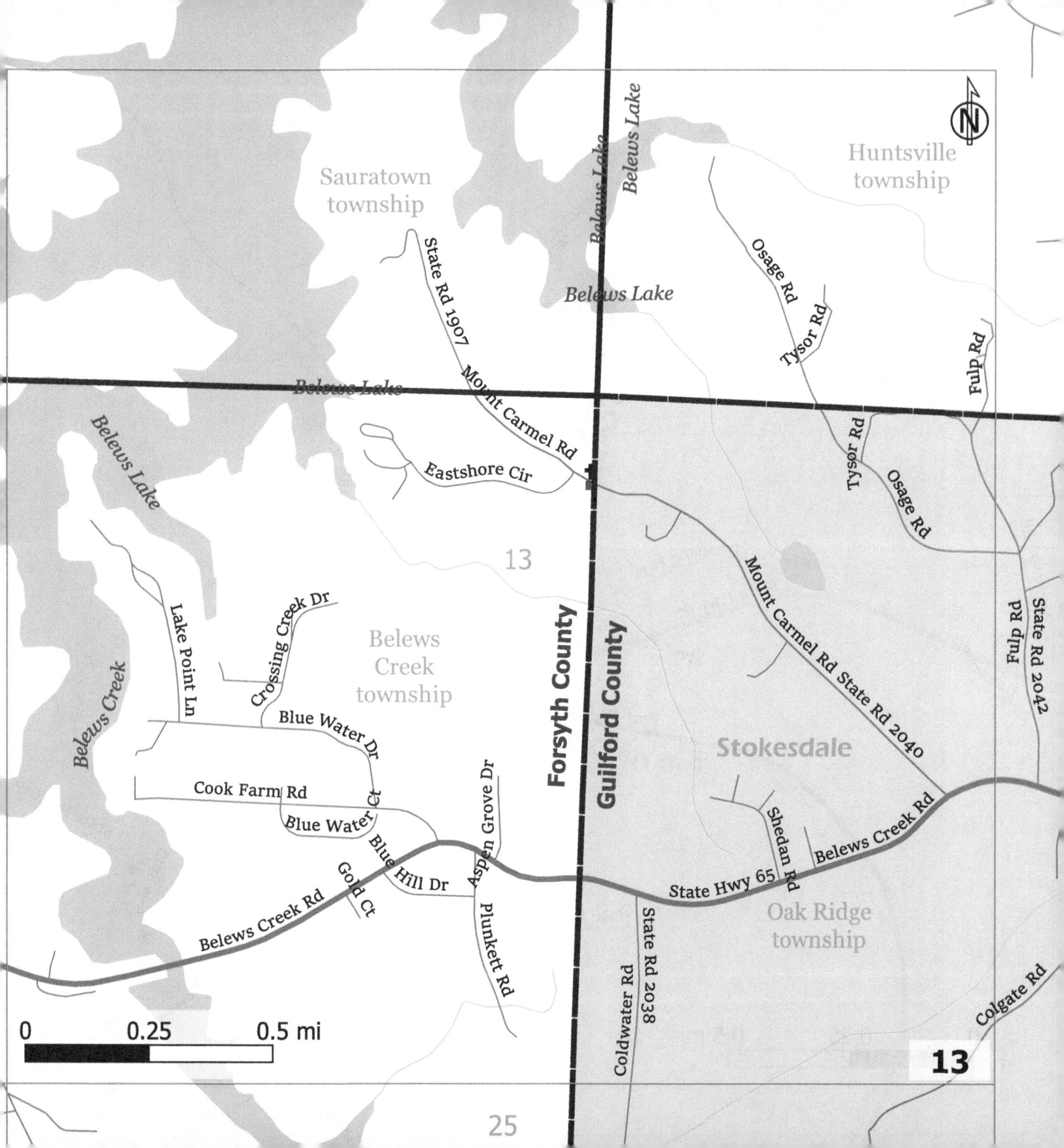

Sauratown township
Belews Lake
Huntsville township
State Rd 1907
Osage Rd
Tysor Rd
Fulp Rd
Mount Carmel Rd
Eastshore Cir
13
Lake Point Ln
Crossing Creek Dr
Belews Creek township
Forsyth County
Guilford County
Mount Carmel Rd State Rd 2040
State Rd 2042
Belews Creek
Blue Water Dr
Cook Farm Rd
Blue Water Ct
Aspen Grove Dr
Stokesdale
Shedan Rd
Belews Creek Rd
Blue Hill Dr
Gold Ct
State Hwy 65
Oak Ridge township
Plunkett Rd
State Rd 2038
Coldwater Rd
Colgate Rd
0
0.25
0.5 mi
25

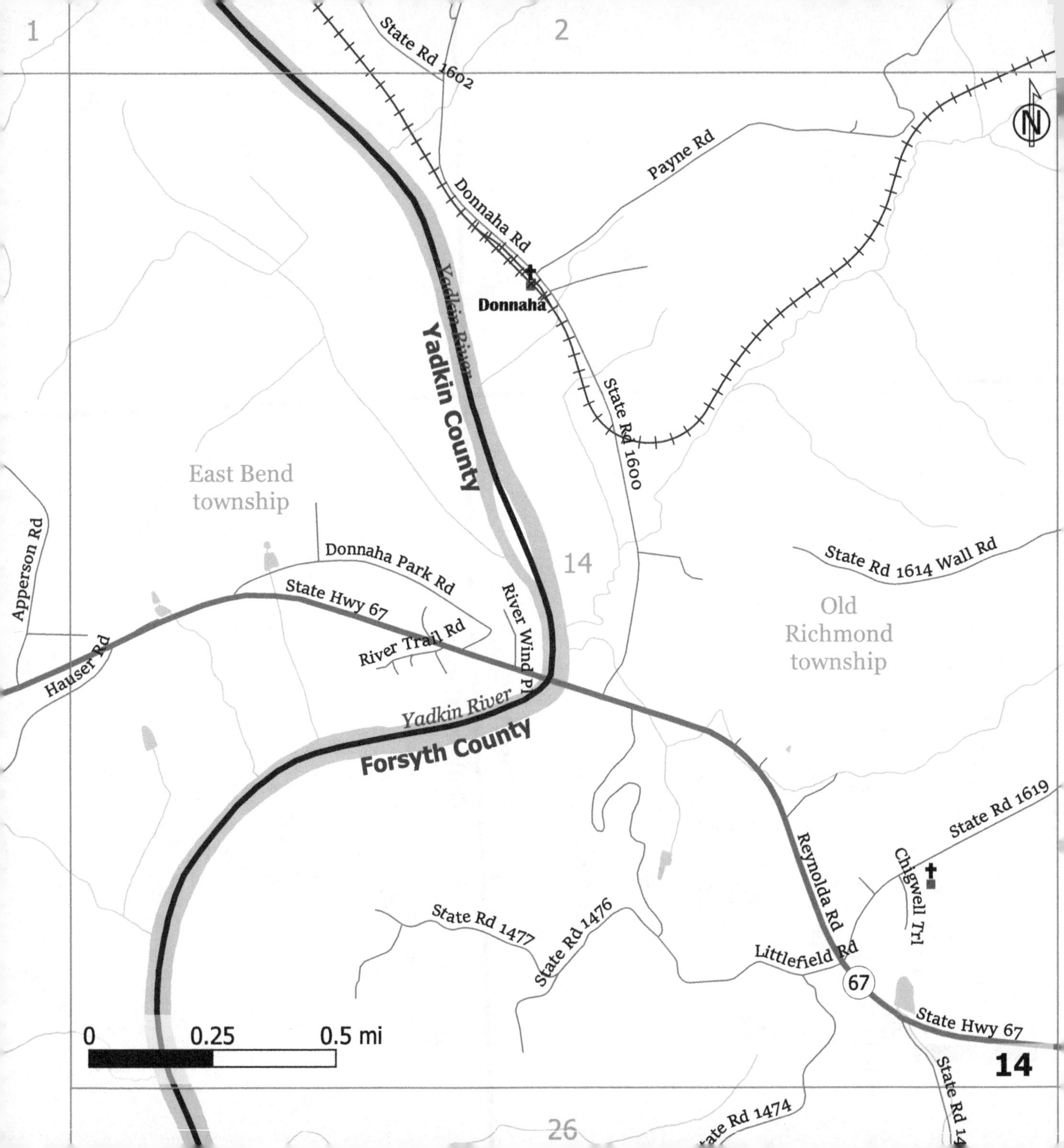
1
2
State Rd 1602
Payne Rd
Donnaha Rd
Donnaha
Yadkin River
Yadkin County
State Rd 1600
East Bend
township
Apperson Rd
Donnaha Park Rd
State Hwy 67
14
State Rd 1614 Wall Rd
Old
Richmond
township
River Wind Pl
River Trail Rd
Hauser Rd
Yadkin River
Forsyth County
State Rd 1619
Reynolda Rd
Chigwell Trl
State Rd 1477
State Rd 1476
Littlefield Rd
67
State Hwy 67
0
0.25
0.5 mi
26
State Rd 1474

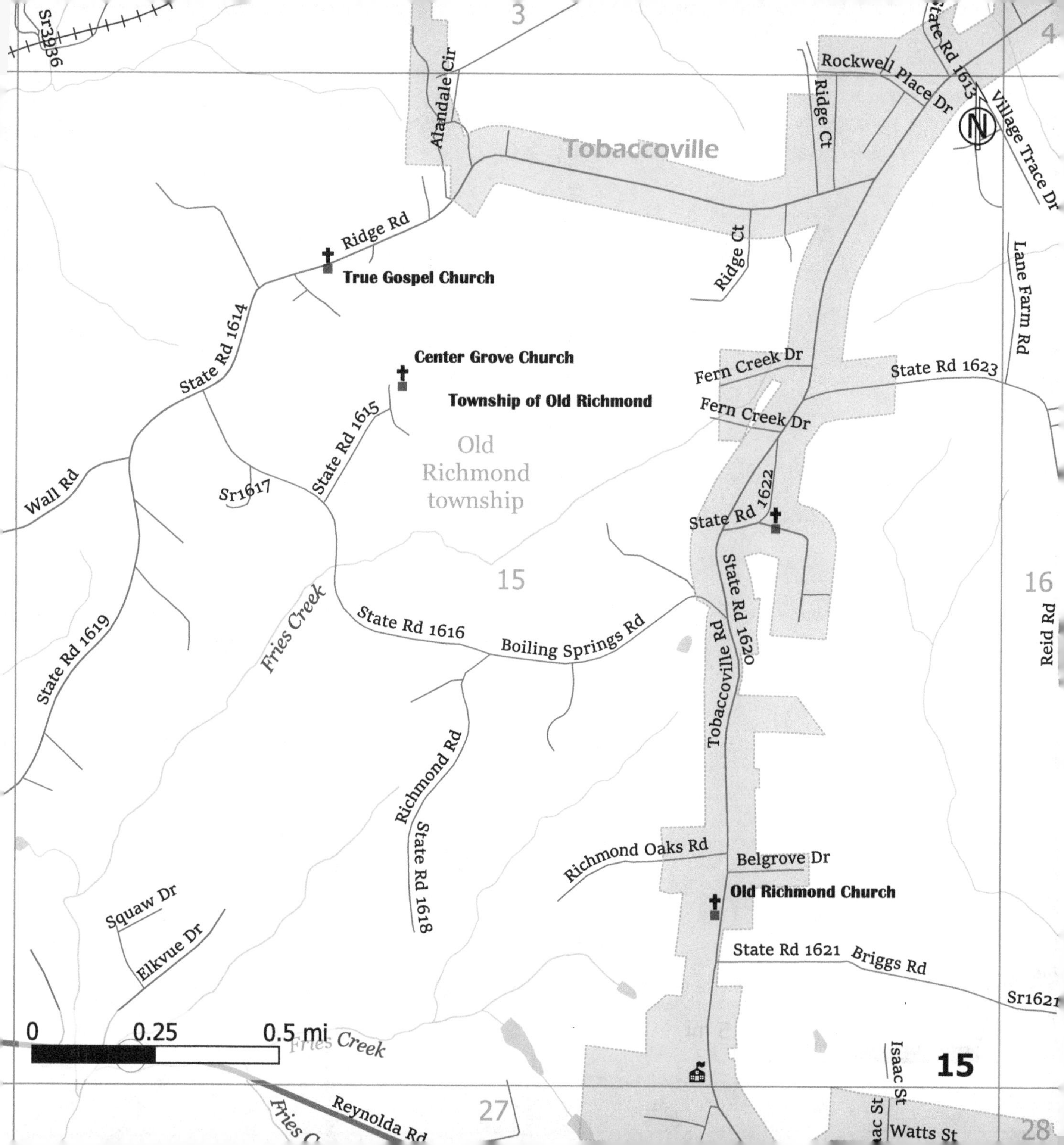
3
4
Sr3936
Alandale Cir
Rockwell Place Dr
State Rd 1613
Village Trace Dr
Ridge Ct
Tobaccoville
Ridge Rd
True Gospel Church
Ridge Ct
Lane Farm Rd
State Rd 1614
Center Grove Church
Township of Old Richmond
Fern Creek Dr
State Rd 1623
Fern Creek Dr
State Rd 1615
Old Richmond township
Wall Rd
Sr1617
State Rd 1622
State Rd
15
16
State Rd 1620
Fries Creek
State Rd 1616
Boiling Springs Rd
Reid Rd
State Rd 1619
Tobaccoville Rd
Richmond Rd
State Rd 1618
Richmond Oaks Rd
Belgrove Dr
Old Richmond Church
Squaw Dr
Elkvue Dr
State Rd 1621
Briggs Rd
Sr1621
0
0.25
0.5 mi
Fries Creek
Isaac St
15
27
Reynolda Rd
Fries C
Isaac St
Watts St
28

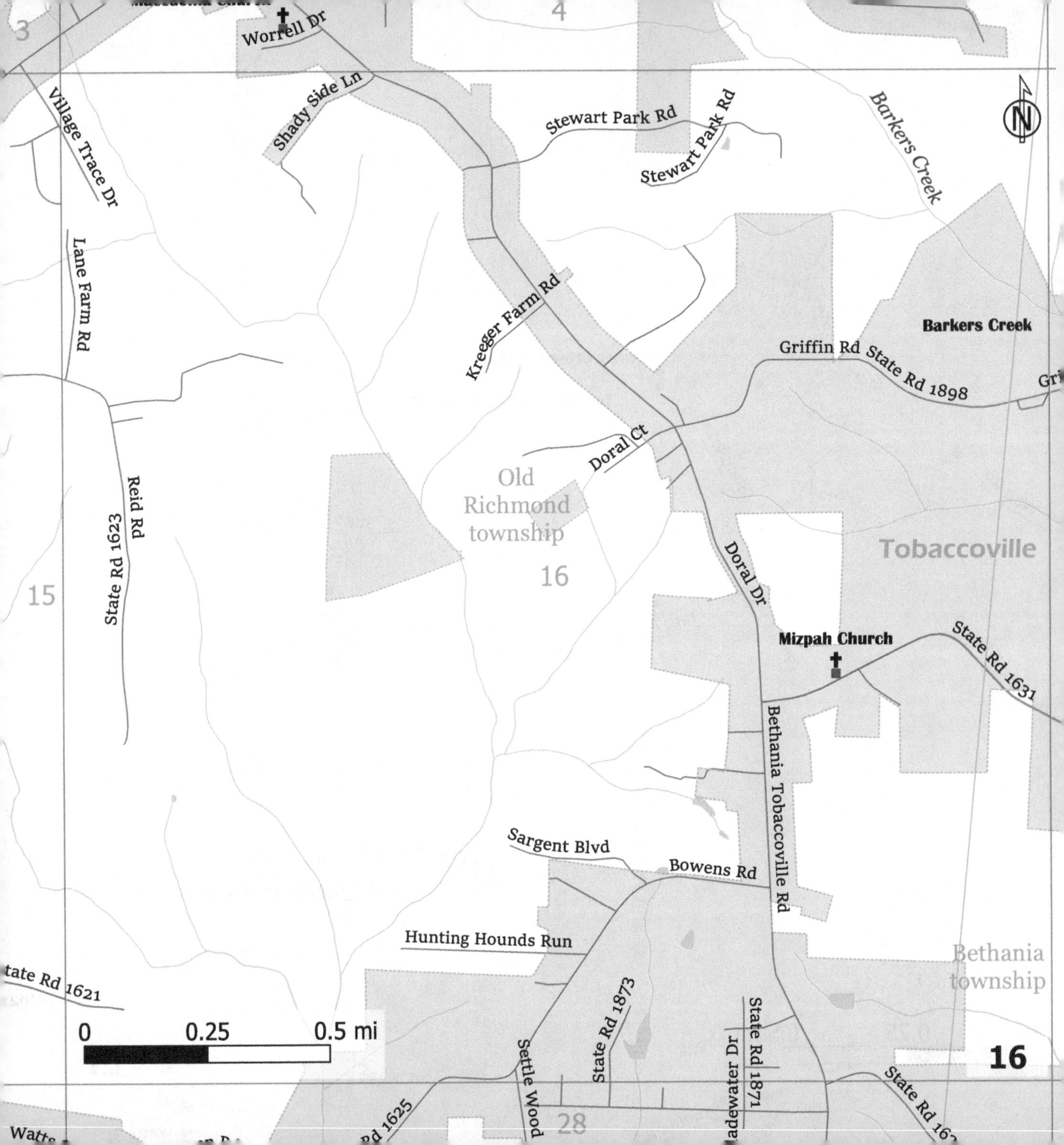
3
4
Worrell Dr
Shady Side Ln
Village Trace Dr
Stewart Park Rd
Stewart Park Rd
Barkers Creek
Lane Farm Rd
Kreeger Farm Rd
Barkers Creek
Griffin Rd
State Rd 1898
Doral Ct
Old
Richmond
township
Reid Rd
State Rd 1623
16
15
Doral Dr
Tobaccoville
Mizpah Church
State Rd 1631
Bethania Tobaccoville Rd
Sargent Blvd
Bowens Rd
Hunting Hounds Run
Bethania
township
State Rd 1873
State Rd 1871
Settle Wood
State Rd 1621
0
0.25
0.5 mi
16
28

5
6
Tobaccoville Rd
State Rd 3988
Cook Rd
N
State Rd 1632
State Rd 1643
Langenthal Rd
State Rd 1637
Whipporwill Ln
52
State Rd 1897
Ashridge Dr
Griffin Rd
State Rd 3983
State Rd 1898
Rural Hall
Parkers Creek
US Hwy 52
Bethania township
Kapp Farm Rd
US Hwy 52
Shore Rd
Parkers Creek
17
18
Muddy Creek
Bitting Hall Dr
Shore Rd
Beaver Dam Creek
State Rd 3974
Tobaccoville
State Rd 1632
Whisperwood St
Winston township
Mizpah Church Rd NW
52
Bentbrush St
State Rd 1631
Beaver Dam Creek
Castle Peak Dr
Pinnacle Oaks Dr
Shore Rd NW
Speas Lks
Speas Lakes
Speas Lks
Bethania Rural Hall Rd
Mizpah Church Rd
Mizpah Church Rd NW
0
0.25
0.5 mi
Piatts Lake Dam
Martha Ave
17
Paitts Lake
Winston-Salem
30

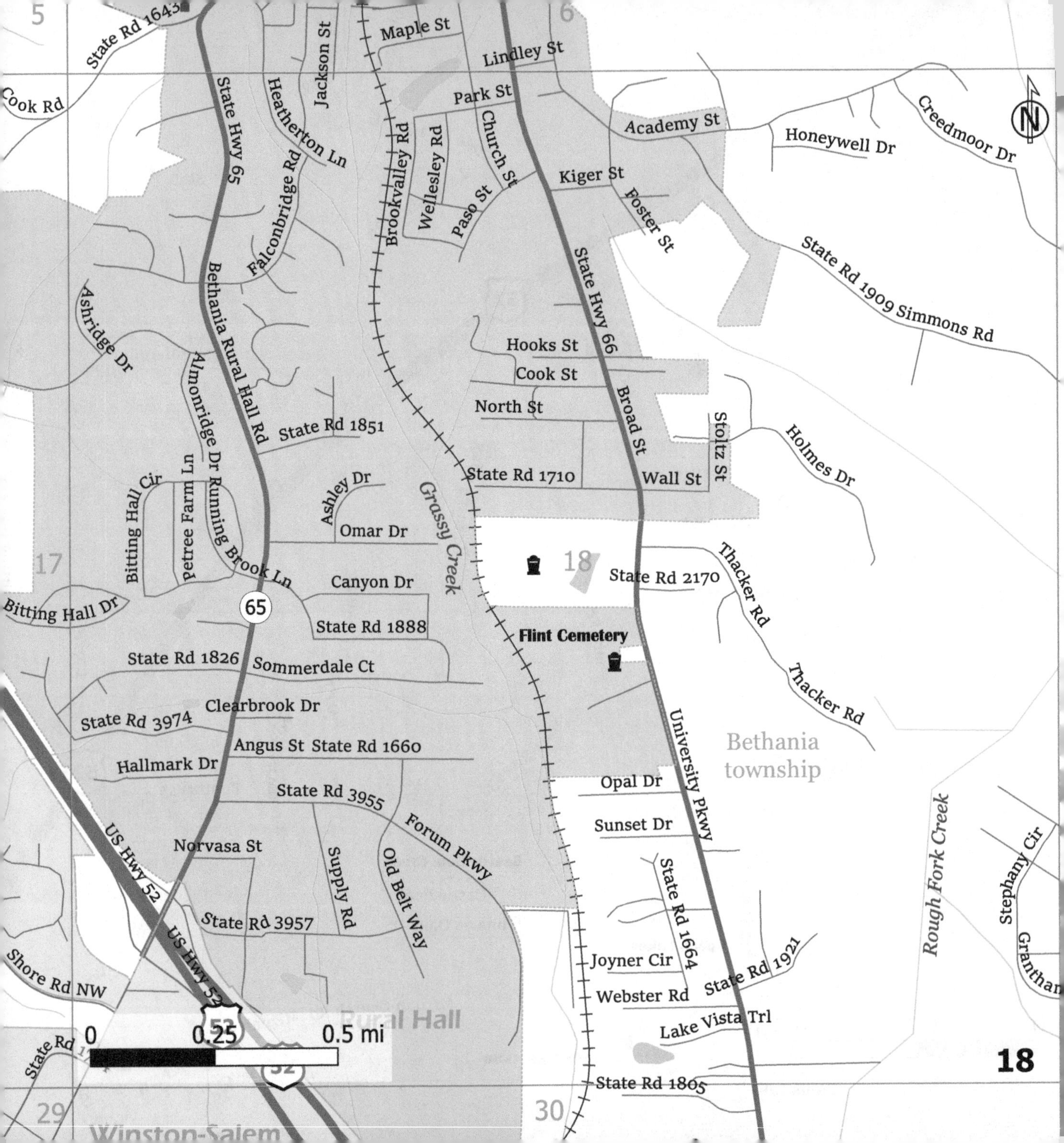
5
6
State Rd 1643
Cook Rd
Maple St
Lindley St
Jackson St
State Hwy 65
Heatherton Ln
Park St
Academy St
Honeywell Dr
Creedmoor Dr
N
Brookvalley Rd
Wellesley Rd
Church St
Kiger St
Falconbridge Rd
Paso St
Foster St
State Rd 1909 Simmons Rd
Bethania Rural Hall Rd
Ashridge Dr
State Hwy 66
Hooks St
Cook St
North St
Almonridge Dr
Broad St
Stoltz St
Holmes Dr
State Rd 1851
State Rd 1710
Wall St
Bitting Hall Cir
Petree Farm Ln
Running Brook Ln
Ashley Dr
Omar Dr
Grassy Creek
17
18
State Rd 2170
Thacker Rd
Canyon Dr
65
Bitting Hall Dr
State Rd 1888
Flint Cemetery
State Rd 1826
Sommerdale Ct
Thacker Rd
Clearbrook Dr
State Rd 3974
University Pkwy
Angus St
State Rd 1660
Bethania township
Hallmark Dr
Opal Dr
State Rd 3955
Forum Pkwy
Sunset Dr
US Hwy 52
Norvasa St
Supply Rd
Old Belt Way
Rough Fork Creek
Stephany Cir
State Rd 1664
State Rd 3957
US Hwy 52
Shore Rd NW
Joyner Cir
State Rd 1921
Webster Rd
Lake Vista Trl
Rural Hall
0
0.25
0.5 mi
52
State Rd
State Rd 1805
29
30
Winston-Salem

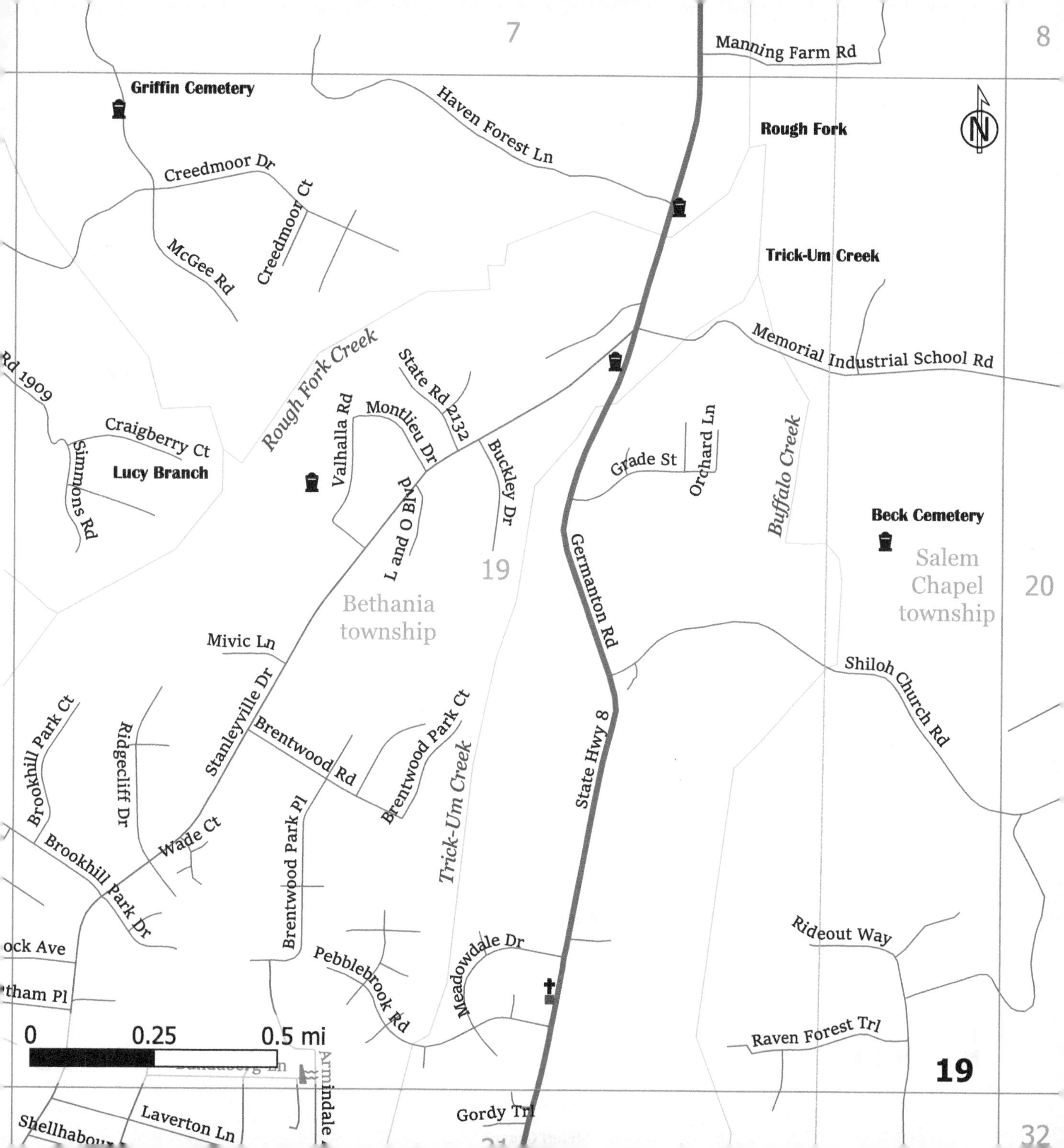
7
8
Manning Farm Rd
Griffin Cemetery
Haven Forest Ln
Rough Fork
Creedmoor Dr
Creedmoor Ct
McGee Rd
Trick-Um Creek
Rough Fork Creek
State Rd 2132
Memorial Industrial School Rd
Rd 1909
Valhalla Rd
Montlieu Dr
Craigberry Ct
Simmons Rd
Lucy Branch
Buckley Dr
Grade St
Orchard Ln
Buffalo Creek
L and O Blvd
Beck Cemetery
19
Germanton Rd
Salem Chapel township
20
Bethania township
Mivic Ln
Shiloh Church Rd
Stanleyville Dr
Brookhill Park Ct
Ridgecliff Dr
Brentwood Rd
Brentwood Park Ct
Trick-Um Creek
State Hwy 8
Wade Ct
Brookhill Park Dr
Brentwood Park Pl
ock Ave
Pebblebrook Rd
Meadowdale Dr
Rideout Way
tham Pl
0
0.25
0.5 mi
Raven Forest Trl
Armindale
19
Gordy Trl
Laverton Ln
Shellhabou
32

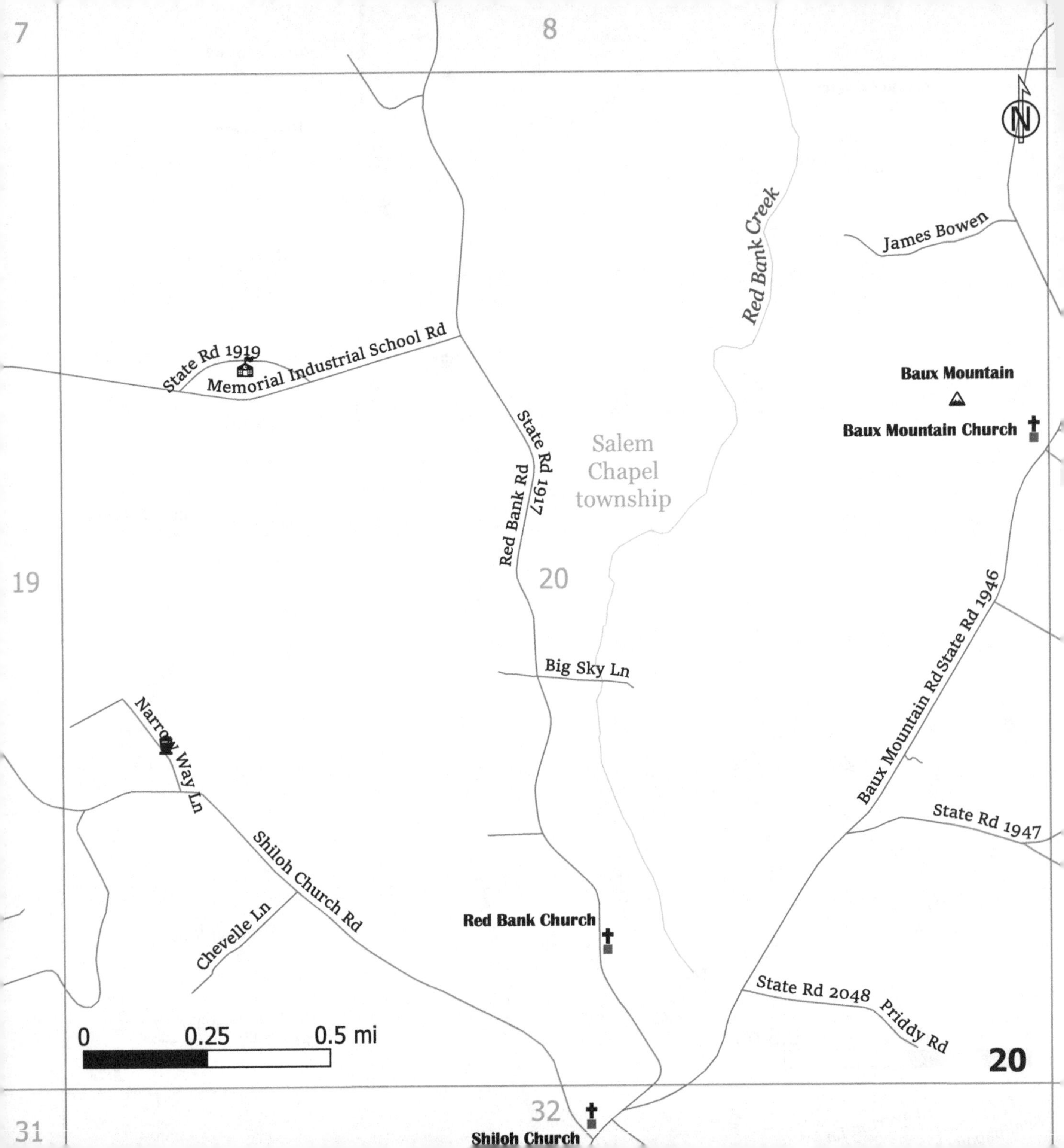
7
8
N
Red Bank Creek
James Bowen
State Rd 1919
Memorial Industrial School Rd
Baux Mountain
Baux Mountain Church
State Rd 1917
Red Bank Rd
Salem Chapel township
19
20
Baux Mountain Rd State Rd 1946
Big Sky Ln
Narrow Way Ln
State Rd 1947
Shiloh Church Rd
Chevelle Ln
Red Bank Church
State Rd 2048
Priddy Rd
0
0.25
0.5 mi
32
31
Shiloh Church

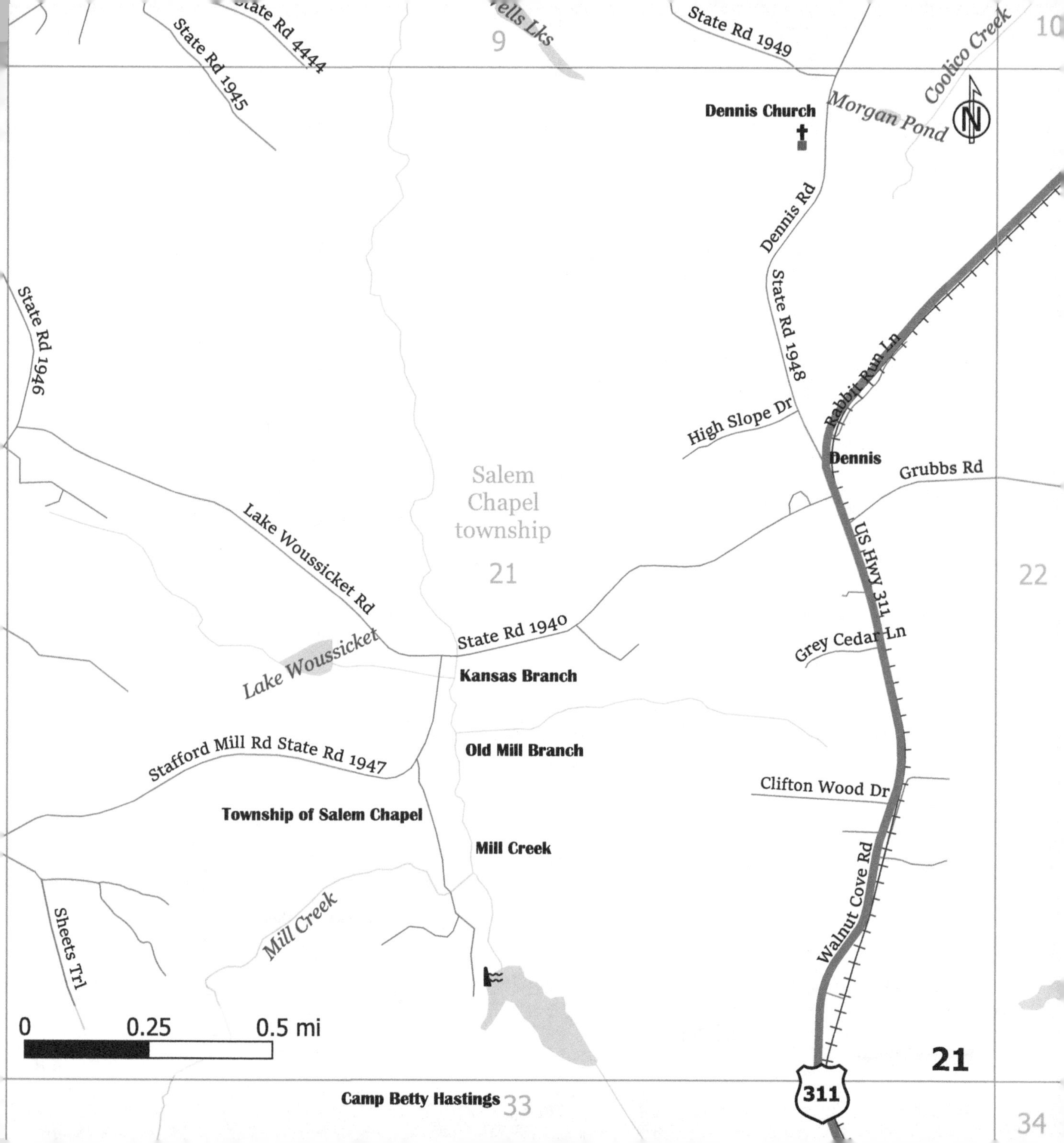

State Rd 4444
Wells Lks
9
State Rd 1949
10
Coolico Creek
State Rd 1945
Dennis Church
Morgan Pond
N
Dennis Rd
State Rd 1948
State Rd 1946
Rabbit Run Ln
High Slope Dr
Dennis
Grubbs Rd
Salem
Chapel
township
21
US Hwy 311
22
Lake Woussicket Rd
State Rd 1940
Grey Cedar Ln
Lake Woussicket
Kansas Branch
Old Mill Branch
Stafford Mill Rd State Rd 1947
Clifton Wood Dr
Township of Salem Chapel
Mill Creek
Walnut Cove Rd
Sheets Trl
Mill Creek
0
0.25
0.5 mi
21
311
Camp Betty Hastings
33
34

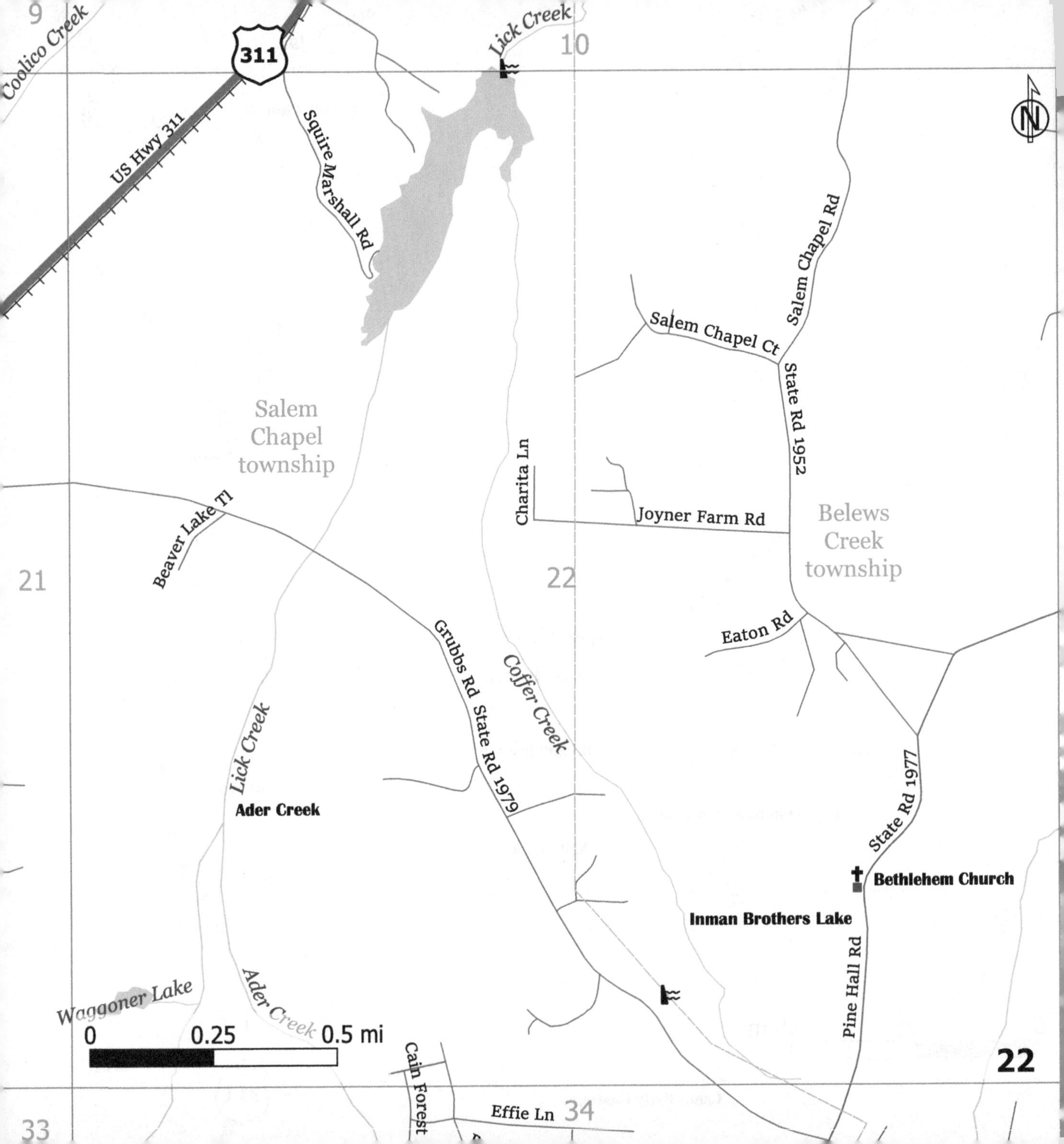

9
Coolico Creek
311
US Hwy 311
Squire Marshall Rd
Lick Creek
10
Salem Chapel Rd
Salem Chapel Ct
State Rd 1952
Salem Chapel township
Charita Ln
Joyner Farm Rd
Belews Creek township
Beaver Lake Tl
21
22
Eaton Rd
Grubbs Rd State Rd 1979
Coffer Creek
Lick Creek
Ader Creek
State Rd 1977
Bethlehem Church
Inman Brothers Lake
Pine Hall Rd
Waggoner Lake
Ader Creek
0
0.25
0.5 mi
Cain Forest
Effie Ln
34
33

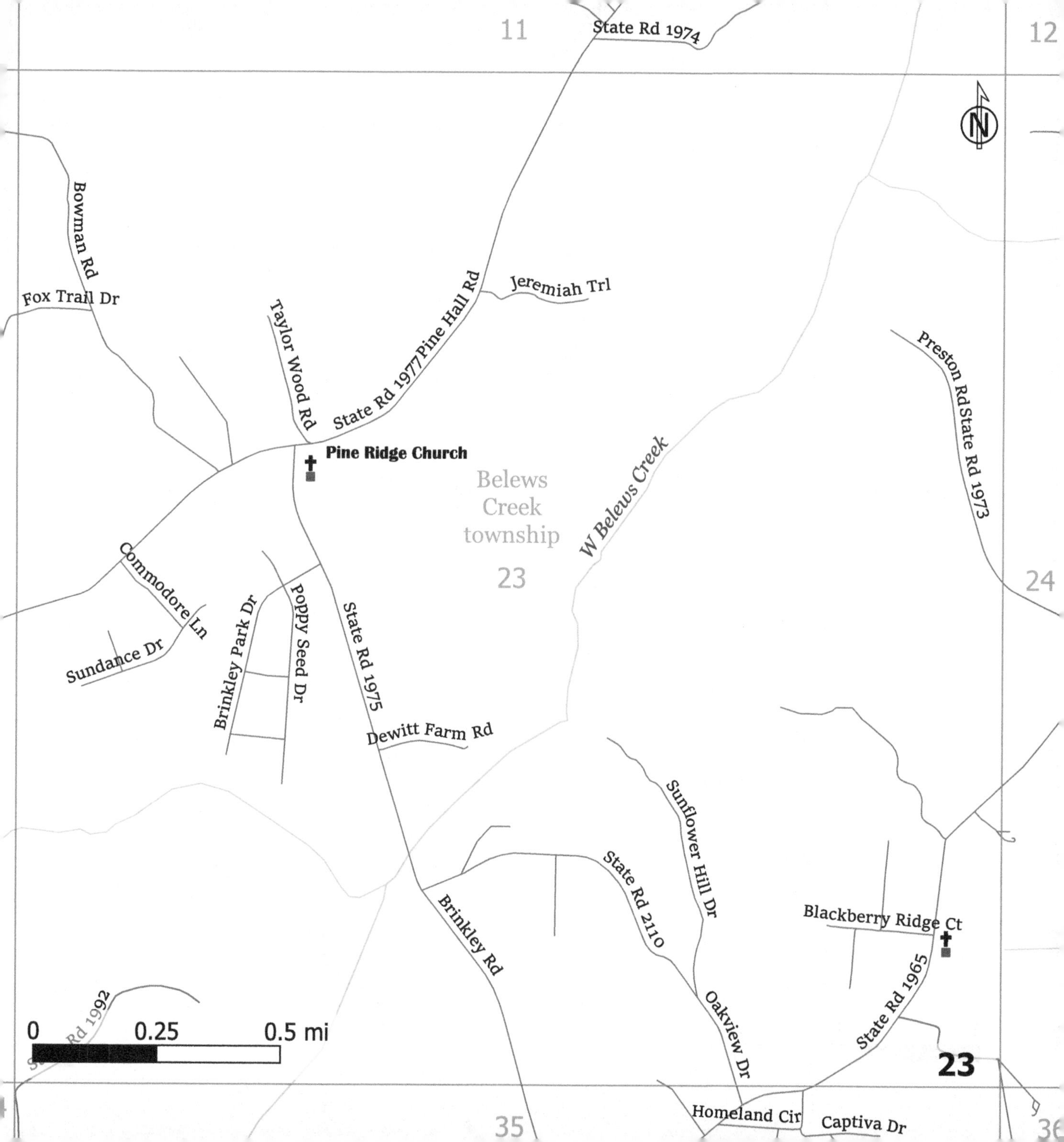
11
State Rd 1974
12
Bowman Rd
Fox Trail Dr
Taylor Wood Rd
State Rd 1977
Pine Hall Rd
Jeremiah Trl
Preston Rd
State Rd 1973
Pine Ridge Church
Belews Creek township
23
W Belews Creek
24
Commodore Ln
Sundance Dr
Brinkley Park Dr
Poppy Seed Dr
State Rd 1975
Dewitt Farm Rd
Sunflower Hill Dr
State Rd 2110
Brinkley Rd
Blackberry Ridge Ct
State Rd 1965
Oakview Dr
0
0.25
0.5 mi
23
35
Homeland Cir
Captiva Dr

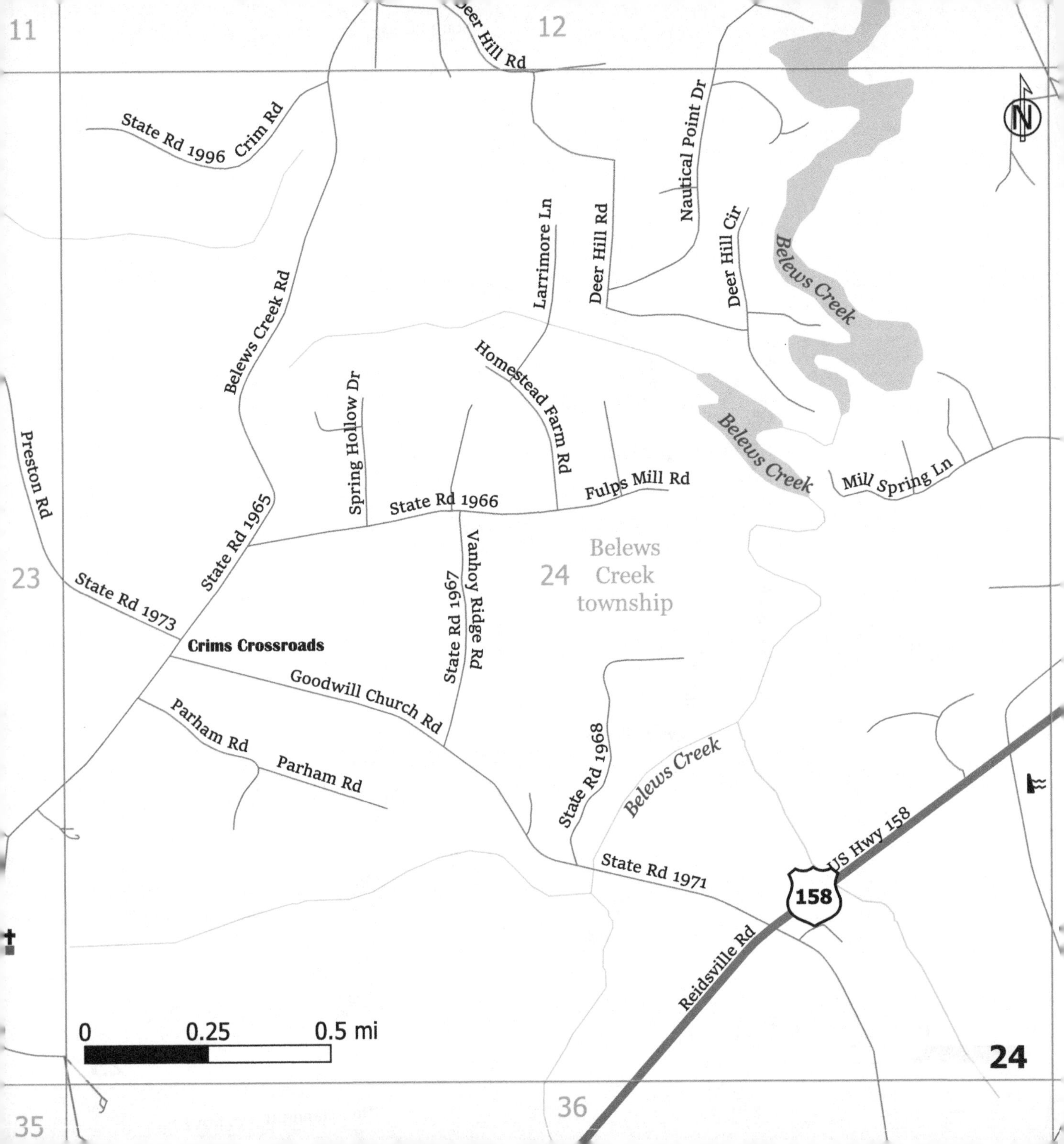
11
12
Deer Hill Rd
State Rd 1996
Crim Rd
Nautical Point Dr
Larrimore Ln
Deer Hill Rd
Deer Hill Cir
Belews Creek
Belews Creek Rd
Homestead Farm Rd
Spring Hollow Dr
Preston Rd
Belews Creek
Fulps Mill Rd
Mill Spring Ln
State Rd 1966
State Rd 1965
Vanhoy Ridge Rd
Belews
Creek
township
23
24
State Rd 1967
State Rd 1973
Crims Crossroads
Goodwill Church Rd
Parham Rd
Parham Rd
State Rd 1968
Belews Creek
US Hwy 158
State Rd 1971
158
Reidsville Rd
0
0.25
0.5 mi
36
35

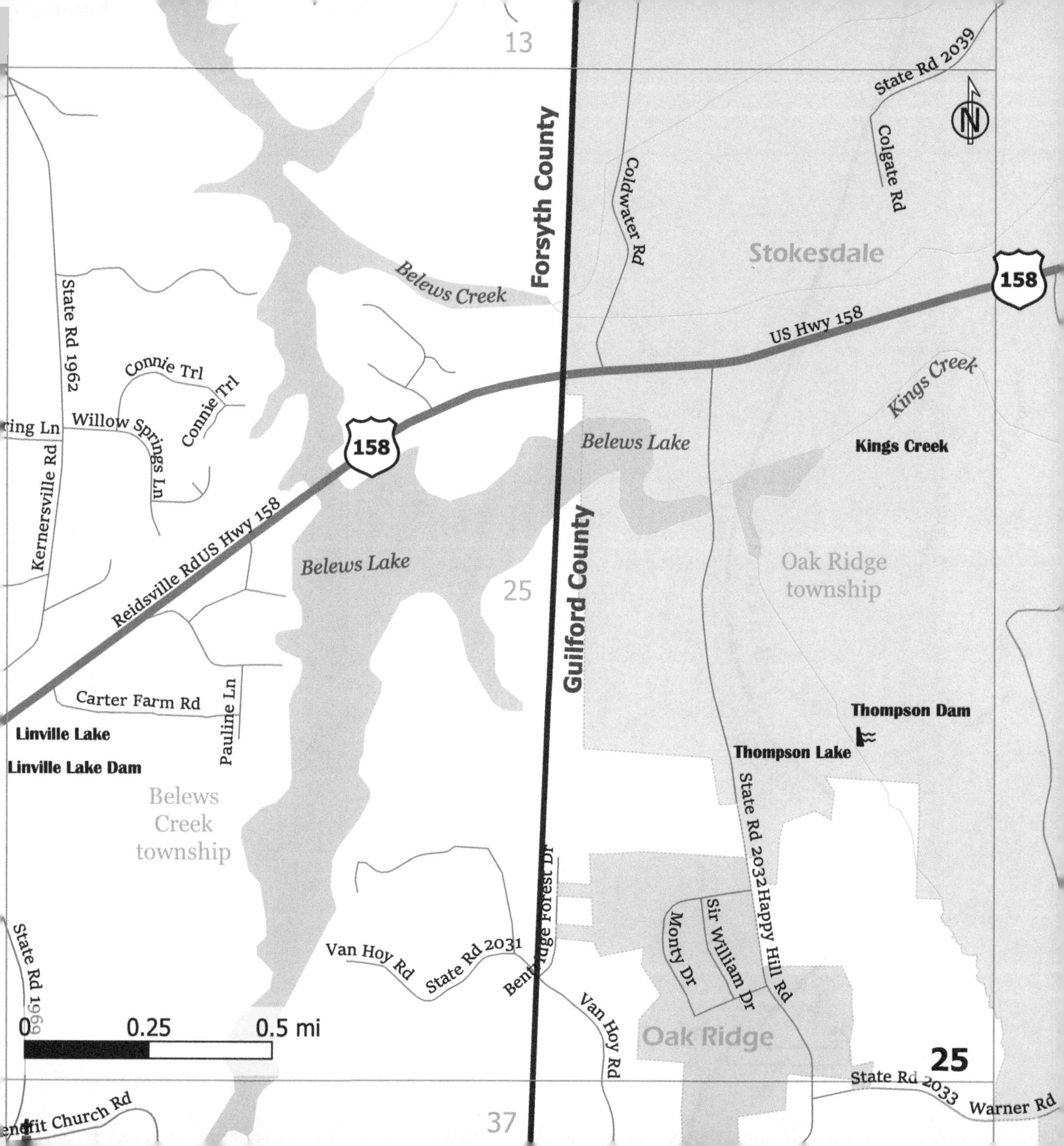

13
State Rd 2039
Colgate Rd
Forsyth County
Coldwater Rd
Stokesdale
158
Belews Creek
State Rd 1962
US Hwy 158
Connie Trl
Connie Trl
Kings Creek
ing Ln
Willow Springs Ln
158
Belews Lake
Kings Creek
Kernersville Rd
Reidsville RdUS Hwy 158
Belews Lake
25
Guilford County
Oak Ridge township
Carter Farm Rd
Pauline Ln
Thompson Dam
Linville Lake
Thompson Lake
Linville Lake Dam
Belews Creek township
State Rd 2032Happy Hill Rd
Bent Ridge Forest Dr
Sir William Dr
Monty Dr
State Rd 1969
Van Hoy Rd
State Rd 2031
Van Hoy Rd
0
0.25
0.5 mi
Oak Ridge
25
State Rd 2033
Warner Rd
enefit Church Rd
37

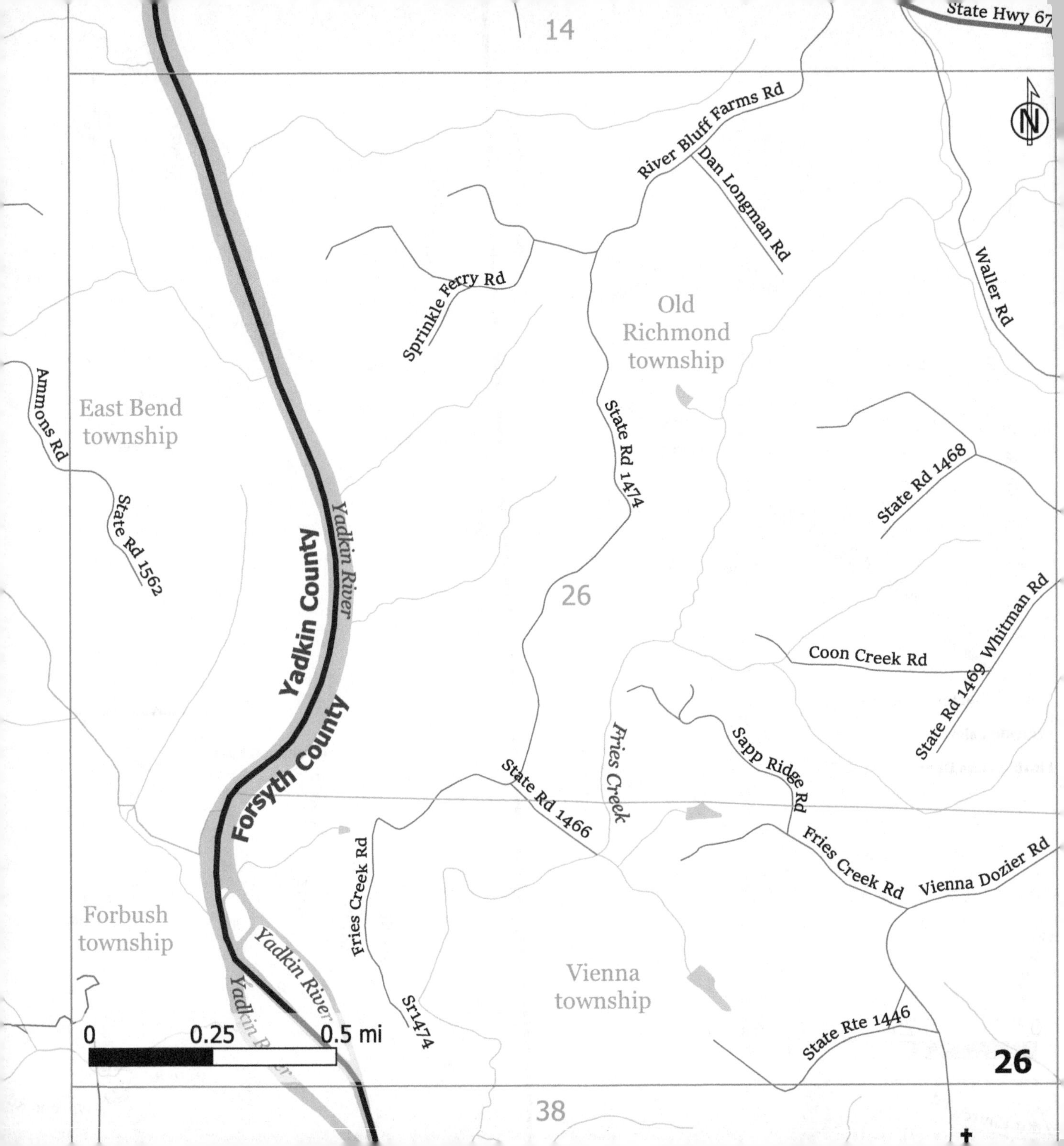
14
State Hwy 67
River Bluff Farms Rd
Dan Longman Rd
Sprinkle Ferry Rd
Waller Rd
Old Richmond township
East Bend township
Ammons Rd
State Rd 1562
State Rd 1474
Yadkin County
Forsyth County
Yadkin River
26
State Rd 1468
State Rd 1469 Whitman Rd
Coon Creek Rd
Sapp Ridge Rd
Fries Creek
State Rd 1466
Fries Creek Rd
Vienna Dozier Rd
Forbush township
Vienna township
Sr1474
State Rte 1446
0
0.25
0.5 mi
38

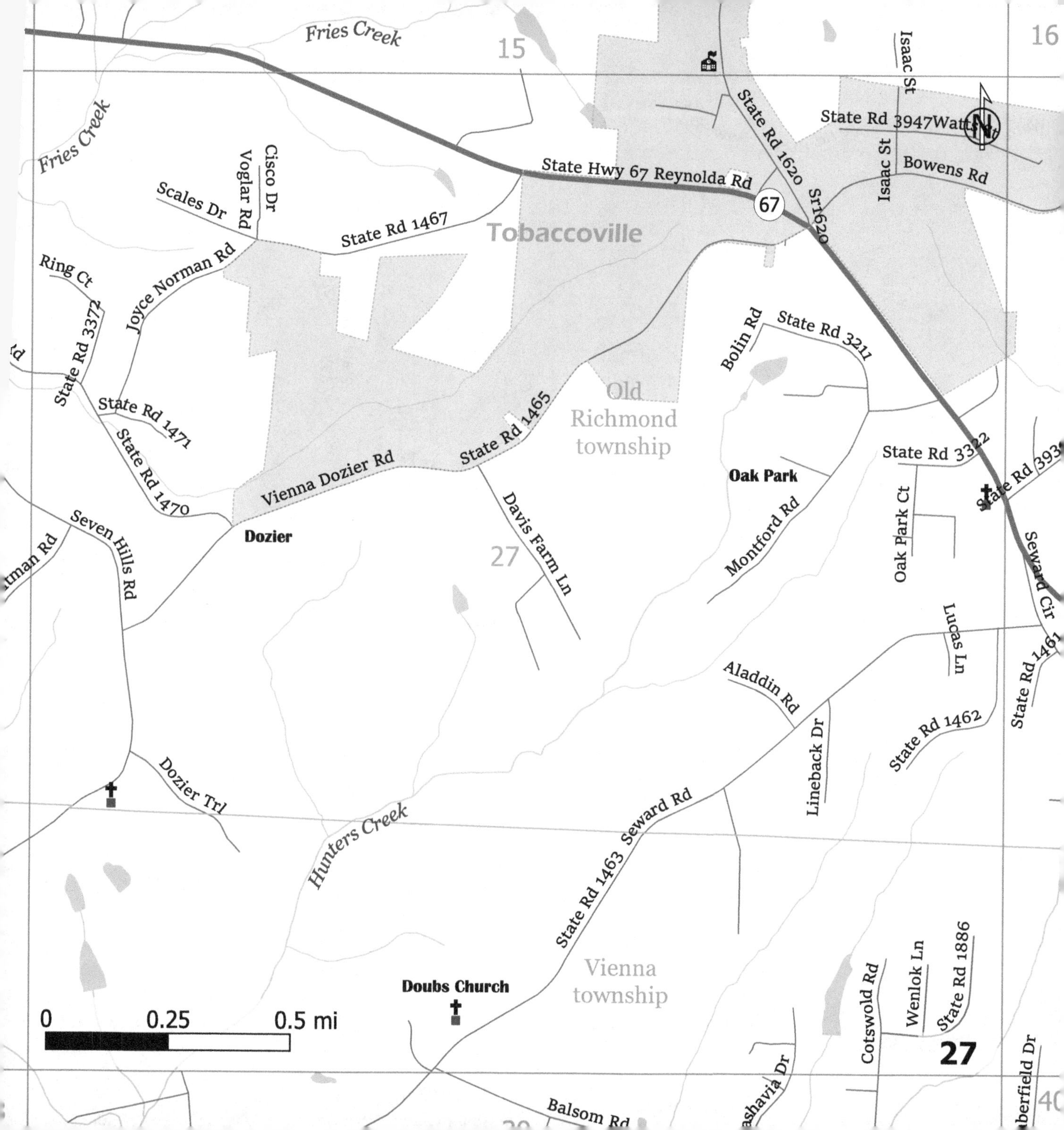

Fries Creek
15
16
Fries Creek
State Rd 1620
Isaac St
State Rd 3947
Watts St
N
Isaac St
Bowens Rd
State Hwy 67 Reynolda Rd
67
Sr1620
Cisco Dr
Voglar Rd
Scales Dr
State Rd 1467
Tobaccoville
Ring Ct
Joyce Norman Rd
State Rd 3372
Bolin Rd
State Rd 3211
Old Richmond township
State Rd 1471
State Rd 1465
State Rd 3322
Oak Park
State Rd 1470
Vienna Dozier Rd
Dozier
Seven Hills Rd
Davis Farm Ln
Montford Rd
Oak Park Ct
27
Seward Cir
Lucas Ln
Aladdin Rd
State Rd 1461
Lineback Dr
State Rd 1462
Dozier Trl
Seward Rd
Hunters Creek
State Rd 1463
Vienna township
Doubs Church
0
0.25
0.5 mi
Cotswold Rd
Wenlok Ln
State Rd 1886
27
Balsom Rd

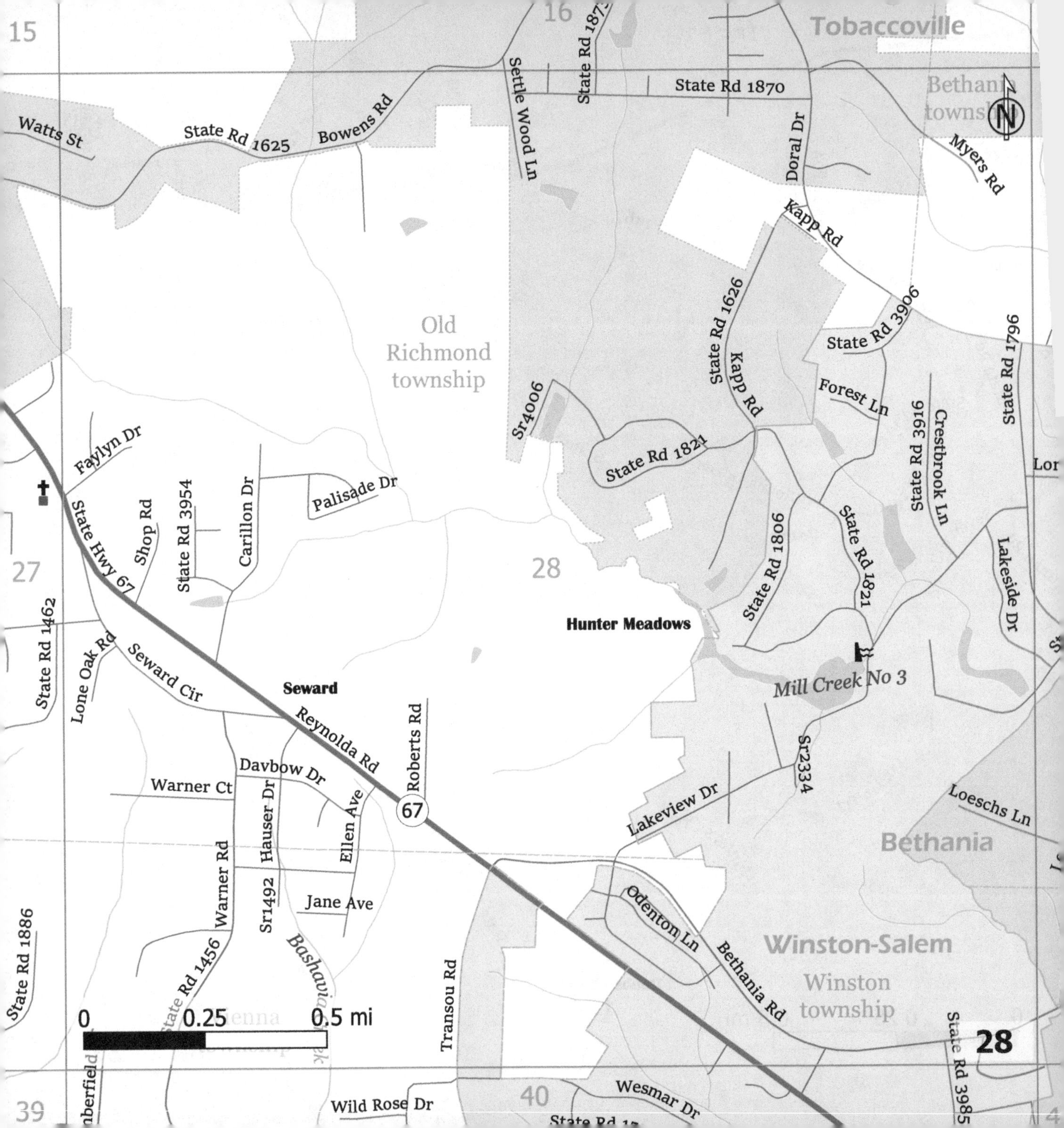
15
16
Tobaccoville
Bethania township
Watts St
State Rd 1625
Bowens Rd
Settle Wood Ln
State Rd 1870
Doral Dr
Myers Rd
Kapp Rd
State Rd 1626
State Rd 3906
Old Richmond township
Kapp Rd
Forest Ln
State Rd 1796
Sr4006
State Rd 1821
State Rd 3916
Crestbrook Ln
Faylyn Dr
Palisade Dr
Carillon Dr
State Rd 3954
Shop Rd
State Hwy 67
State Rd 1806
State Rd 1821
Lakeside Dr
27
28
State Rd 1462
Lone Oak Rd
Seward Cir
Hunter Meadows
Seward
Mill Creek No 3
Reynolda Rd
Roberts Rd
Sr2334
Davbow Dr
Warner Ct
Hauser Dr
Ellen Ave
67
Lakeview Dr
Loeschs Ln
Bethania
Warner Rd
Sr1492
Jane Ave
Odenton Ln
State Rd 1886
State Rd 1456
Bashavia Creek
Transou Rd
Bethania Rd
Winston-Salem
Winston township
0
0.25
0.5 mi
State Rd 3985
28
39
40
Wild Rose Dr
Wesmar Dr

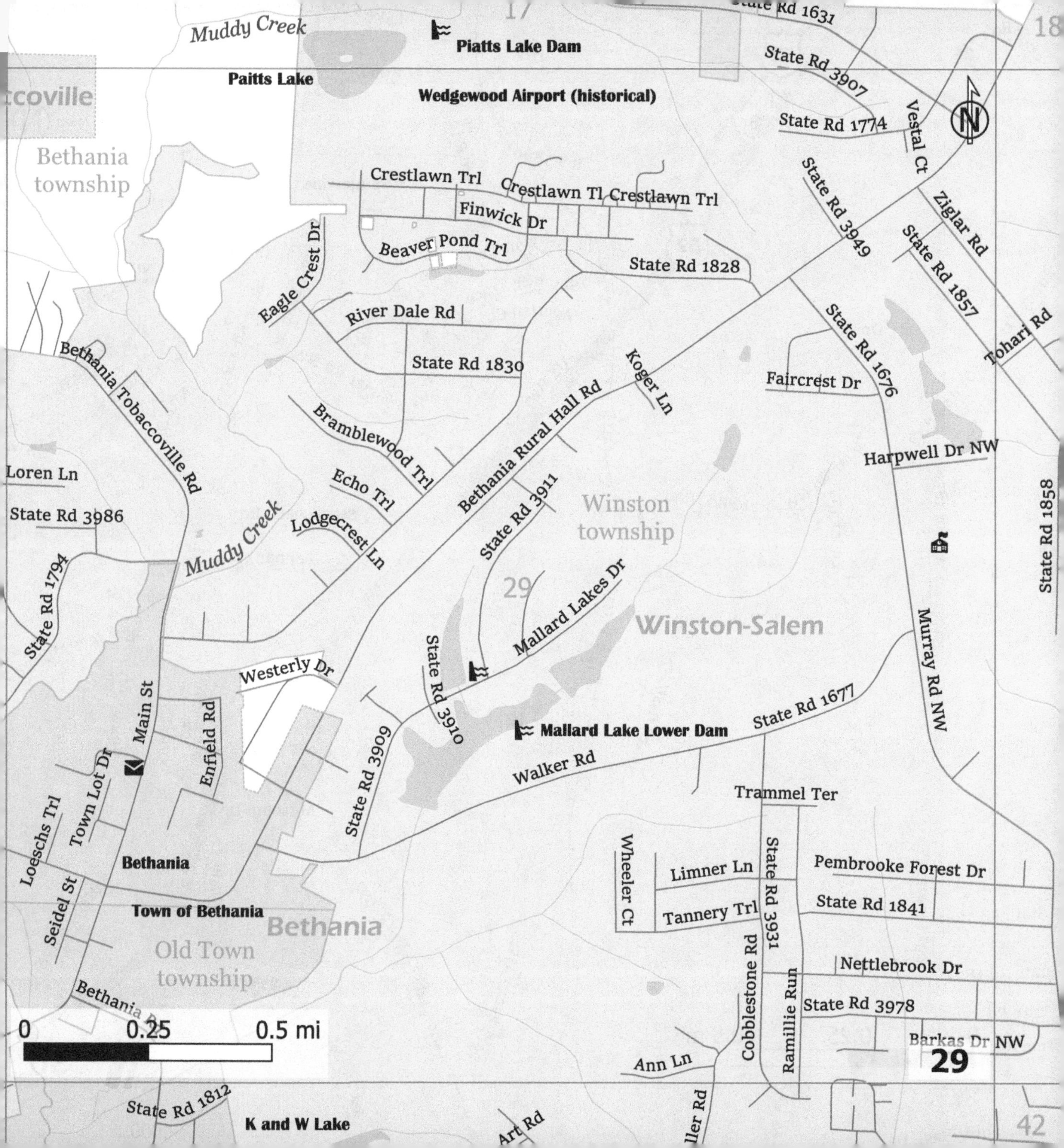
17
18
42
29
Muddy Creek
Piatts Lake Dam
Paitts Lake
Wedgewood Airport (historical)
Bethania township
State Rd 1631
State Rd 3907
State Rd 1774
Vestal Ct
Crestlawn Trl
Crestlawn Tl
Finwick Dr
Beaver Pond Trl
Eagle Crest Dr
State Rd 1828
State Rd 3949
Ziglar Rd
State Rd 1857
River Dale Rd
State Rd 1830
State Rd 1676
Tohari Rd
Koger Ln
Faircrest Dr
Bethania Tobaccoville Rd
Bramblewood Trl
Bethania Rural Hall Rd
Harpwell Dr NW
Loren Ln
Echo Trl
State Rd 3911
Winston township
State Rd 3986
Lodgecrest Ln
State Rd 1858
State Rd 1794
Mallard Lakes Dr
Winston-Salem
Murray Rd NW
Westerly Dr
State Rd 3910
Main St
Enfield Rd
State Rd 3909
Mallard Lake Lower Dam
State Rd 1677
Walker Rd
Trammel Ter
Town Lot Dr
Loeschs Trl
Bethania
Wheeler Ct
Limner Ln
State Rd 3931
Pembrooke Forest Dr
Seidel St
Town of Bethania
Tannery Trl
State Rd 1841
Old Town township
Cobblestone Rd
Ramillie Run
Nettlebrook Dr
State Rd 3978
Barkas Dr NW
0
0.25
0.5 mi
Ann Ln
State Rd 1812
K and W Lake
Art Rd

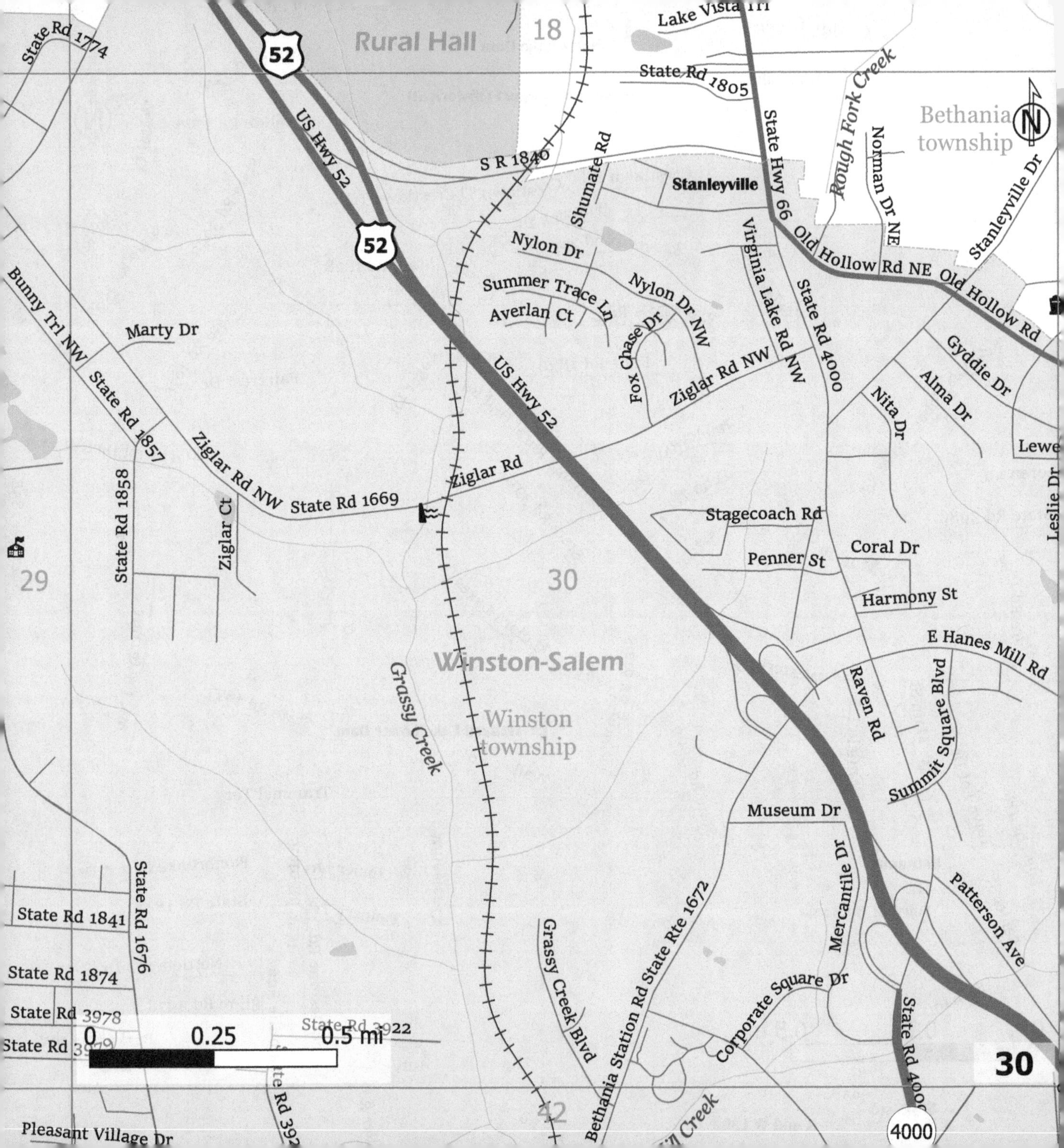

Rural Hall
18
52
Lake Vista Trl
State Rd 1774
State Rd 1805
Rough Fork Creek
Bethania township
US Hwy 52
S R 1840
Shumate Rd
Stanleyville
State Hwy 66
Norman Dr NE
Stanleyville Dr
Old Hollow Rd NE
Old Hollow Rd
Nylon Dr
Virginia Lake Rd NW
State Rd 4000
Summer Trace Ln
Nylon Dr NW
Averlan Ct
Fox Chase Dr
Bunny Trl NW
Marty Dr
Ziglar Rd NW
Gyddie Dr
Alma Dr
Nita Dr
State Rd 1857
Ziglar Rd
Lewe
Ziglar Rd NW
State Rd 1669
State Rd 1858
Ziglar Ct
Stagecoach Rd
Leslie Dr
Coral Dr
Penner St
29
30
Harmony St
E Hanes Mill Rd
Winston-Salem
Raven Rd
Grassy Creek
Winston township
Summit Square Blvd
Museum Dr
Mercantile Dr
Patterson Ave
State Rd 1676
State Rd 1841
Grassy Creek Blvd
Bethania Station Rd State Rte 1672
Corporate Square Dr
State Rd 1874
State Rd 3978
State Rd 3922
State Rd 3979
0
0.25
0.5 mi
State Rd 4000
42
4000
Pleasant Village Dr

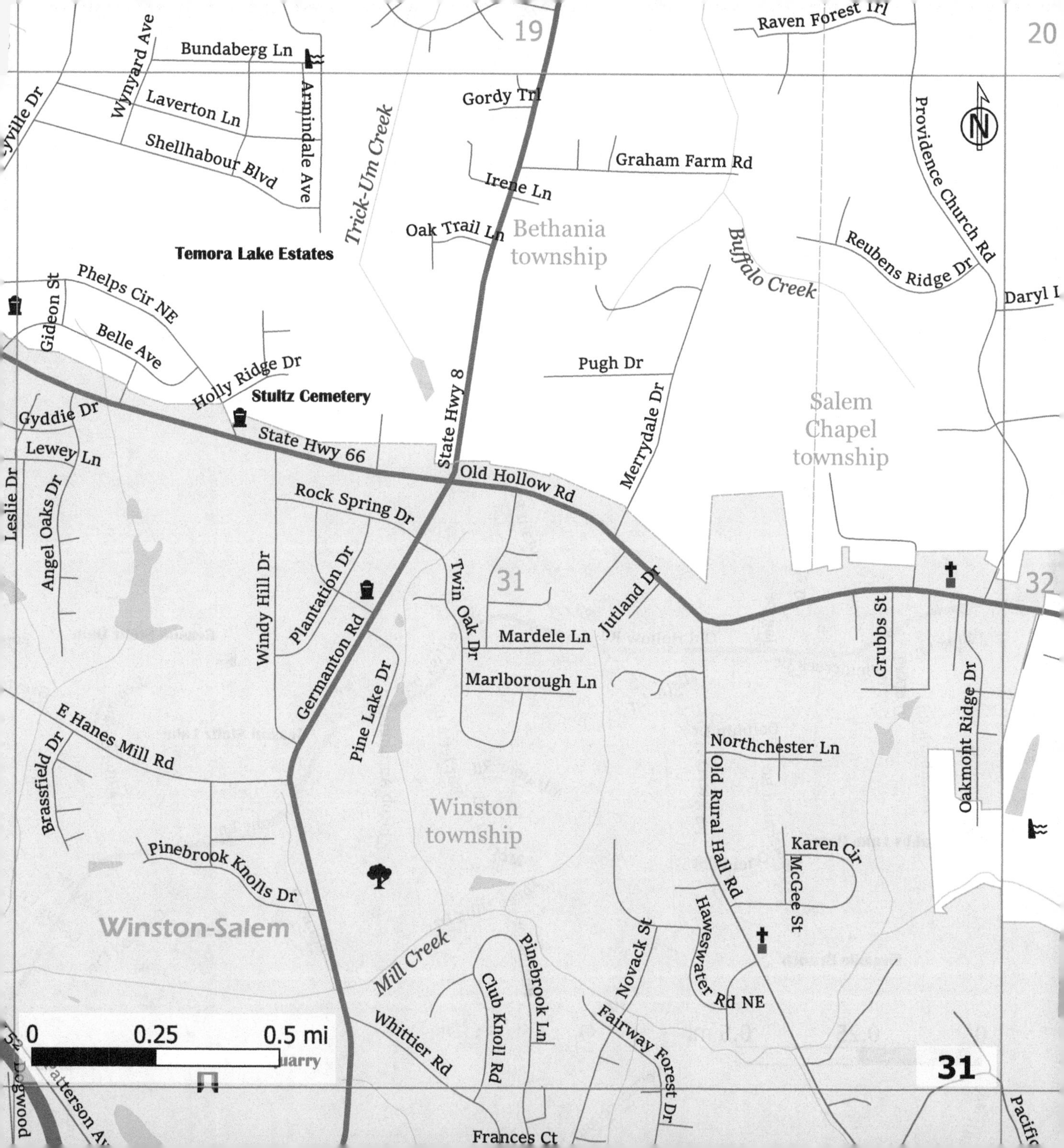
19
20
Raven Forest Trl
Bundaberg Ln
Wynyard Ave
Laverton Ln
Armindale Ave
Shellhabour Blvd
Gordy Trl
Trick-Um Creek
Graham Farm Rd
Irene Ln
Providence Church Rd
Oak Trail Ln
Bethania township
Temora Lake Estates
Buffalo Creek
Reubens Ridge Dr
Daryl
Phelps Cir NE
Gideon St
Belle Ave
Holly Ridge Dr
Pugh Dr
Stultz Cemetery
State Hwy 8
Merrydale Dr
Salem Chapel township
Gyddie Dr
Lewey Ln
State Hwy 66
Leslie Dr
Angel Oaks Dr
Old Hollow Rd
Rock Spring Dr
Windy Hill Dr
Plantation Dr
Twin Oak Dr
31
Jutland Dr
32
Germanton Rd
Mardele Ln
Grubbs St
Pine Lake Dr
Marlborough Ln
Oakmont Ridge Dr
E Hanes Mill Rd
Brassfield Dr
Northchester Ln
Old Rural Hall Rd
Winston township
Pinebrook Knolls Dr
Karen Cir
McGee St
Winston-Salem
Mill Creek
Pinebrook Ln
Novack St
Haweswater Rd NE
Club Knoll Rd
Fairway Forest Dr
Whittier Rd
0
0.25
0.5 mi
52
Dogwood
Patterson Av
Frances Ct
31
Pacific

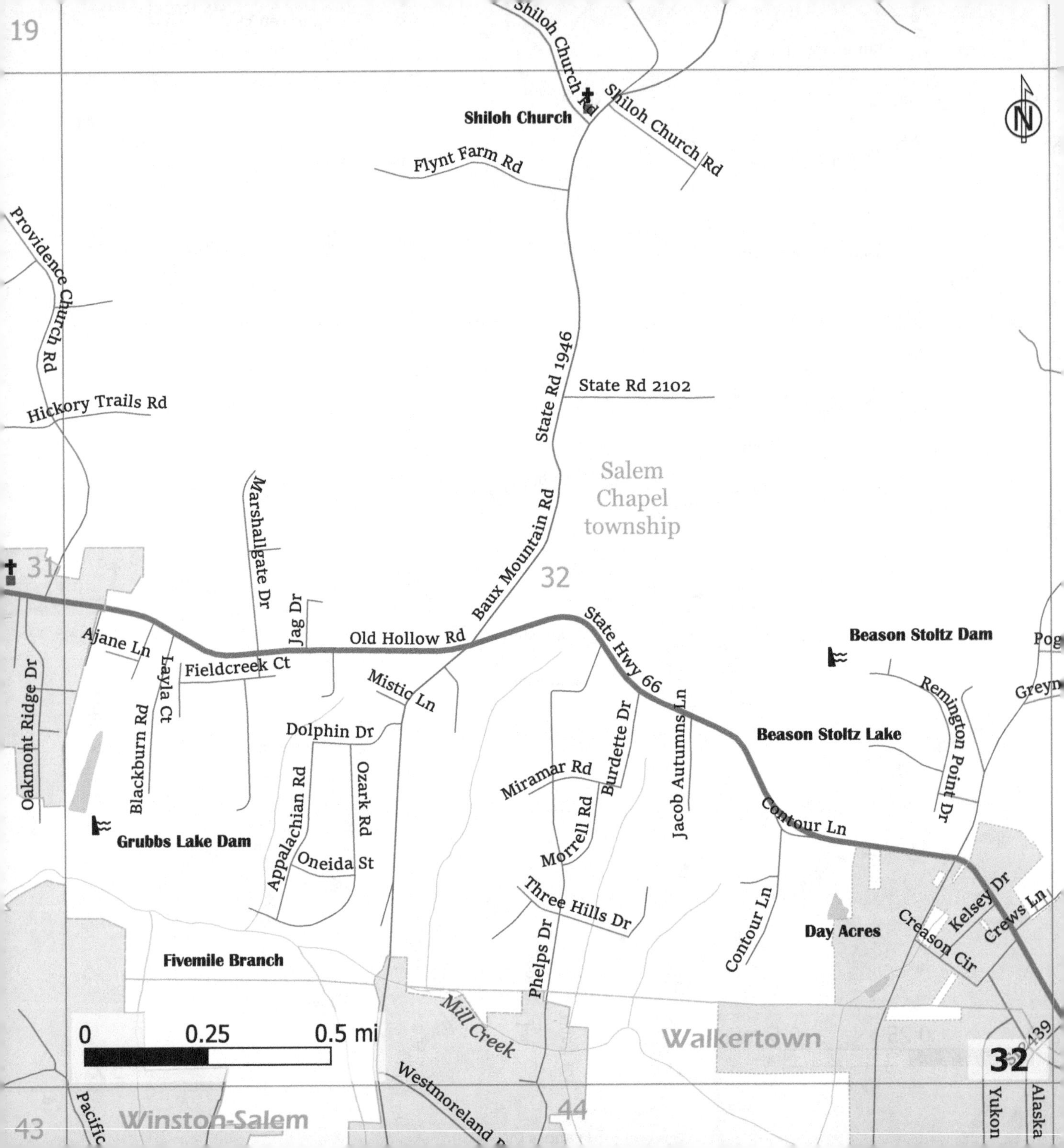
19
Shiloh Church Rd
Shiloh Church
Shiloh Church Rd
Flynt Farm Rd
Providence Church Rd
Hickory Trails Rd
State Rd 1946
State Rd 2102
Salem
Chapel
township
Marshallgate Dr
Baux Mountain Rd
31
32
Jag Dr
Old Hollow Rd
State Hwy 66
Beason Stoltz Dam
Ajane Ln
Layla Ct
Fieldcreek Ct
Mistic Ln
Oakmont Ridge Dr
Blackburn Rd
Dolphin Dr
Burdette Dr
Jacob Autumns Ln
Beason Stoltz Lake
Remington Point Dr
Greyn
Pog
Appalachian Rd
Ozark Rd
Miramar Rd
Morrell Rd
Contour Ln
Grubbs Lake Dam
Oneida St
Three Hills Dr
Contour Ln
Day Acres
Kelsey Dr
Crews Ln
Creason Cir
Fivemile Branch
Phelps Dr
Mill Creek
0
0.25
0.5 mi
Walkertown
Westmoreland
Winston-Salem
Pacific
43
44
Yukon
Alaska
32

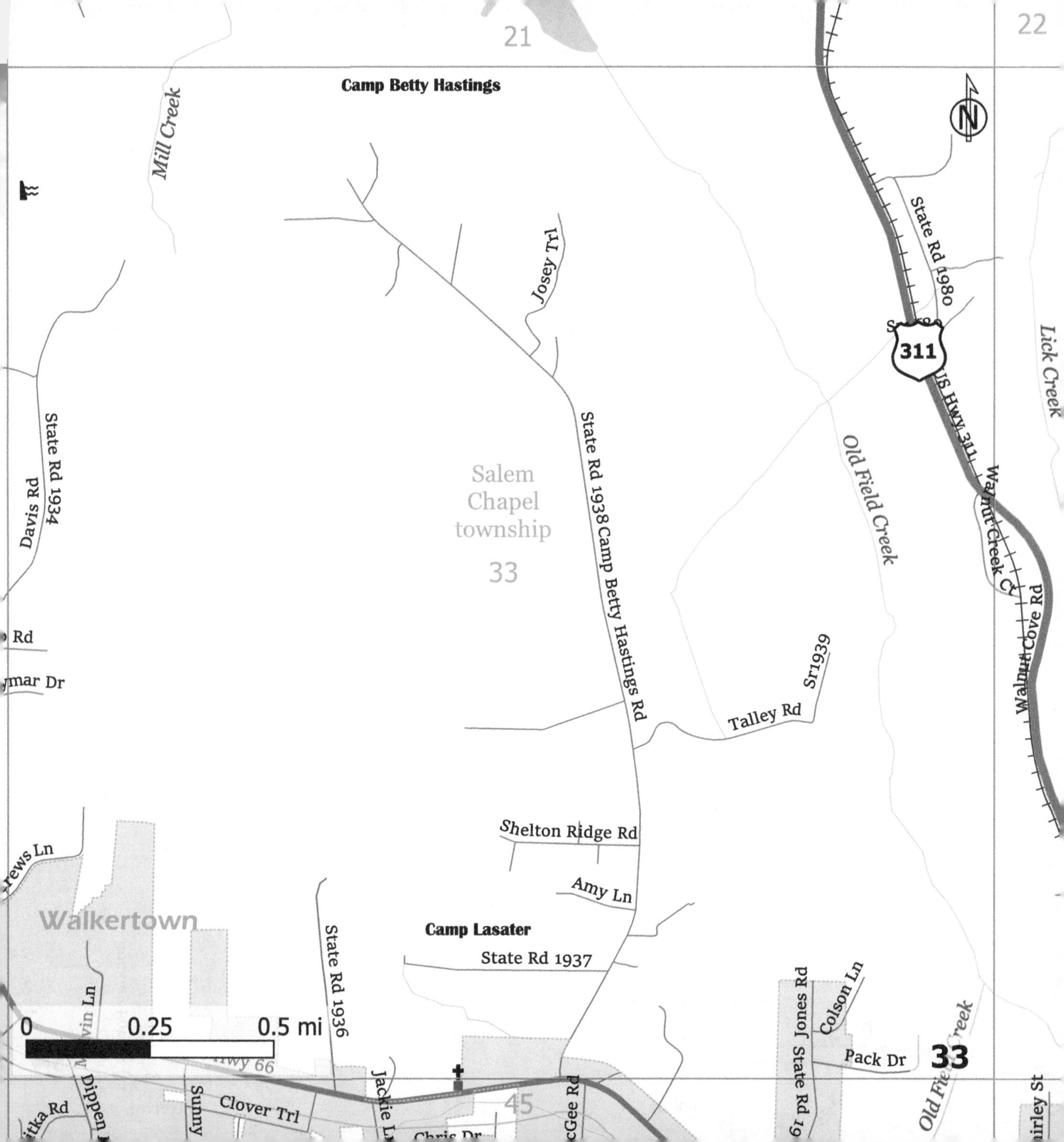
21
22
Camp Betty Hastings
Mill Creek
State Rd 1980
311
US Hwy 311
Lick Creek
Josey Trl
State Rd 1934
Davis Rd
Salem Chapel township 33
State Rd 1938
Camp Betty Hastings Rd
Old Field Creek
Walnut Creek Ct
Walnut Cove Rd
Sr1939
Talley Rd
Rd
ymar Dr
Shelton Ridge Rd
Amy Ln
rews Ln
Walkertown
Camp Lasater
State Rd 1936
State Rd 1937
Jones Rd
Colson Ln
State Rd 19
Pack Dr
33
0
0.25
0.5 mi
Hwy 66
Dippen
Sunny
Clover Trl
Jackie Ln
Chris Dr
cGee Rd
45
Old Field Creek
hirley St
Rd

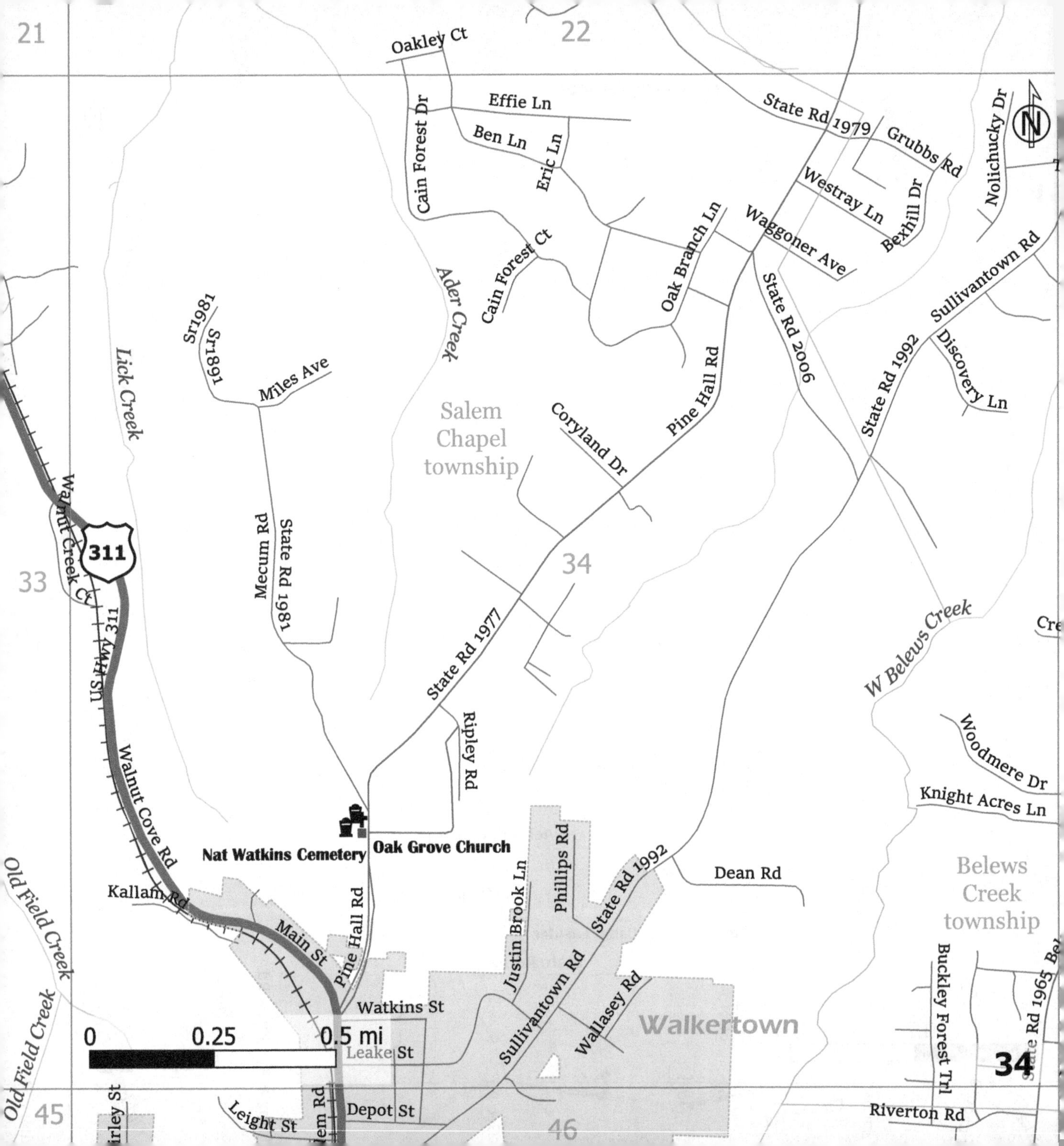

21
22
33
34
45
46
Oakley Ct
Effie Ln
Cain Forest Dr
Ben Ln
Eric Ln
State Rd 1979
Grubbs Rd
Nolichucky Dr
Westray Ln
Bexhill Dr
Waggoner Ave
Oak Branch Ln
Cain Forest Ct
Ader Creek
Sr1981
Sr1891
Miles Ave
Lick Creek
State Rd 2006
Sullivantown Rd
Discovery Ln
State Rd 1992
Pine Hall Rd
Salem
Chapel
township
Coryland Dr
Walnut Creek Ct
311
US Hwy 311
Mecum Rd
State Rd 1981
State Rd 1977
W Belews Creek
Ripley Rd
Woodmere Dr
Knight Acres Ln
Walnut Cove Rd
Nat Watkins Cemetery
Oak Grove Church
Phillips Rd
Justin Brook Ln
Dean Rd
Belews
Creek
township
Old Field Creek
Kallam Rd
Main St
Pine Hall Rd
Sullivantown Rd
Wallasey Rd
Walkertown
Watkins St
0
0.25
0.5 mi
Leake St
Buckley Forest Trl
State Rd 1965
Depot St
Leight St
Riverton Rd
34

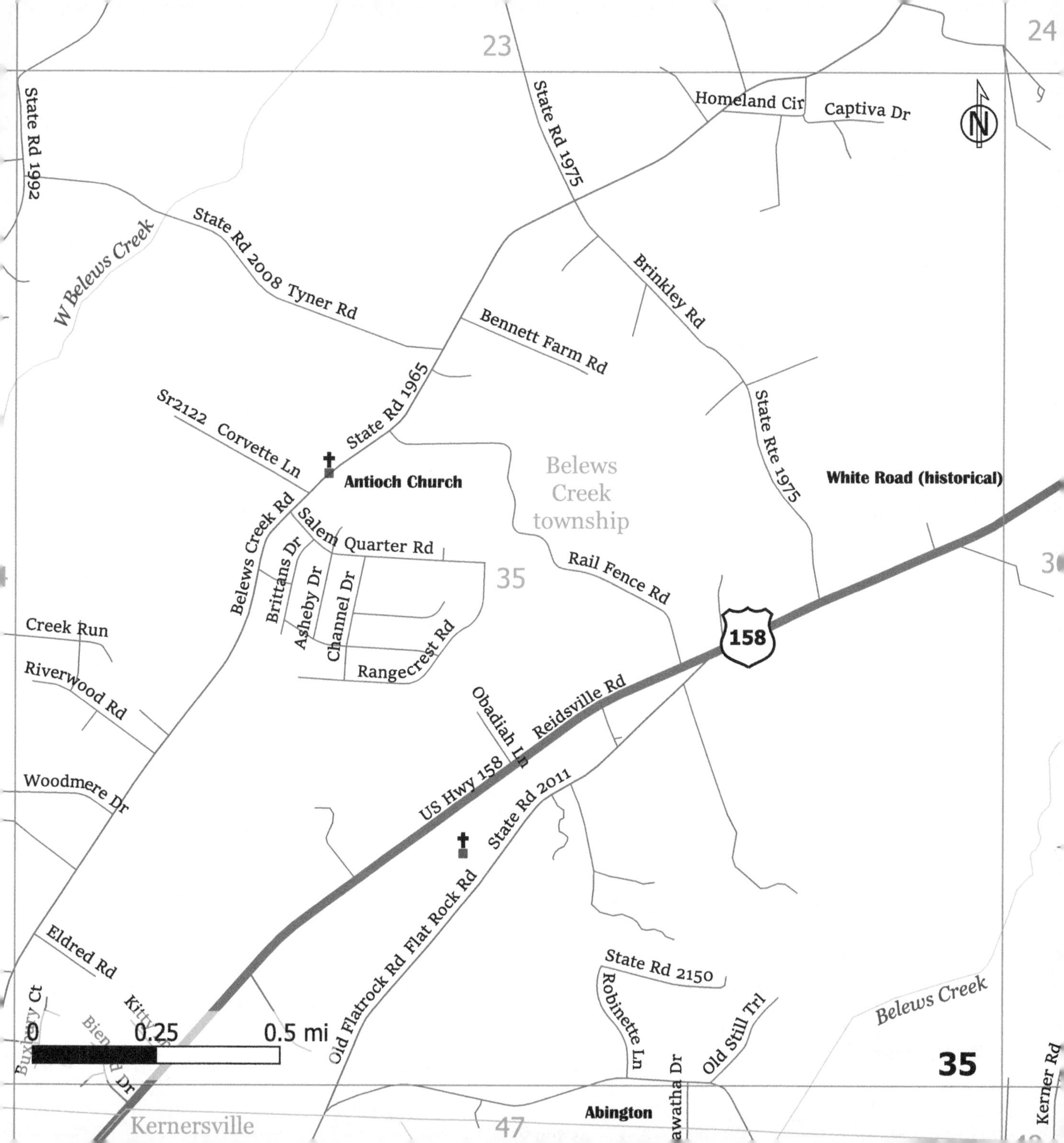

23
24
State Rd 1992
State Rd 1975
Homeland Cir
Captiva Dr
N
W Belews Creek
State Rd 2008 Tyner Rd
Brinkley Rd
Bennett Farm Rd
State Rd 1965
Sr2122 Corvette Ln
State Rte 1975
Antioch Church
Belews Creek township
White Road (historical)
Belews Creek Rd
Salem Quarter Rd
Brittans Dr
Asheby Dr
Channel Dr
35
Rail Fence Rd
158
Creek Run
Rangecrest Rd
Riverwood Rd
Obadiah Ln
Reidsville Rd
US Hwy 158
Woodmere Dr
State Rd 2011
Old Flatrock Rd Flat Rock Rd
Eldred Rd
State Rd 2150
Robinette Ln
Old Still Trl
Belews Creek
0
0.25
0.5 mi
35
Abington
Kernersville
47
Kerner Rd

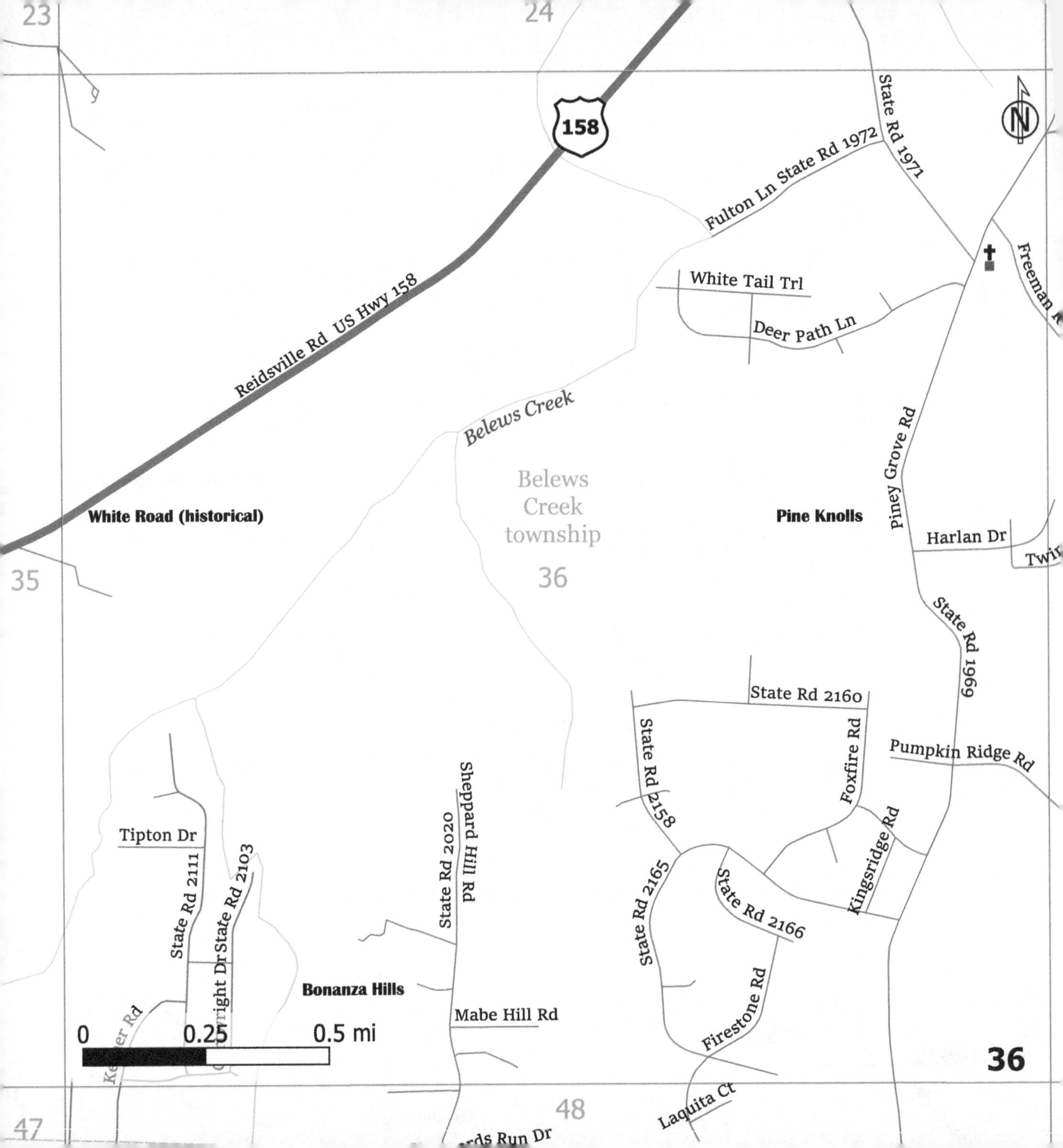
23
24
158
State Rd 1971
Fulton Ln State Rd 1972
Reidsville Rd US Hwy 158
White Tail Trl
Deer Path Ln
Freeman
Belews Creek
Belews
Creek
township
36
White Road (historical)
Pine Knolls
Piney Grove Rd
Harlan Dr
35
State Rd 1969
State Rd 2160
State Rd 2158
Foxfire Rd
Pumpkin Ridge Rd
Sheppard Hill Rd
State Rd 2020
Tipton Dr
State Rd 2111
State Rd 2103
Kingsridge Rd
State Rd 2165
State Rd 2166
Bonanza Hills
Mabe Hill Rd
Firestone Rd
0
0.25
0.5 mi
36
48
Laquita Ct
47

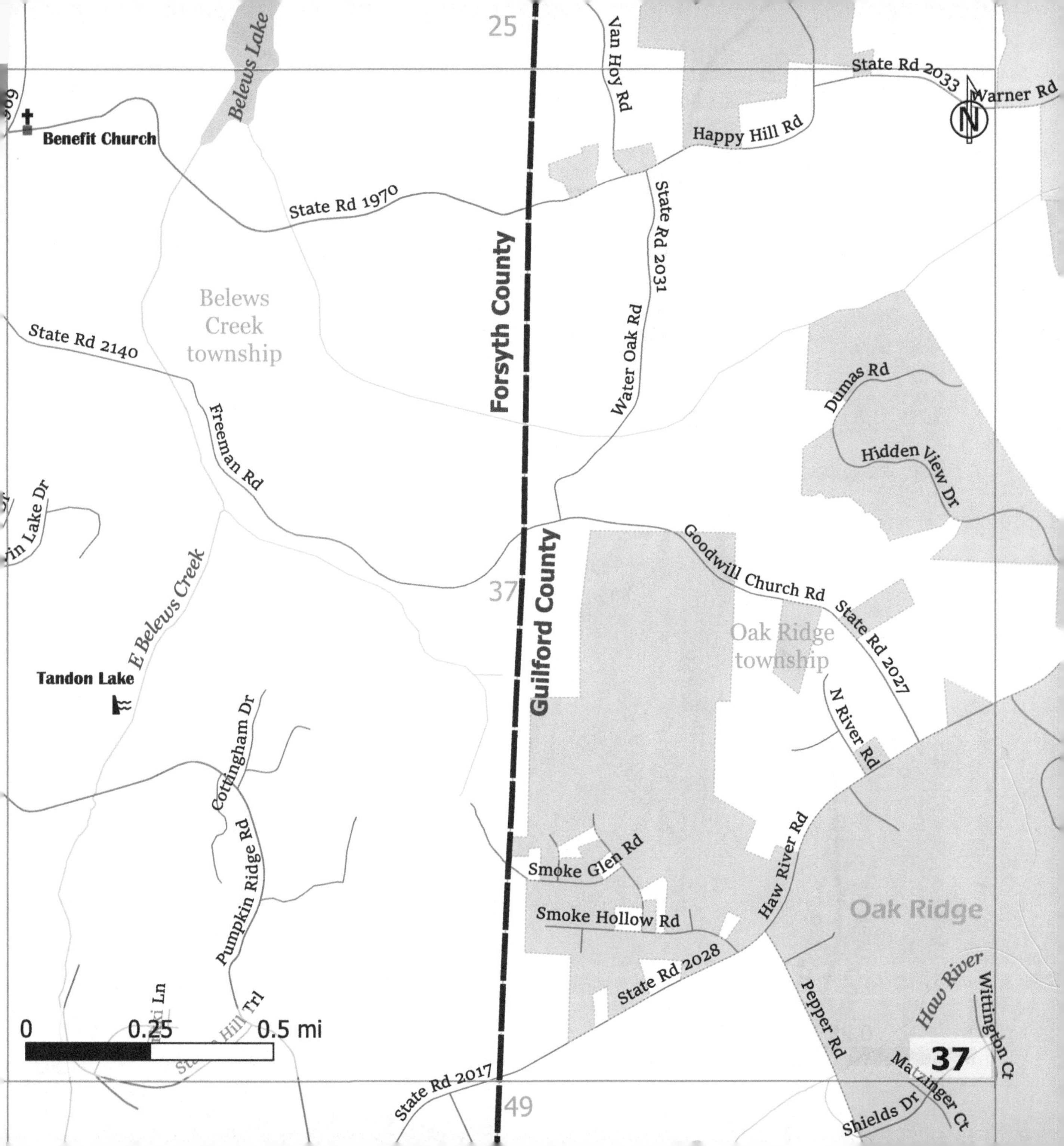
25
Belews Lake
Van Hoy Rd
State Rd 2033
Warner Rd
Benefit Church
Happy Hill Rd
State Rd 1970
State Rd 2031
Belews Creek township
Forsyth County
State Rd 2140
Water Oak Rd
Dumas Rd
Freeman Rd
Hidden View Dr
Goodwill Church Rd
Guilford County
37
E Belews Creek
Oak Ridge township
State Rd 2027
Tandon Lake
N River Rd
Cottingham Dr
Pumpkin Ridge Rd
Haw River Rd
Smoke Glen Rd
Smoke Hollow Rd
Oak Ridge
State Rd 2028
Pepper Rd
Haw River
Wittington Ct
0
0.25
0.5 mi
State Rd 2017
49
Matzinger Ct
Shields Dr

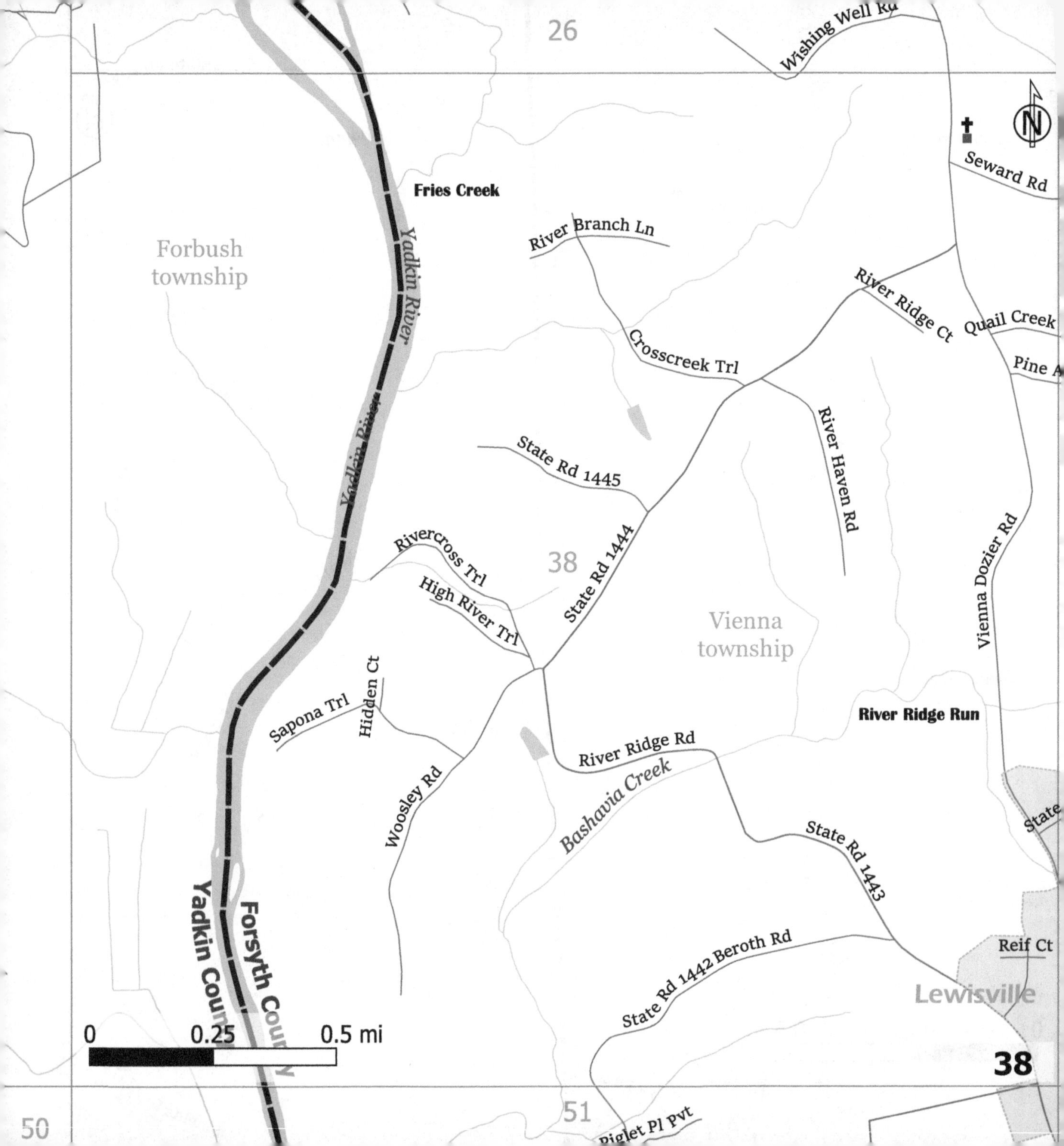

26
Wishing Well Rd
Seward Rd
Fries Creek
River Branch Ln
Forbush township
Yadkin River
River Ridge Ct
Quail Creek
Crosscreek Trl
Pine A
River Haven Rd
State Rd 1445
Yadkin River
Vienna Dozier Rd
Rivercross Trl
38
State Rd 1444
High River Trl
Vienna township
Hidden Ct
Sapona Trl
River Ridge Run
River Ridge Rd
Woosley Rd
Bashavia Creek
State
State Rd 1443
Yadkin County
Forsyth County
Reif Ct
State Rd 1442 Beroth Rd
Lewisville
0
0.25
0.5 mi
50
51
Piglet Pl Pvt

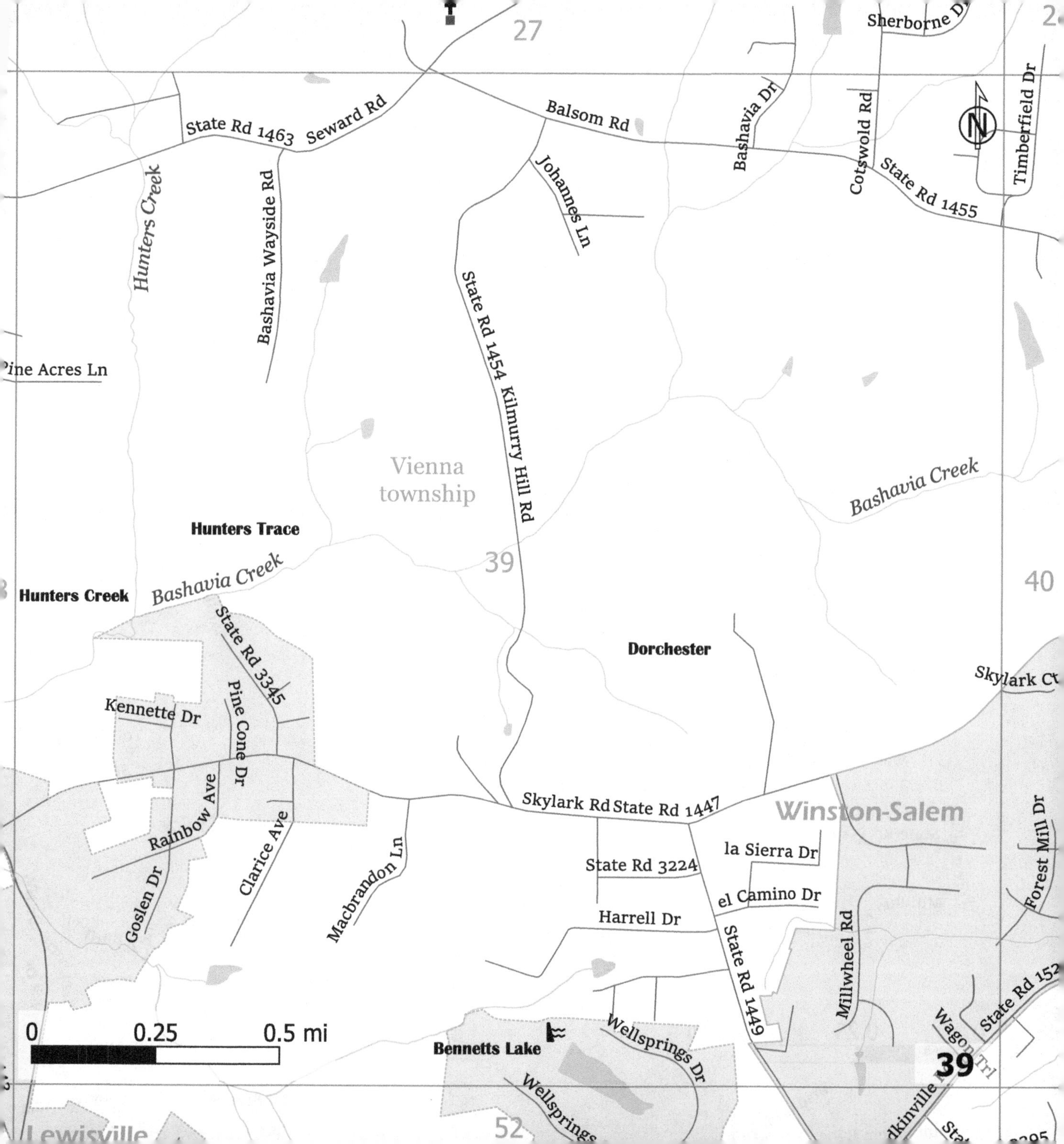

27
Sherborne Dr
State Rd 1463
Seward Rd
Balsom Rd
Bashavia Dr
Cotswold Rd
Timberfield Dr
State Rd 1455
Johannes Ln
Hunters Creek
Bashavia Wayside Rd
State Rd 1454 Kilmurry Hill Rd
Pine Acres Ln
Vienna township
Bashavia Creek
Hunters Trace
39
Hunters Creek
Bashavia Creek
40
State Rd 3345
Dorchester
Skylark Ct
Kennette Dr
Pine Cone Dr
Skylark Rd
State Rd 1447
Winston-Salem
Rainbow Ave
Clarice Ave
la Sierra Dr
State Rd 3224
Forest Mill Dr
Goslen Dr
Macbrandon Ln
el Camino Dr
Harrell Dr
State Rd 1449
Millwheel Rd
0
0.25
0.5 mi
Wellsprings Dr
Bennetts Lake
Wagon Trl
State Rd 152
39
Wellsprings
52
Lewisville

27
28
Winston-Salem
67
Wesmar Dr
Sam Hollow Dr
Reynolda Rd
Shadi Green Ln
Niblick Dr
Mashie Dr
Betha
Timberfield Dr
State Rd 1456
Wild Rose Dr
Bashavia Creek
Vienna township
State Rd 3292
State Rd 1453
Duffer Ct
State Rd 1842
State Rd 3210
State Rd 1455
Winston township
State Rd 1598
Lofter Ct
Wedge Dr
Medina Ct
Leinbach Dr
Balsom Rd
Kreeger Rd
Pebble Lake Dr
Glennmoor Dr
Dunhurst Dr
Fargo Dr
State Rd 1447
Skylark Rd
39
40
Millie Ln
Transou Rd
State Rd 3364
Willow Wind Dr
Grandview Club Rd
Lochurst Dr
Muddy Creek
Avera Ave
Skylark Ct
Clinedale Rd
Community Church Rd
State Rd 3256
Stimpson Ridge Dr
Veli
State Rd 1518
State Rd 3217
Tolley Ridge Ln
Kane Dr
State Rd 1434
State Rd 3362
Forest Mill Dr
State Rd 1519
Mickle Rd
Yadkinville Rd
State Rd 1525
Mill Run Ln
Lake Pine Ct
Pfaff Ln
Pinehill Dr
Ivy Bluff Tl
Langhorne Dr NW
Gladwyck Dr
Wagon Trl
0
0.25
0.5 mi
Poindexter Ave
Bill Branch
Rookwood Ln
Bridal Ridge
52
Mount Salem Rd
53

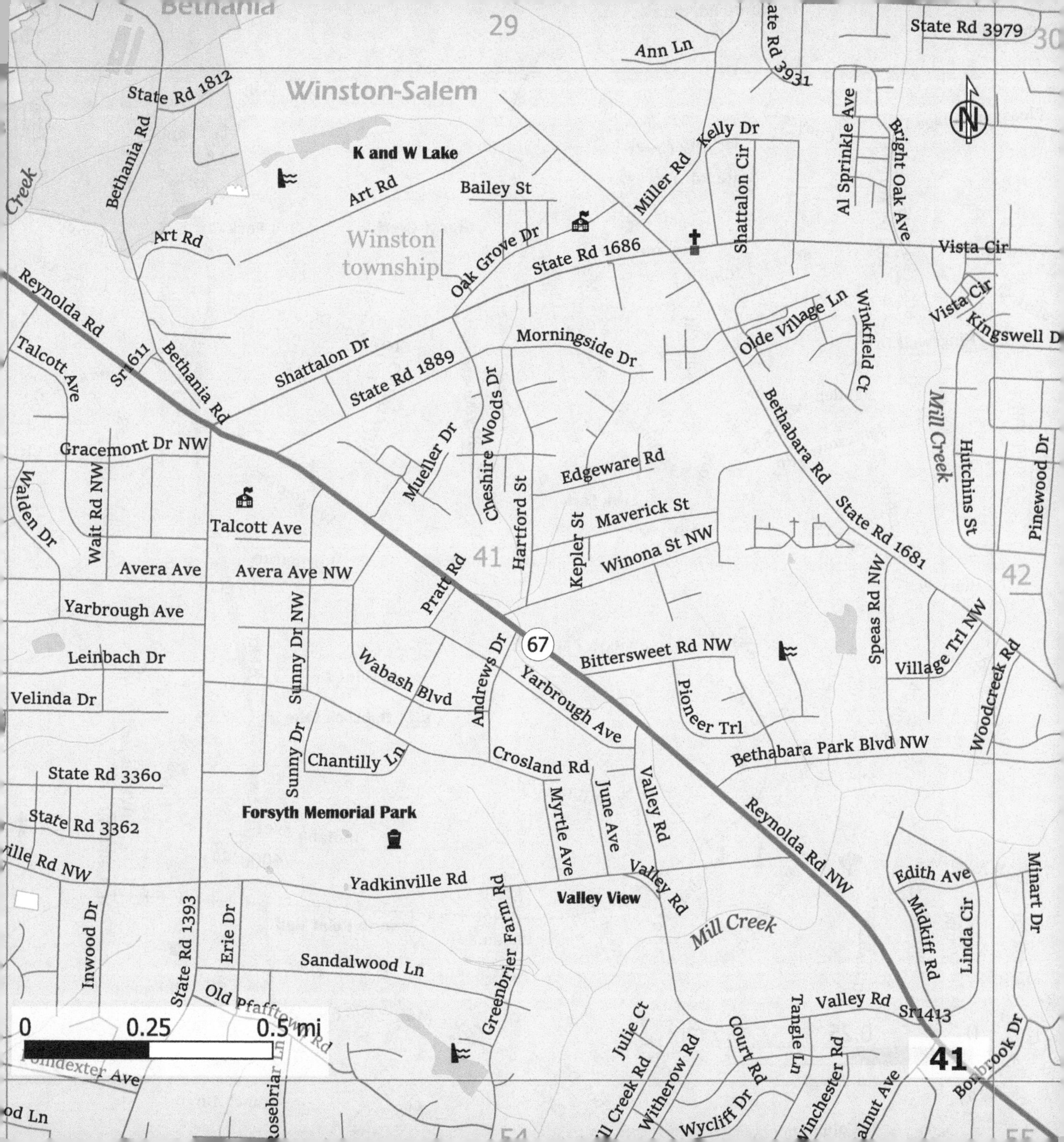

Bethania
29
State Rd 3979
30
Ann Ln
State Rd 3931
Winston-Salem
State Rd 1812
Creek
Bethania Rd
K and W Lake
Kelly Dr
Miller Rd
Shattalon Cir
Al Sprinkle Ave
Bright Oak Ave
Art Rd
Bailey St
Art Rd
Winston township
Oak Grove Dr
State Rd 1686
Vista Cir
Vista Cir
Kingswell Dr
Reynolda Rd
Talcott Ave
Sr1611
Bethania Rd
Shattalon Dr
State Rd 1889
Morningside Dr
Olde Village Ln
Winkfield Ct
Mill Creek
Bethabara Rd
Hutchins St
Pinewood Dr
Gracemont Dr NW
Walden Dr
Wait Rd NW
Talcott Ave
Mueller Dr
Cheshire Woods Dr
Hartford St
Edgeware Rd
Maverick St
Kepler St
Winona St NW
State Rd 1681
41
42
Avera Ave
Avera Ave NW
Pratt Rd
Yarbrough Ave
Leinbach Dr
Velinda Dr
Sunny Dr NW
Wabash Blvd
Andrews Dr
67
Bittersweet Rd NW
Yarbrough Ave
Pioneer Trl
Speas Rd NW
Village Trl NW
Woodcreek Rd
Bethabara Park Blvd NW
Sunny Dr
Chantilly Ln
Crosland Rd
Myrtle Ave
June Ave
Valley Rd
State Rd 3360
State Rd 3362
Forsyth Memorial Park
Reynolda Rd NW
Yadkinville Rd NW
Yadkinville Rd
Greenbrier Farm Rd
Valley View
Valley Rd
Edith Ave
Midkiff Rd
Linda Cir
Minart Dr
Mill Creek
Inwood Dr
State Rd 1393
Erie Dr
Sandalwood Ln
Old Pfafftown Rd
Valley Rd
Sr1413
Tangle Ln
Court Rd
Julie Ct
Witherow Rd
Winchester Rd
41
Bonbrook Dr
0
0.25
0.5 mi
Poindexter Ave
Rosebriar Ln
Mill Creek Rd
Wycliff Dr
Walnut Ave
od Ln
54
55

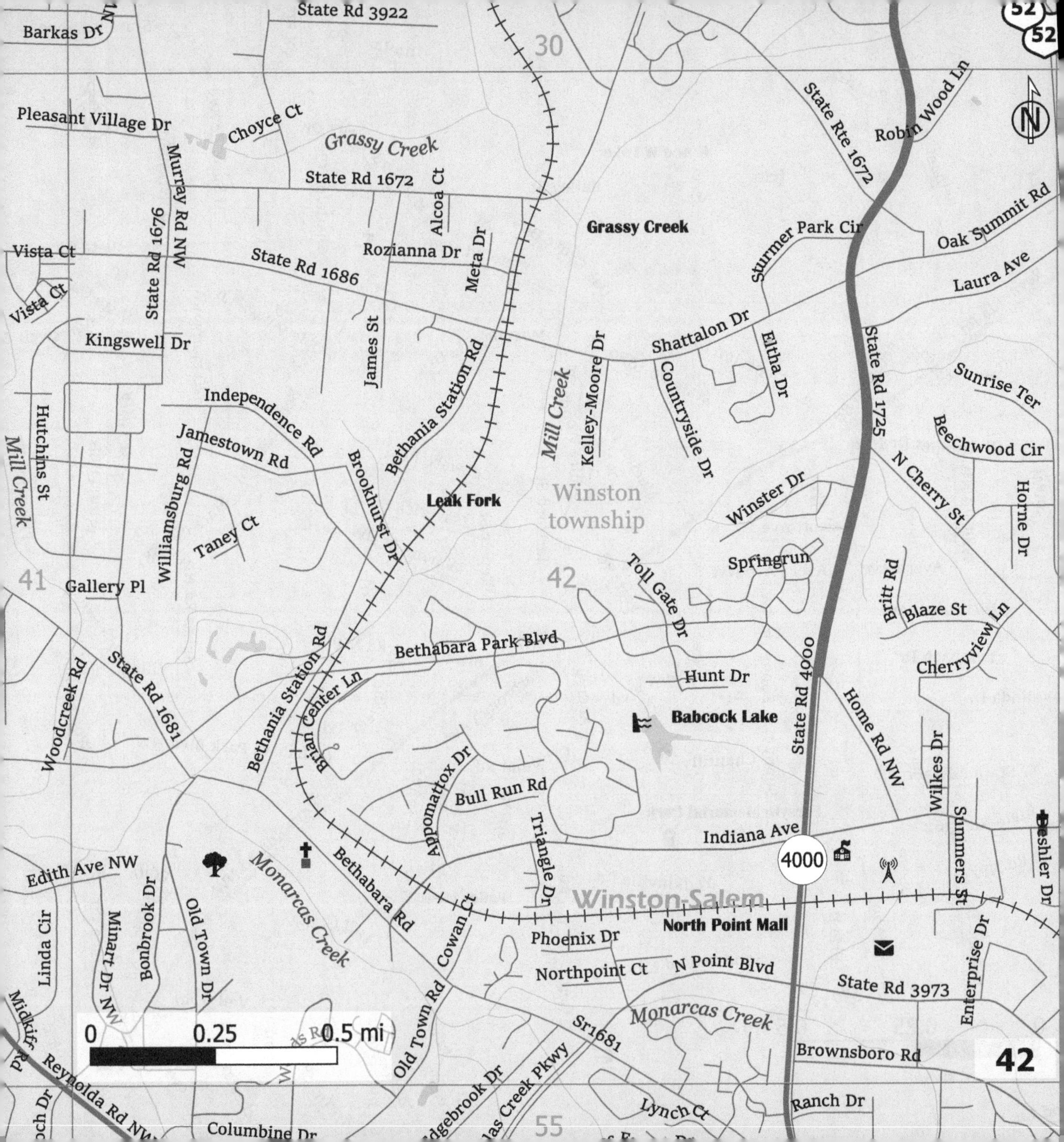

State Rd 3922
Barkas Dr
30
52
Pleasant Village Dr
Choyce Ct
Grassy Creek
State Rd 1672
Alcoa Ct
Murray Rd NW
State Rte 1672
Robin Wood Ln
Grassy Creek
Sturmer Park Cir
Oak Summit Rd
Vista Ct
State Rd 1686
Rozianna Dr
Meta Dr
State Rd 1676
Vista Ct
Laura Ave
Kingswell Dr
James St
Bethania Station Rd
Shattalon Dr
Eltha Dr
State Rd 1725
Kelley-Moore Dr
Countryside Dr
Mill Creek
Sunrise Ter
Independence Rd
Hutchins St
Jamestown Rd
Williamsburg Rd
Brookhurst Dr
Beechwood Cir
Mill Creek
N Cherry St
Leak Fork
Winston township
Winster Dr
Horne Dr
Taney Ct
Springrun
Toll Gate Dr
41
Gallery Pl
42
Britt Rd
Blaze St
Cherryview Ln
Bethabara Park Blvd
Woodcreek Rd
State Rd 1681
Bethania Station Rd
Brian Center Ln
Hunt Dr
Babcock Lake
State Rd 4000
Home Rd NW
Wilkes Dr
Appomattox Dr
Bull Run Rd
Triangle Dr
Summers St
Indiana Ave
4000
Deshler Dr
Edith Ave NW
Monarcas Creek
Bethabara Rd
Winston-Salem
North Point Mall
Linda Cir
Minart Dr NW
Bonbrook Dr
Old Town Dr
Cowan Ct
Phoenix Dr
Enterprise Dr
Northpoint Ct
N Point Blvd
State Rd 3973
Monarcas Creek
0
0.25
0.5 mi
Old Town Rd
Sr1681
Brownsboro Rd
42
Midkiff Rd
Reynolda Rd NW
Lynch Ct
Ranch Dr
Columbine Dr
55

Winston-Salem
North Quarry
31
32
Tern Ct
Mill Creek
Club Knoll Rd
Frances Ct
Fairway Forest Dr
Pacific Dr
Whittier Rd
Novack St
US Hwy 52
Commerce Ct
Barlow Cir
State Hwy 8
Oak Summit Rd
Racine Dr
Old Rural Hall Rd
52
Kevin Dr
Winston township
Huckabee Cir
Oak Pointe Dr
Ruth Ave
Northoaks Dr
Neston Dr
Helen Ave
Azalea Dr
Northridge Dr
McGill Dr
Wilcox St
Pineview Dr
Mayfair Dr
Elm Dr
Styers Rd
Granada Ct
Garner Rd
Jessica Ln
Stonewall St
Patterson Ave
Crescent Rd NE
Dawson St
43
44
Sunrise Ter
Germanton Rd
Arita Cir NE
N Cherry St
Otis Dr
Jenkins Rd NE
Starmount Dr NE
Voss St
Ohio Ave
Burnett Dr
Athens Dr
Motor Rd
Sr1725
Hudson St
Indiana Ave
Childress St
Retnuh Dr
Park Plaza Dr
8
Melody Ln
N Hills Dr
Tobacco St
Progress Ln
Ogburn Ave
Carrie Ave
Lodge St
Black Oak Ave
Industrial Ave
Champion Blvd
Kapp St
Connor Rd
Cody Dr
Shamel St
Marvin Blvd
Newton St
0
0.25
0.5 mi
N Point Blvd
Hoskins Dr
Crest Hill Ave
Newton St
57

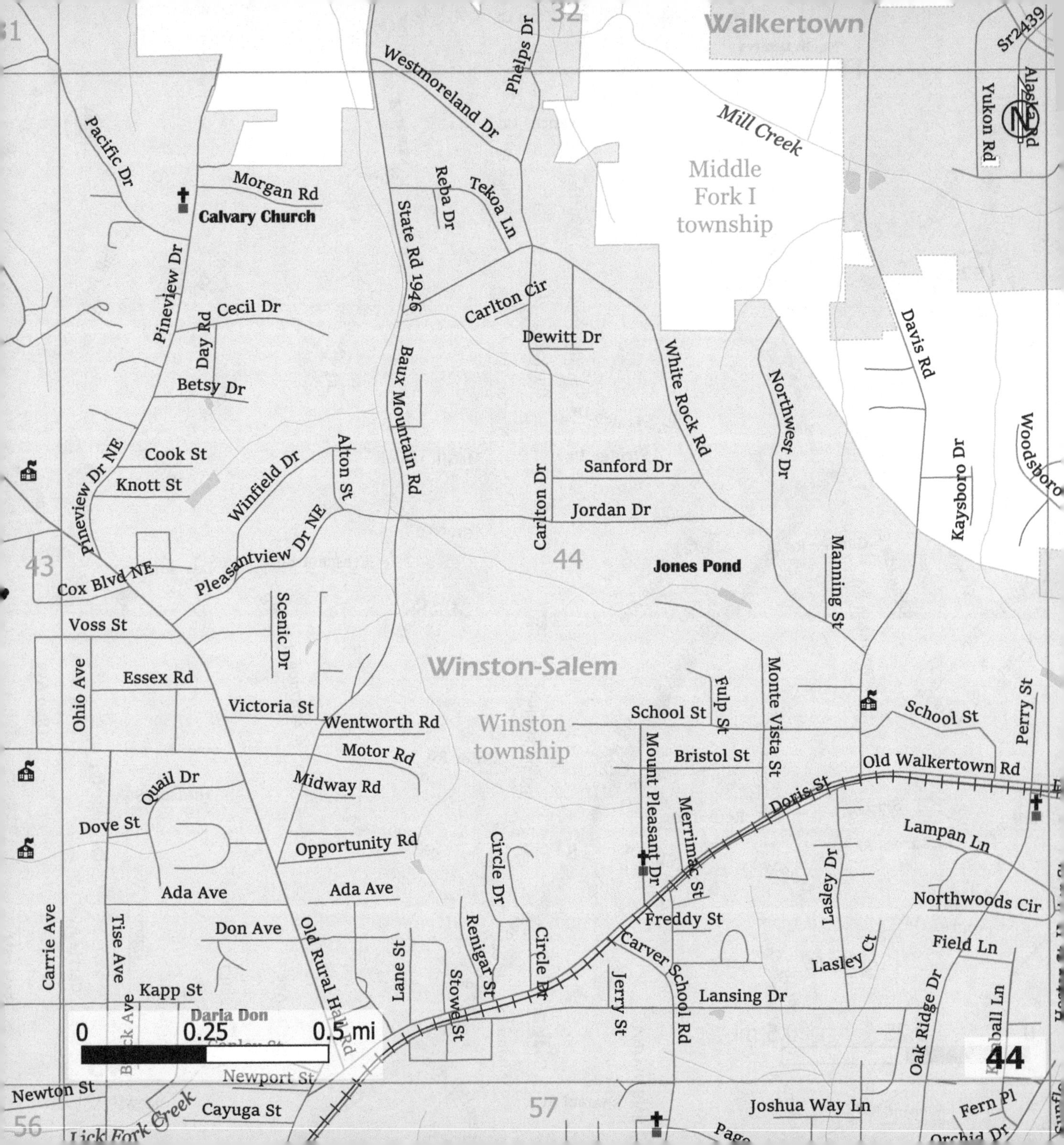

Walkertown
Middle Fork I township
Mill Creek
Westmoreland Dr
Phelps Dr
Pacific Dr
Morgan Rd
Calvary Church
Reba Dr
Tekoa Ln
State Rd 1946
Pineview Dr
Cecil Dr
Day Rd
Carlton Cir
Dewitt Dr
Betsy Dr
Baux Mountain Rd
White Rock Rd
Northwest Dr
Davis Rd
Yukon Rd
Alaska Rd
Sr2439
Kaysboro Dr
Woodsboro
Cook St
Knott St
Alton St
Winfield Dr
Sanford Dr
Pineview Dr NE
Carlton Dr
Jordan Dr
Pleasantview Dr NE
Cox Blvd NE
Jones Pond
Manning St
Voss St
Scenic Dr
Winston-Salem
Ohio Ave
Essex Rd
Victoria St
Wentworth Rd
Winston township
School St
Fulp St
Monte Vista St
School St
Perry St
Motor Rd
Bristol St
Old Walkertown Rd
Quail Dr
Midway Rd
Doris St
Mount Pleasant Dr
Merrimac St
Dove St
Opportunity Rd
Circle Dr
Lampan Ln
Lasley Dr
Ada Ave
Ada Ave
Northwoods Cir
Freddy St
Carrie Ave
Tise Ave
Don Ave
Old Rural Hall Rd
Lane St
Renigar St
Circle Dr
Carver School Rd
Lasley Ct
Field Ln
Kapp St
Stowe St
Jerry St
Lansing Dr
Oak Ridge Dr
Kimball Ln
Darla Don
0
0.25
0.5 mi
Newport St
Newton St
Lick Fork Creek
Cayuga St
Joshua Way Ln
Fern Pl
Orchid Dr
31
32
43
44
56
57

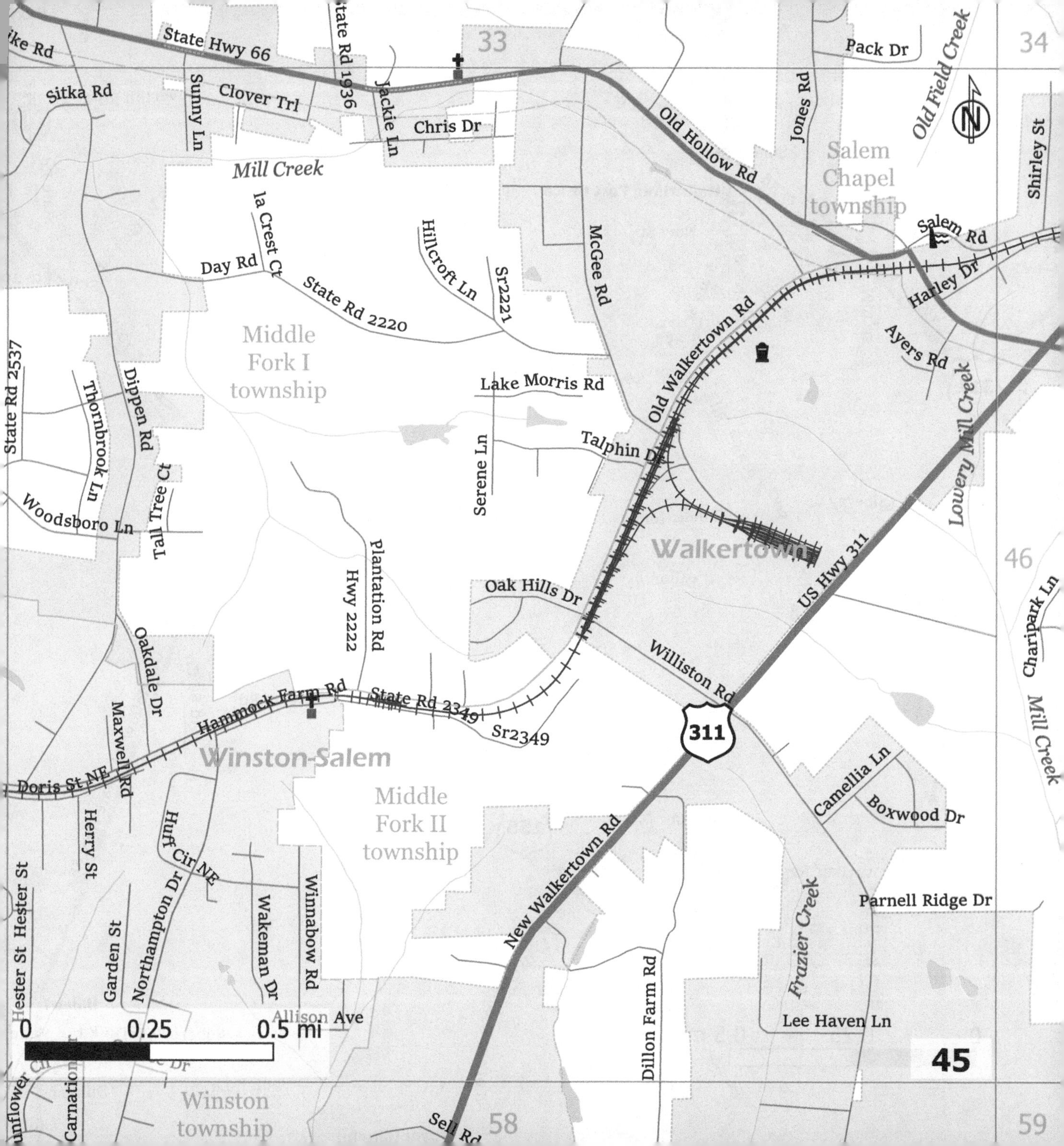
State Hwy 66
Sitka Rd
Sunny Ln
Clover Trl
State Rd 1936
Jackie Ln
Chris Dr
Mill Creek
Old Hollow Rd
Jones Rd
Pack Dr
Old Field Creek
Salem Chapel township
Shirley St
Salem Rd
Harley Dr
Ayers Rd
Day Rd
State Rd 2220
Hillcroft Ln
Sr2221
McGee Rd
Old Walkertown Rd
Middle Fork I township
Lake Morris Rd
Talphin Dr
Serene Ln
Lowery Mill Creek
State Rd 2537
Thornbrook Ln
Dippen Rd
Tall Tree Ct
Woodsboro Ln
Walkertown
US Hwy 311
Oak Hills Dr
Plantation Rd
Hwy 2222
Oakdale Dr
Williston Rd
Charipark Ln
Mill Creek
Hammock Farm Rd
State Rd 2349
Sr2349
311
Winston-Salem
Maxwell Rd
Doris St NE
Middle Fork II township
Camellia Ln
Boxwood Dr
Herry St
Huff Cir NE
New Walkertown Rd
Hester St
Garden St
Northampton Dr
Wakeman Dr
Winnabow Rd
Frazier Creek
Parnell Ridge Dr
Dillon Farm Rd
Lee Haven Ln
Allison Ave
0
0.25
0.5 mi
Carnation
Winston township
Sell Rd
33
34
46
58
59

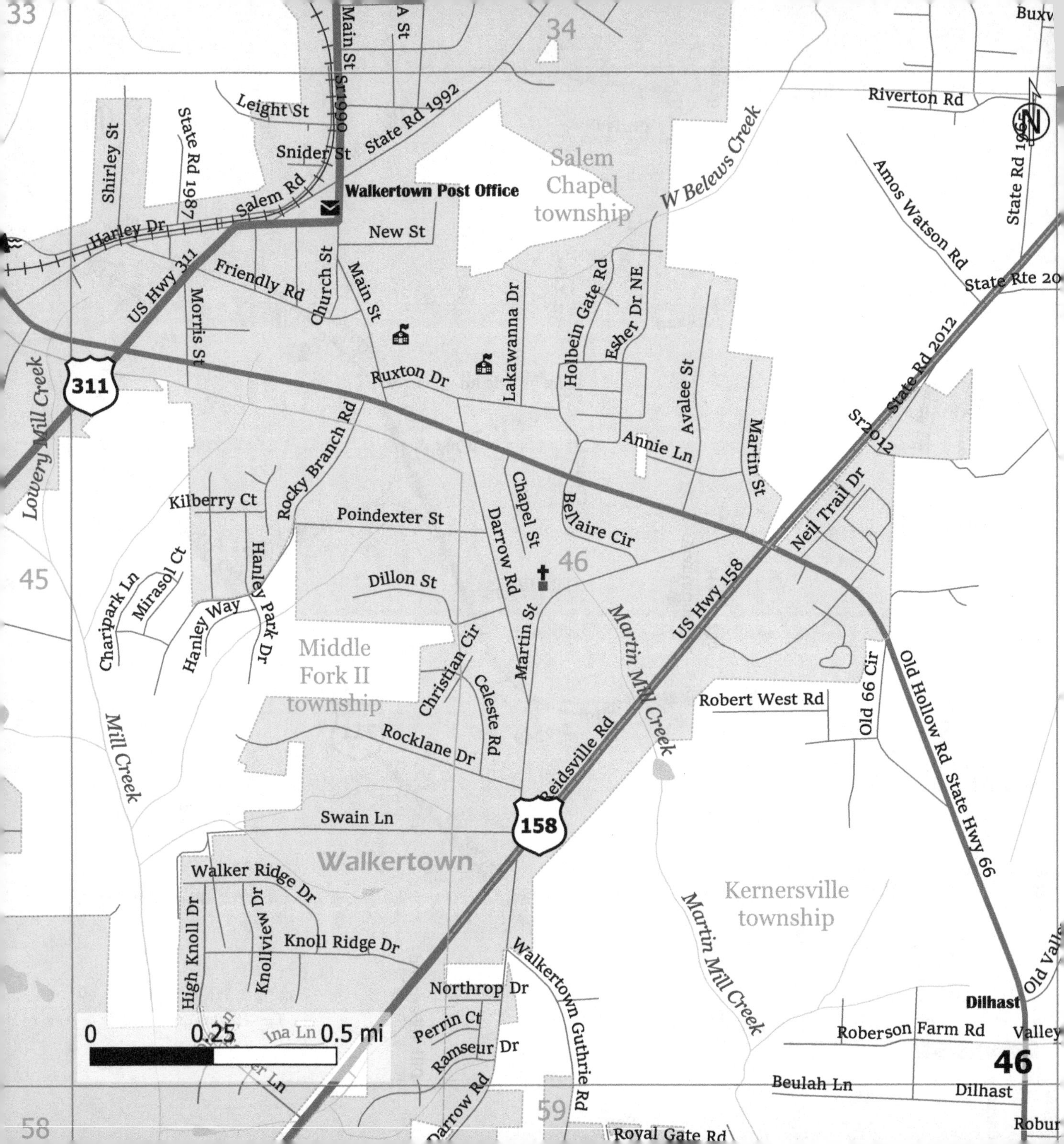
33
34
45
46
58
59
Main St Sr1990
A St
Leight St
Snider St
State Rd 1992
Salem Chapel township
W Belews Creek
Riverton Rd
Amos Watson Rd
State Rd 1965
State Rte 20
Shirley St
State Rd 1987
Salem Rd
Walkertown Post Office
New St
Harley Dr
Friendly Rd
US Hwy 311
Morris St
Church St
Main St
Lakawanna Dr
Holbein Gate Rd
Esher Dr NE
Avalee St
State Rd 2012
Sr2012
311
Lowery Mill Creek
Ruxton Dr
Rocky Branch Rd
Annie Ln
Martin St
Kilberry Ct
Poindexter St
Chapel St
Darrow Rd
Bellaire Cir
Neil Trail Dr
US Hwy 158
Dillon St
Charipark Ln
Mirasol Ct
Hanley Way
Hanley Park Dr
Martin St
Martin Mill Creek
Middle Fork II township
Christian Cir
Celeste Rd
Robert West Rd
Old 66 Cir
Old Hollow Rd State Hwy 66
Mill Creek
Rocklane Dr
Reidsville Rd
158
Swain Ln
Walkertown
Kernersville township
Walker Ridge Dr
High Knoll Dr
Knollview Dr
Knoll Ridge Dr
Martin Mill Creek
Walkertown Guthrie Rd
Northrop Dr
Perrin Ct
Ramseur Dr
Darrow Rd
Ina Ln
0
0.25
0.5 mi
Dilhast
Old Valley
Roberson Farm Rd
Valley
46
Beulah Ln
Dilhast
Royal Gate Rd
Robur
Buxv

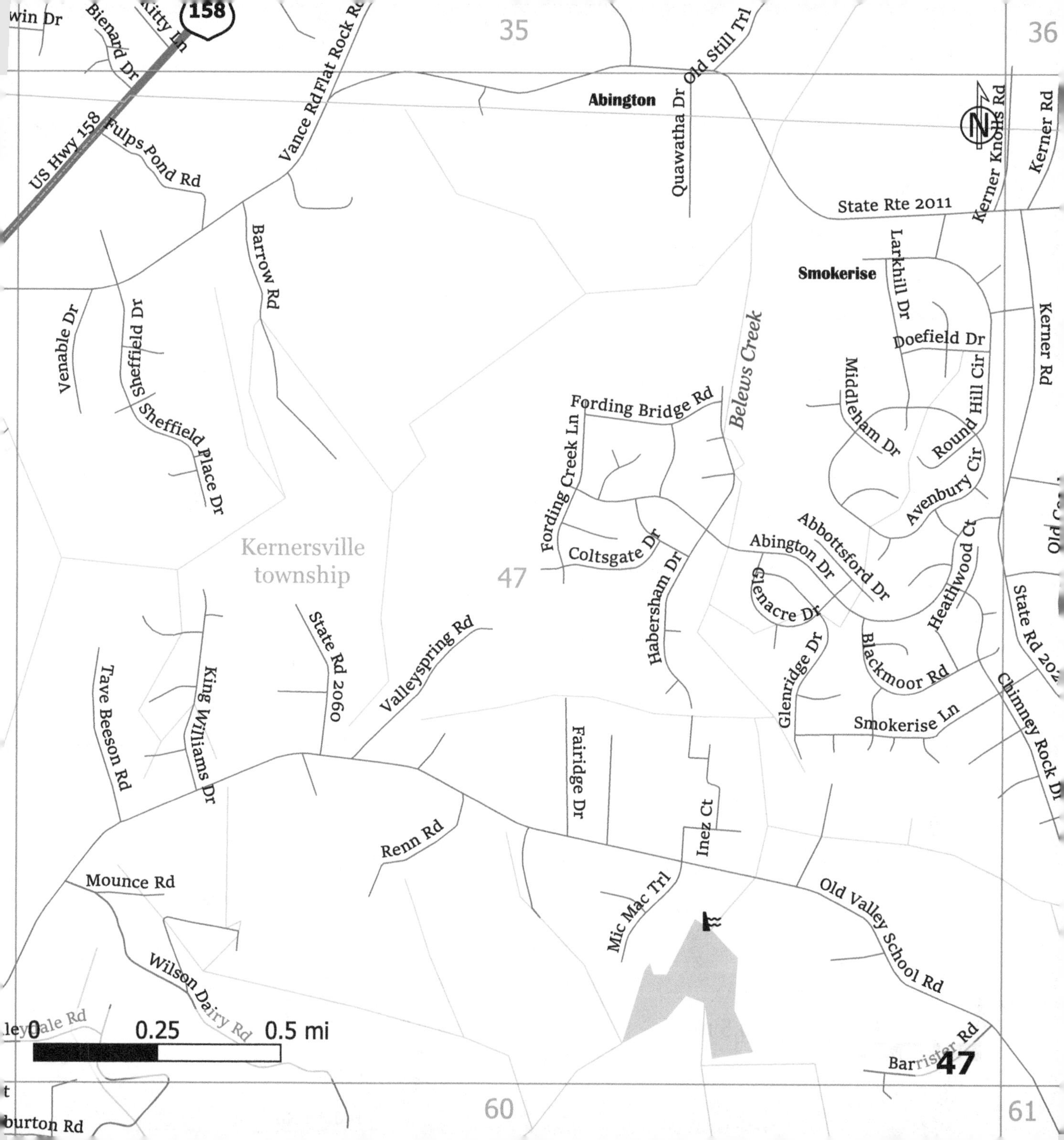

35
36
158
Abington
Smokerise
Kernersville township
47
Belews Creek
US Hwy 158
Fulps Pond Rd
Vance Rd
Flat Rock Rd
Bienard Dr
Kitty Ln
Quawatha Dr
Old Still Trl
Kerner Knolls Rd
Kerner Rd
State Rte 2011
Barrow Rd
Venable Dr
Sheffield Dr
Sheffield Place Dr
Larkhill Dr
Doefield Dr
Middleham Dr
Round Hill Cir
Avenbury Cir
Fording Bridge Rd
Fording Creek Ln
Coltsgate Dr
Habersham Dr
Abington Dr
Abbottsford Dr
Glenacre Dr
Heathwood Ct
State Rd 2060
Valleyspring Rd
King Williams Dr
Tave Beeson Rd
Glenridge Dr
Blackmoor Rd
Smokerise Ln
Chimney Rock Dr
Fairidge Dr
Inez Ct
Renn Rd
Mounce Rd
Wilson Dairy Rd
Mic Mac Trl
Old Valley School Rd
Barrister Rd
0
0.25
0.5 mi
60
61
47
burton Rd

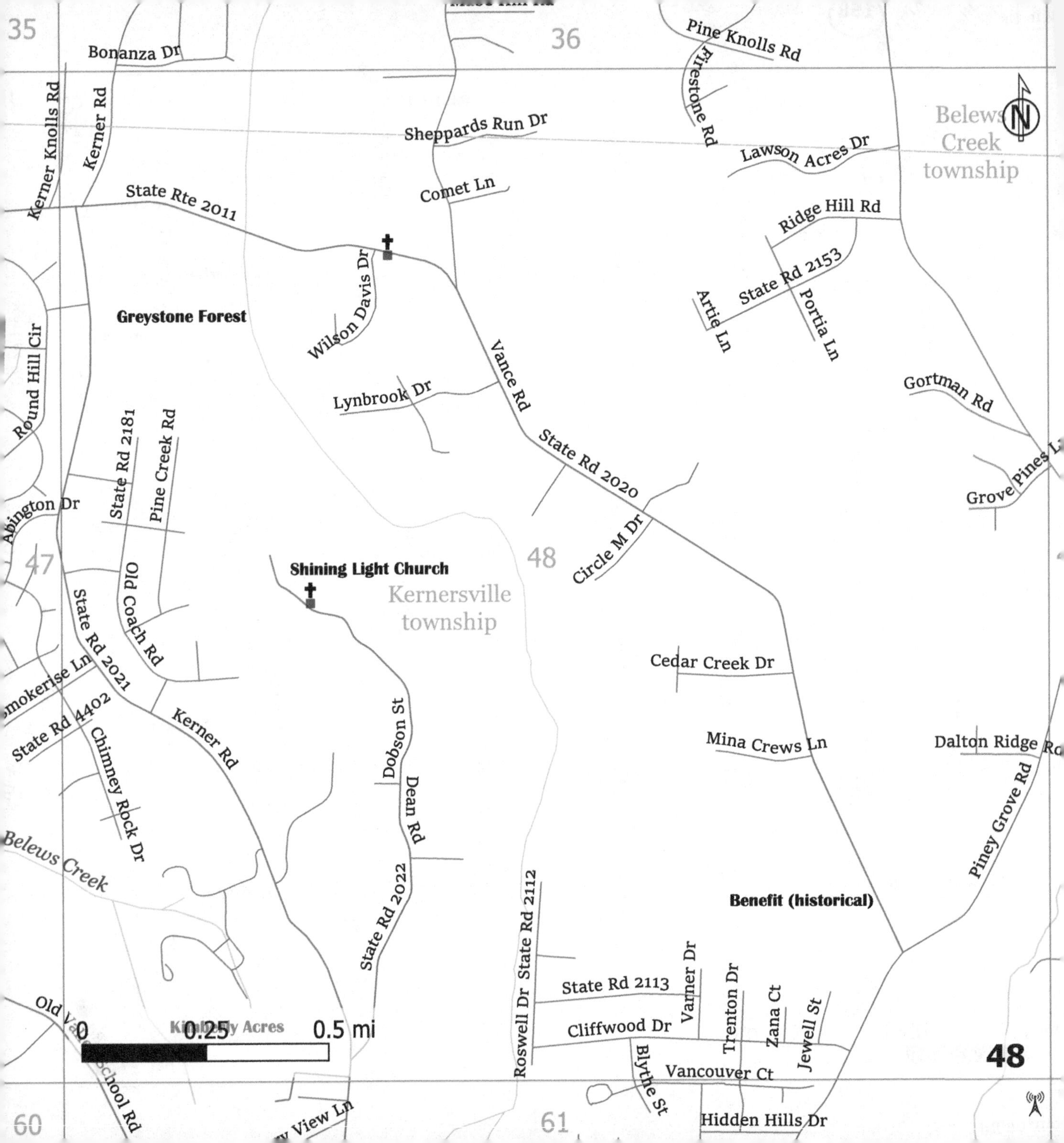

35
36
47
48
60
61
Bonanza Dr
Pine Knolls Rd
Firestone Rd
Kerner Knolls Rd
Kerner Rd
Sheppards Run Dr
Lawson Acres Dr
Belews Creek township
N
State Rte 2011
Comet Ln
Ridge Hill Rd
Wilson Davis Dr
State Rd 2153
Artie Ln
Portia Ln
Greystone Forest
Round Hill Cir
Vance Rd
Lynbrook Dr
Gortman Rd
State Rd 2181
Pine Creek Rd
State Rd 2020
Grove Pines Ln
Abington Dr
Circle M Dr
Shining Light Church
Kernersville township
Old Coach Rd
State Rd 2021
Cedar Creek Dr
State Rd 4402
Kerner Rd
Dobson St
Mina Crews Ln
Chimney Rock Dr
Dean Rd
Piney Grove Rd
Belews Creek
State Rd 2022
State Rd 2112
Benefit (historical)
State Rd 2113
Varner Dr
Trenton Dr
Zana Ct
Jewell St
Cliffwood Dr
Roswell Dr
Blythe St
Vancouver Ct
Hidden Hills Dr
Old Vance School Rd
0
0.25
0.5 mi

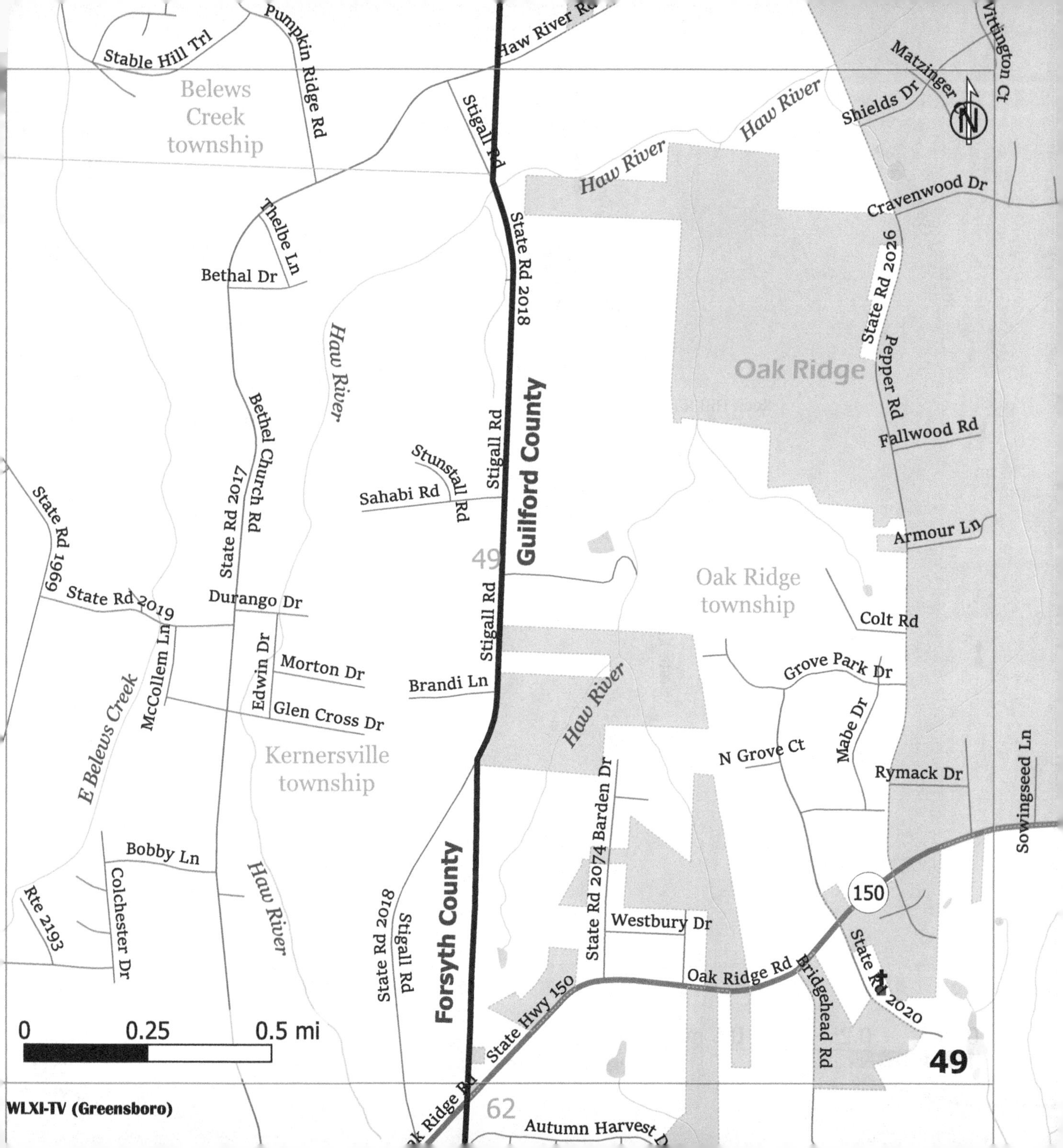
Stable Hill Trl
Pumpkin Ridge Rd
Haw River Rd
Belews Creek township
Stigall Rd
Haw River
Matzinger
Vittington Ct
Shields Dr
N
Cravenwood Dr
Thelbe Ln
Bethal Dr
State Rd 2018
State Rd 2026
Oak Ridge
Pepper Rd
Fallwood Rd
Bethel Church Rd
State Rd 2017
Stunstall Rd
Sahabi Rd
Guilford County
Armour Ln
State Rd 1969
49
Oak Ridge township
State Rd 2019
Durango Dr
Colt Rd
McCollem Ln
Edwin Dr
Morton Dr
Brandi Ln
Grove Park Dr
Glen Cross Dr
E Belews Creek
Kernersville township
N Grove Ct
Mabe Dr
Rymack Dr
State Rd 2074 Barden Dr
Sowingseed Ln
Bobby Ln
Colchester Dr
Rte 2193
Forsyth County
150
Westbury Dr
Oak Ridge Rd
Bridgehead Rd
State Rd 2020
State Hwy 150
0
0.25
0.5 mi
49
Oak Ridge Rd
62
Autumn Harvest D
WLXI-TV (Greensboro)

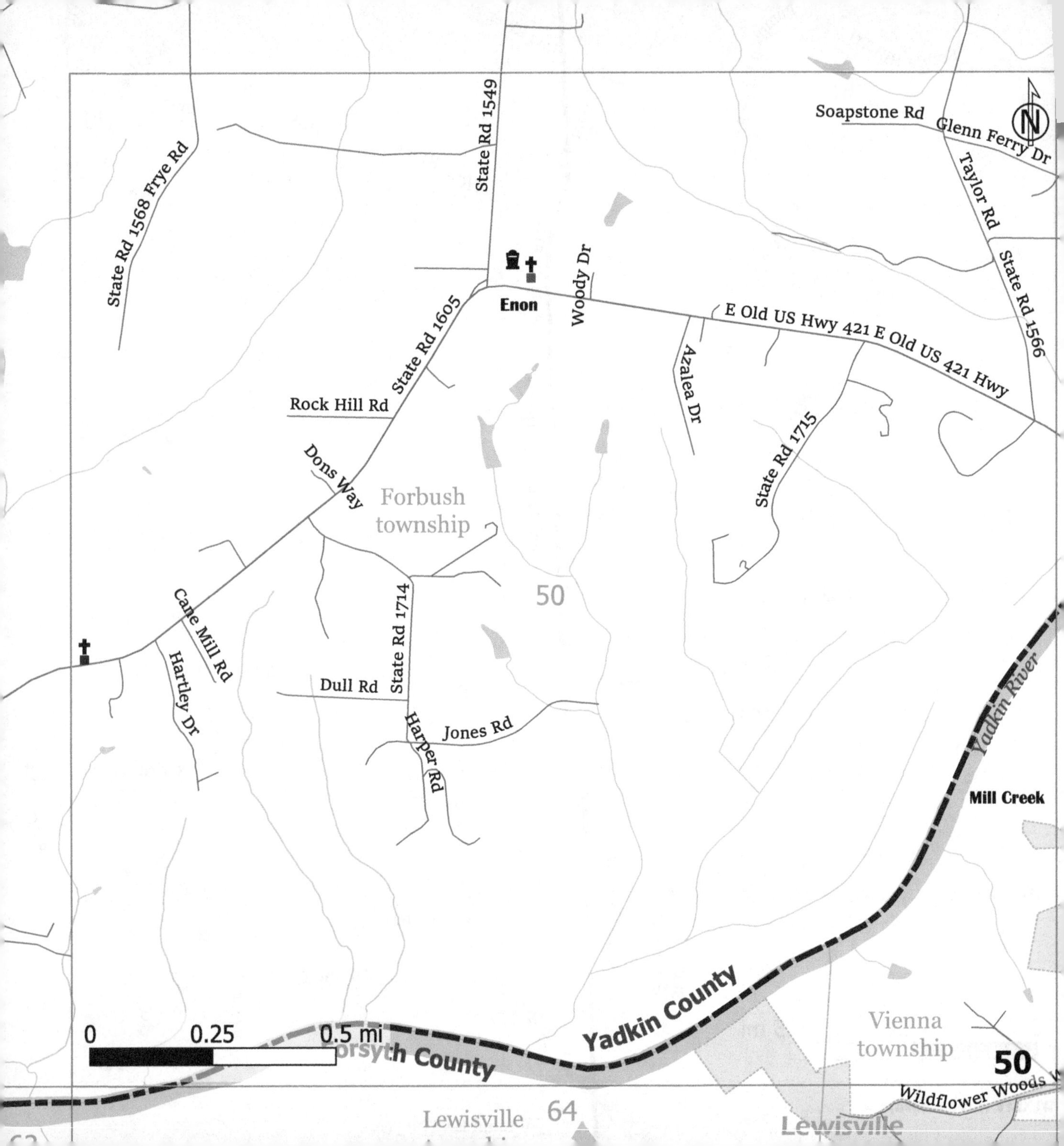

Soapstone Rd
Glenn Ferry Dr
Taylor Rd
State Rd 1549
State Rd 1568 Frye Rd
Woody Dr
Enon
State Rd 1566
E Old US Hwy 421
E Old US 421 Hwy
State Rd 1605
Azalea Dr
Rock Hill Rd
State Rd 1715
Dons Way
Forbush
township
50
State Rd 1714
Cane Mill Rd
Hartley Dr
Dull Rd
Jones Rd
Harper Rd
Yadkin River
Mill Creek
0
0.25
0.5 mi
Yadkin County
Forsyth County
Vienna
township
50
Wildflower Woods
Lewisville
64
Lewisville

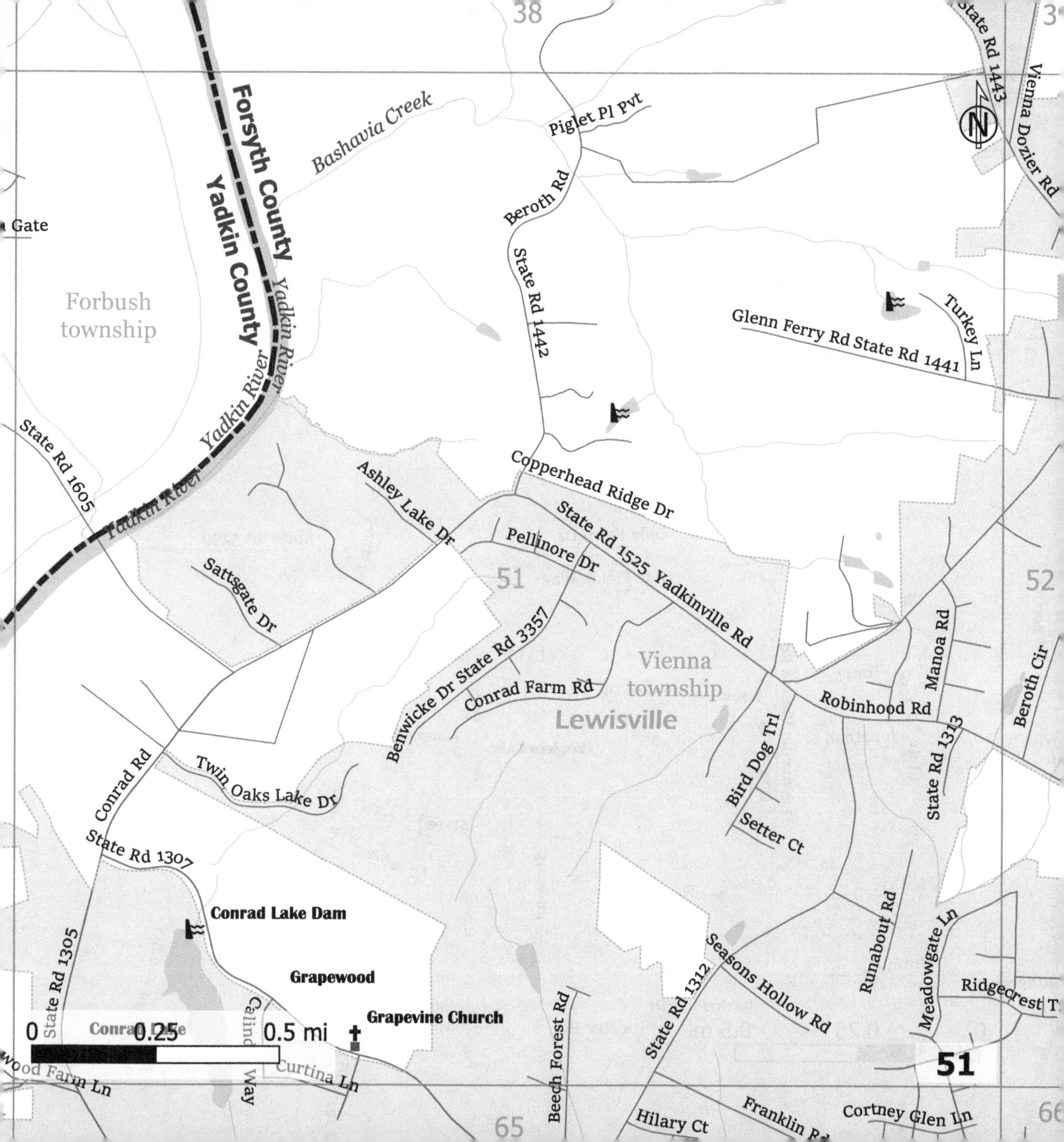
38
State Rd 1443
Vienna Dozier Rd
Piglet Pl Pvt
Bashavia Creek
Forsyth County
Yadkin County
Beroth Rd
Gate
Forbush
township
Yadkin River
State Rd 1442
Glenn Ferry Rd State Rd 1441
Turkey Ln
State Rd 1605
Ashley Lake Dr
Copperhead Ridge Dr
State Rd 1525 Yadkinville Rd
Pellinore Dr
51
52
Sattsgate Dr
Benwicke Dr State Rd 3357
Conrad Farm Rd
Vienna
township
Lewisville
Robinhood Rd
Manoa Rd
Beroth Cir
Bird Dog Trl
Setter Ct
State Rd 1313
Conrad Rd
Twin Oaks Lake Dr
State Rd 1307
Conrad Lake Dam
Grapewood
Grapevine Church
State Rd 1305
Calind Way
Curtina Ln
wood Farm Ln
Runabout Rd
Meadowgate Ln
Ridgecrest T
Seasons Hollow Rd
State Rd 1312
Beech Forest Rd
Hilary Ct
Franklin R
Cortney Glen Ln
65
66
0
0.25
0.5 mi
51

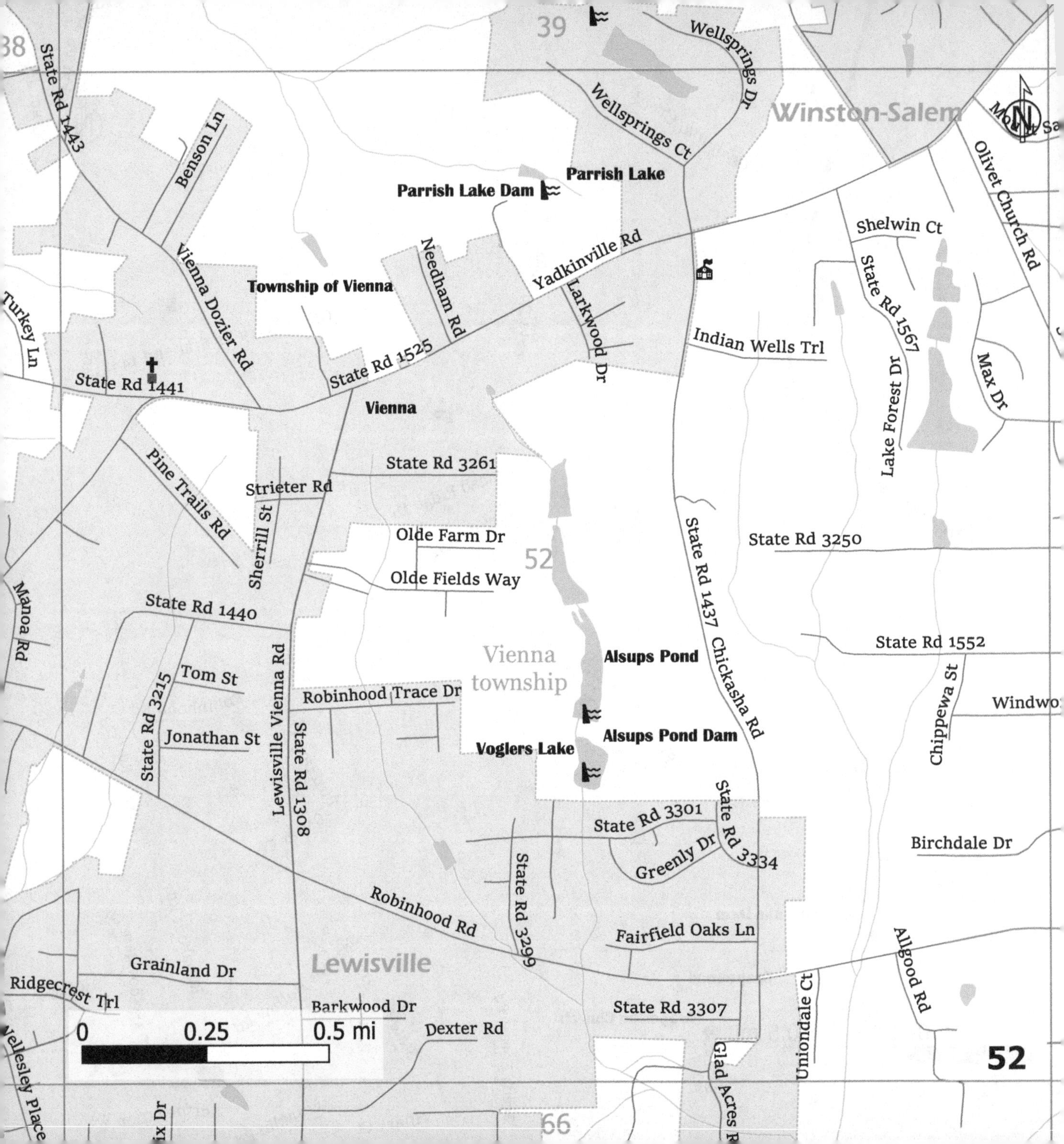

39
Wellsprings Dr
Wellsprings Ct
Winston-Salem
Parrish Lake
Parrish Lake Dam
State Rd 1443
Benson Ln
Vienna Dozier Rd
Township of Vienna
Needham Rd
Yadkinville Rd
Larkwood Dr
Shelwin Ct
Olivet Church Rd
State Rd 1567
Indian Wells Trl
Turkey Ln
State Rd 1441
State Rd 1525
Vienna
Lake Forest Dr
Max Dr
Pine Trails Rd
State Rd 3261
Strieter Rd
Sherrill St
Olde Farm Dr
Olde Fields Way
52
State Rd 1437 Chickasha Rd
State Rd 3250
Manoa Rd
State Rd 1440
State Rd 1552
Vienna township
Alsups Pond
Tom St
Lewisville Vienna Rd
State Rd 3215
Robinhood Trace Dr
Chippewa St
Jonathan St
State Rd 1308
Alsups Pond Dam
Voglers Lake
State Rd 3301
State Rd 3334
Greenly Dr
Birchdale Dr
State Rd 3299
Robinhood Rd
Fairfield Oaks Ln
Allgood Rd
Lewisville
Grainland Dr
Ridgecrest Trl
Barkwood Dr
State Rd 3307
Uniondale Ct
Dexter Rd
Glad Acres
0
0.25
0.5 mi
52
66

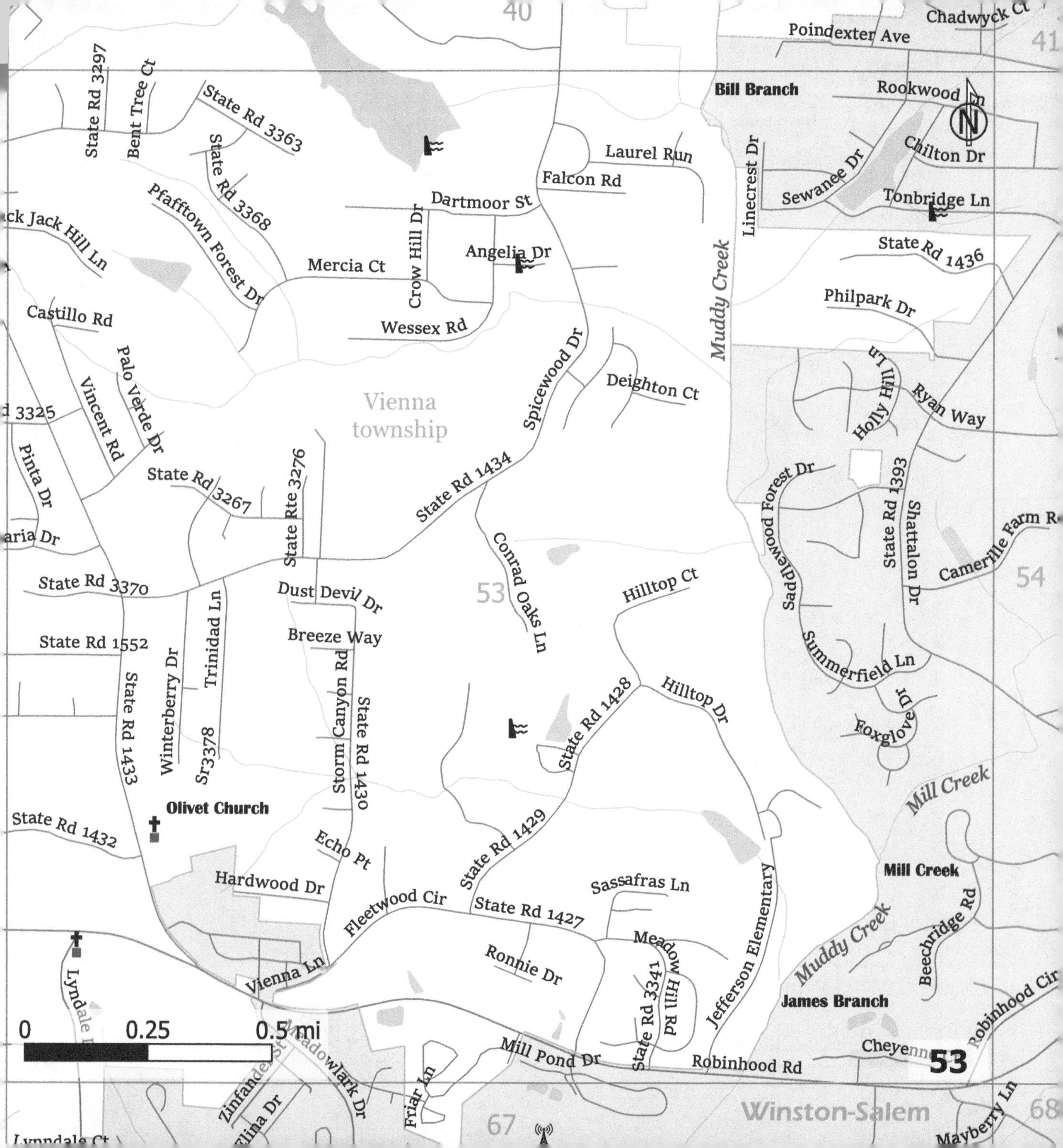

40
41
53
54
67
68
Chadwyck Ct
Poindexter Ave
Bill Branch
Rookwood Ln
N
Chilton Dr
Sewanee Dr
Linecrest Dr
Tonbridge Ln
State Rd 1436
Philpark Dr
Muddy Creek
Laurel Run
Falcon Rd
Dartmoor St
Angelia Dr
Crow Hill Dr
Mercia Ct
Wessex Rd
State Rd 3297
Bent Tree Ct
State Rd 3363
State Rd 3368
Pfafftown Forest Dr
Jack Hill Ln
Castillo Rd
Palo Verde Dr
Vincent Rd
Vienna township
Spicewood Dr
Deighton Ct
Holly Hill Ln
Ryan Way
Saddlewood Forest Dr
State Rd 1393
Shattalon Dr
Camerille Farm Rd
3325
Pinta Dr
aria Dr
State Rd 3267
State Rte 3276
State Rd 1434
Conrad Oaks Ln
State Rd 3370
Dust Devil Dr
Breeze Way
Hilltop Ct
Summerfield Ln
State Rd 1552
Trinidad Ln
Winterberry Dr
Sr3378
State Rd 1433
Storm Canyon Rd
State Rd 1430
State Rd 1428
Hilltop Dr
Foxglove Dr
Mill Creek
Olivet Church
State Rd 1432
Echo Pt
State Rd 1429
Hardwood Dr
Sassafras Ln
Jefferson Elementary
Fleetwood Cir
State Rd 1427
Meadow Hill Rd
Ronnie Dr
Beechridge Rd
Vienna Ln
State Rd 3341
Muddy Creek
James Branch
Robinhood Cir
Lyndale
0
0.25
0.5 mi
Meadowlark Dr
Zinfandel St
Mill Pond Dr
Robinhood Rd
Cheyenne
Friar Ln
Winston-Salem
Mayberry Ln
Lynndale Ct

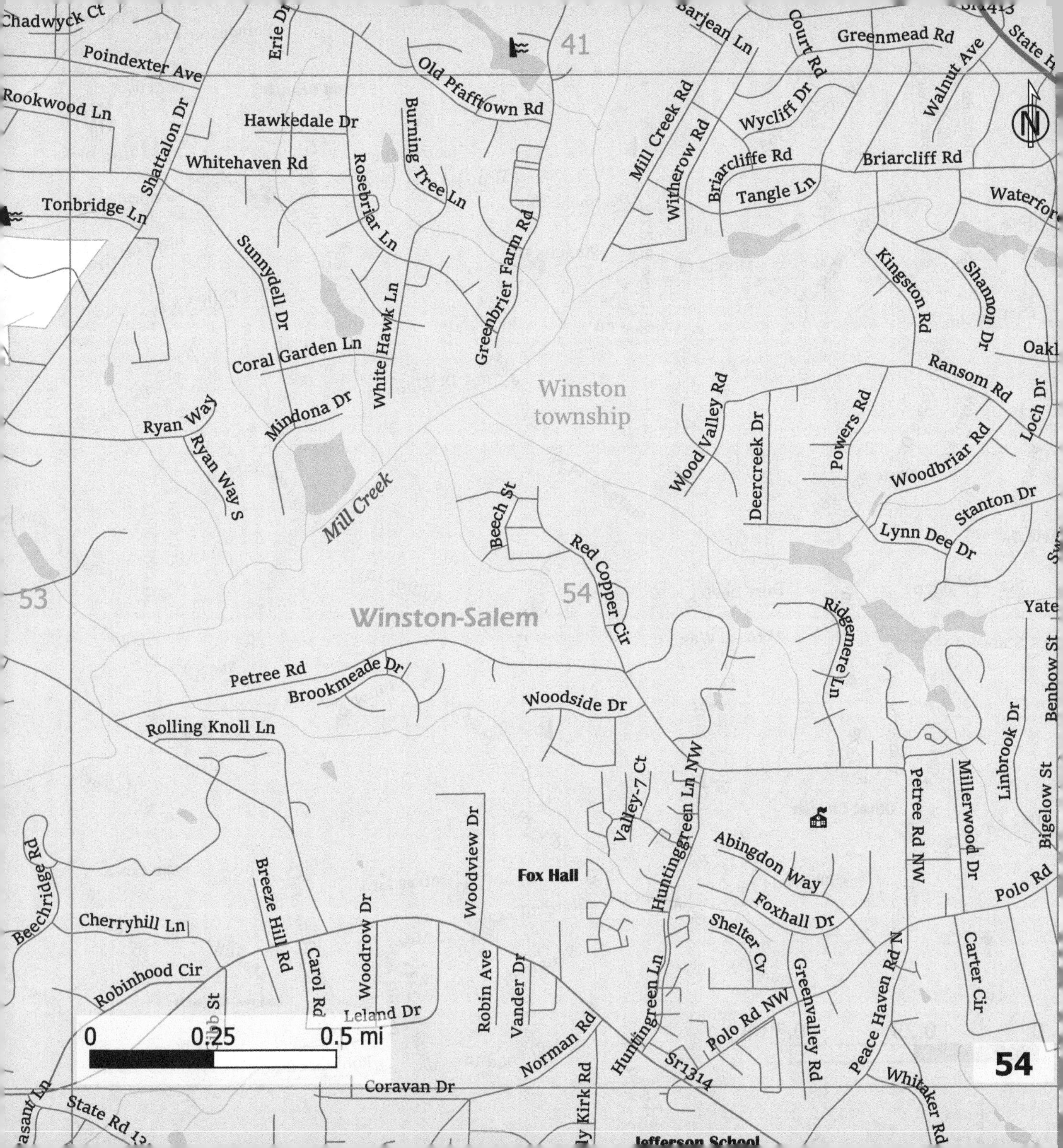
Chadwyck Ct
Poindexter Ave
Erie Dr
41
Barjean Ln
Court Rd
Greenmead Rd
Walnut Ave
Old Pfafftown Rd
Rookwood Ln
Hawkedale Dr
Burning Tree Ln
Mill Creek Rd
Witherow Rd
Wycliff Dr
Briarcliffe Rd
Briarcliff Rd
Shattalon Dr
Whitehaven Rd
Tangle Ln
Tonbridge Ln
Rosebriar Ln
Greenbrier Farm Rd
Sunnydell Dr
White Hawk Ln
Kingston Rd
Shannon Dr
Coral Garden Ln
Winston
township
Ransom Rd
Ryan Way
Mindona Dr
Wood Valley Rd
Deercreek Dr
Powers Rd
Loch Dr
Ryan Way S
Woodbriar Rd
Mill Creek
Beech St
Stanton Dr
Lynn Dee Dr
Red Copper Cir
53
54
Winston-Salem
Ridgemere Ln
Petree Rd
Brookmeade Dr
Woodside Dr
Benbow St
Rolling Knoll Ln
Linbrook Dr
Valley-7 Ct
Huntinggreen Ln NW
Petree Rd NW
Millerwood Dr
Bigelow St
Abingdon Way
Beechridge Rd
Breeze Hill Rd
Woodview Dr
Fox Hall
Polo Rd
Foxhall Dr
Cherryhill Ln
Woodrow Dr
Shelter Cv
Carter Cir
Carol Rd
Robinhood Cir
Robin Ave
Vander Dr
Huntingreen Ln
Greenvalley Rd
Peace Haven Rd N
Leland Dr
Polo Rd NW
0
0.25
0.5 mi
Norman Rd
Sr1314
Whitaker Rd
Coravan Dr
Kirk Rd
State Rd

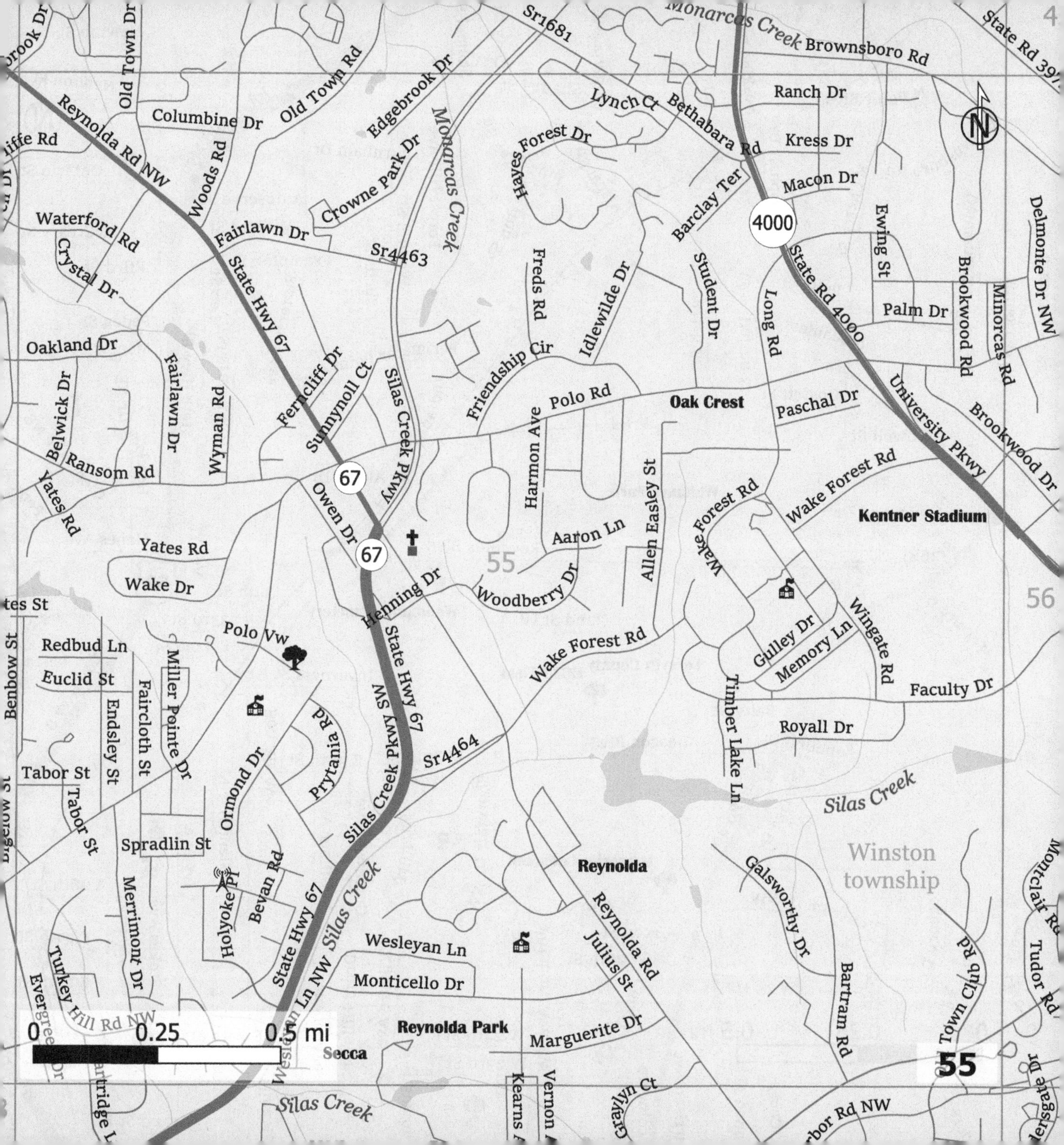

Monarcas Creek
Brownsboro Rd
Sr1681
Old Town Dr
Reynolda Rd NW
Columbine Dr
Old Town Rd
Edgebrook Dr
Lynch Ct
Bethabara Rd
Ranch Dr
Kress Dr
Hayes Forest Dr
Woods Rd
Crowne Park Dr
Monarcas Creek
Barclay Ter
Macon Dr
4000
Waterford Rd
Fairlawn Dr
Crystal Dr
Sr4463
State Hwy 67
Freds Rd
Idlewilde Dr
Student Dr
Long Rd
State Rd 4000
Ewing St
Palm Dr
Brookwood Rd
Minorcas Rd
Delmonte Dr NW
Oakland Dr
Fairlawn Dr
Ferncliff Dr
Sunnynoll Ct
Silas Creek Pkwy
Friendship Cir
Polo Rd
Oak Crest
Paschal Dr
University Pkwy
Brookwood Dr
Belwick Dr
Wyman Rd
Ransom Rd
Yates Rd
67
Owen Dr
Harmon Ave
Allen Easley St
Wake Forest Rd
Wake Forest Rd
Kentner Stadium
Yates Rd
Aaron Ln
67
55
Wake Dr
Henning Dr
Woodberry Dr
56
Polo Vw
Redbud Ln
Euclid St
Benbow St
Miller Pointe Dr
Faircloth St
Endsley St
Wake Forest Rd
State Hwy 67
Gulley Dr
Memory Ln
Wingate Rd
Faculty Dr
Timber Lake Ln
Royall Dr
Prytania Rd
Silas Creek Pkwy NW
Sr4464
Tabor St
Tabor St
Ormond Dr
Silas Creek
Spradlin St
Winston township
Reynolda
Bevan Rd
Holyoke Pl
Galsworthy Dr
Silas Creek
State Hwy 67
Reynolda Rd
Julius St
Merrimont Dr
Wesleyan Ln
Bartram Rd
Town Club Rd
Tudor Rd
Turkey Hill Rd NW
Wesleyan Ln NW
Monticello Dr
Reynolda Park
Marguerite Dr
0
0.25
0.5 mi
Secca
55
Silas Creek
Graylyn Ct
Kearns
Vernon

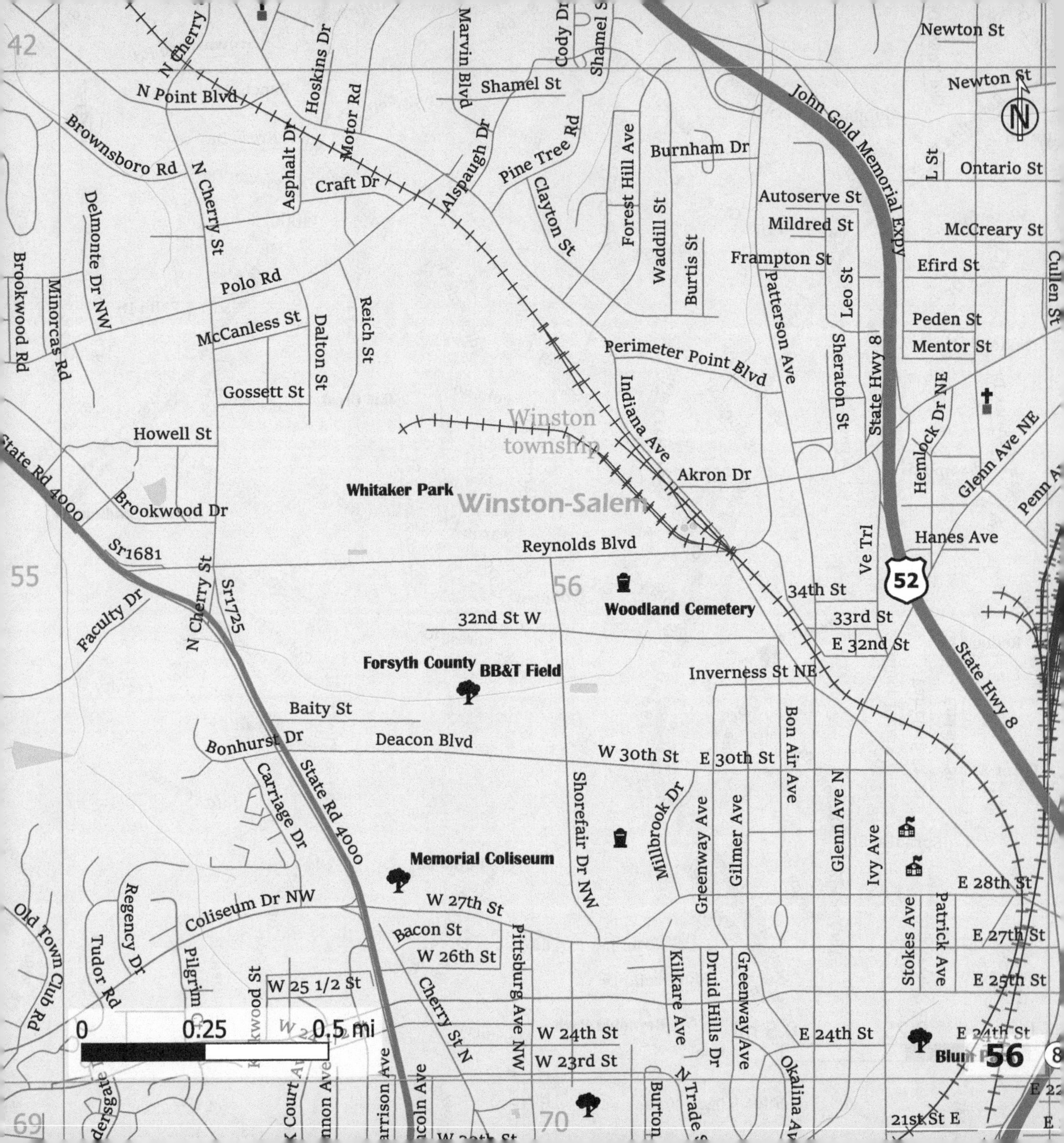

42
Newton St
Newton St
Shamel St
Cody Dr
Marvin Blvd
Hoskins Dr
N Cherry St
N Point Blvd
Brownsboro Rd
Asphalt Dr
Motor Rd
Alspaugh Dr
Pine Tree Rd
Forest Hill Ave
Burnham Dr
John Gold Memorial Expy
L St
Ontario St
Craft Dr
N Cherry St
Delmonte Dr NW
Clayton St
Waddill St
Burtis St
Autoserve St
Mildred St
McCreary St
Frampton St
Efird St
Cullen St
Brookwood Rd
Minorcas Rd
Polo Rd
McCanless St
Dalton St
Reich St
Patterson Ave
Leo St
Peden St
Mentor St
Sheraton St
State Hwy 8
Perimeter Point Blvd
Gossett St
Indiana Ave
Hemlock Dr NE
Glenn Ave NE
Howell St
Winston township
Akron Dr
Whitaker Park
Winston-Salem
Brookwood Dr
State Rd 4000
Hanes Ave
Ve Trl
Reynolds Blvd
Sr1681
55
56
52
Woodland Cemetery
34th St
33rd St
E 32nd St
Faculty Dr
N Cherry St
Sr1725
32nd St W
Forsyth County
BB&T Field
Inverness St NE
State Hwy 8
Baity St
Bonhurst Dr
Deacon Blvd
W 30th St
E 30th St
Bon Air Ave
Carriage Dr
State Rd 4000
Shorefair Dr NW
Millbrook Dr
Greenway Ave
Gilmer Ave
Glenn Ave N
Ivy Ave
Memorial Coliseum
E 28th St
Old Town Club Rd
Regency Dr
Tudor Rd
Coliseum Dr NW
W 27th St
Pilgrim
Bacon St
W 26th St
Pittsburg Ave NW
Kilkare Ave
Druid Hills Dr
Greenway Ave
Stokes Ave
Patrick Ave
E 27th St
E 25th St
Kirkwood St
W 25 1/2 St
Cherry St N
0
0.25
0.5 mi
W 24th St
W 23rd St
E 24th St
E 24th St
56
21st St E
69
70

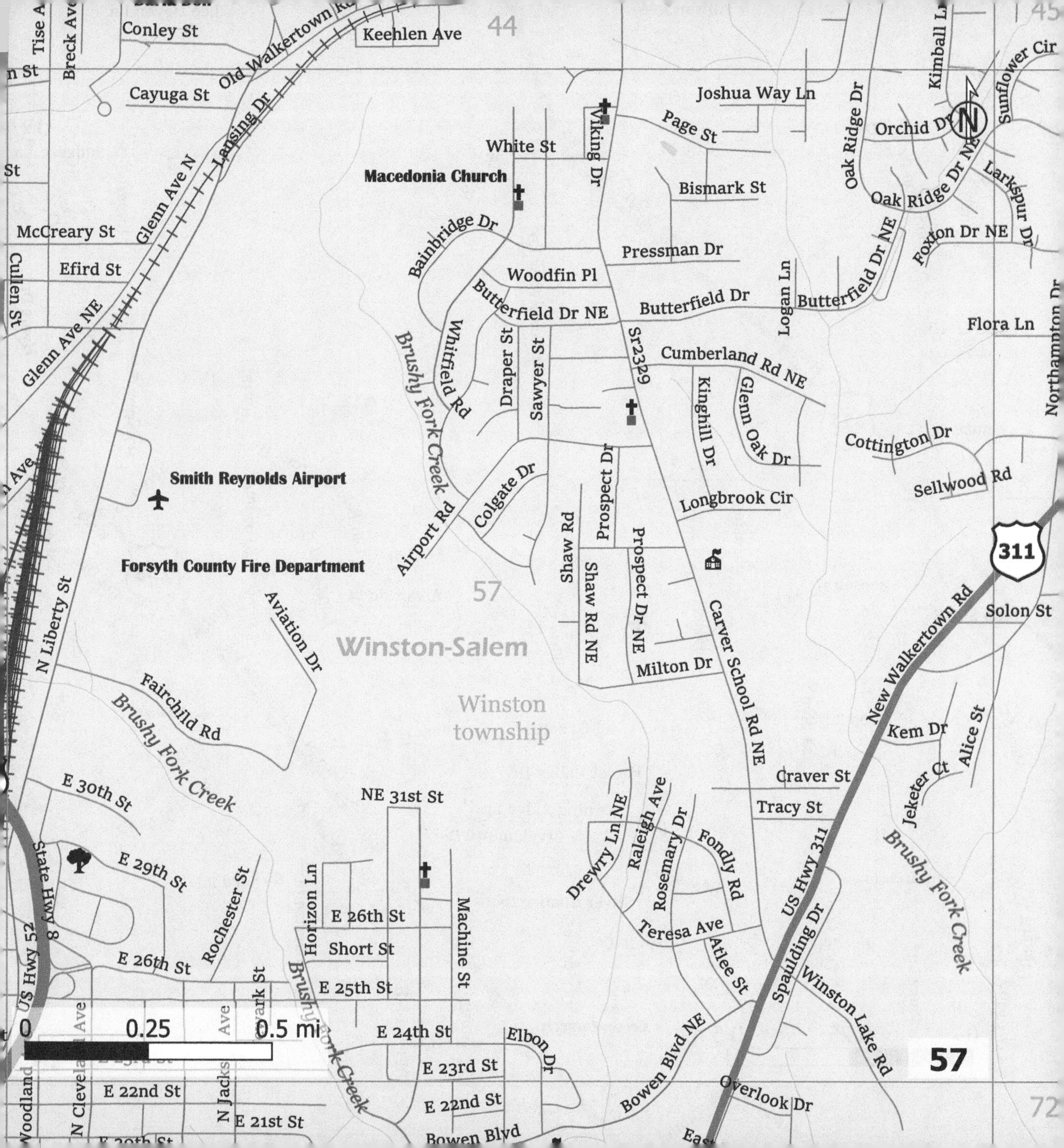
44
45
Tise A
Breck Ave
Conley St
Old Walkertown Rd
Keehlen Ave
Cayuga St
Lansing Dr
Joshua Way Ln
Page St
Kimball Ln
Sunflower Cir
Orchid Dr
Oak Ridge Dr
White St
Viking Dr
Macedonia Church
Bismark St
Oak Ridge Dr NE
Larkspur Dr
Glenn Ave N
McCreary St
Bainbridge Dr
Pressman Dr
Foxton Dr NE
Efird St
Cullen St
Woodfin Pl
Butterfield Dr NE
Butterfield Dr
Logan Ln
Glenn Ave NE
Whitffield Rd
Draper St
Sawyer St
Sr2329
Cumberland Rd NE
Flora Ln
Northampton Dr
Brushy Fork Creek
Kinghill Dr
Glenn Oak Dr
Cottington Dr
Sellwood Rd
Smith Reynolds Airport
Colgate Dr
Prospect Dr
Longbrook Cir
Airport Rd
Shaw Rd
Prospect Dr NE
Shaw Rd NE
311
Forsyth County Fire Department
57
N Liberty St
Aviation Dr
Winston-Salem
Carver School Rd NE
New Walkertown Rd
Solon St
Milton Dr
Fairchild Rd
Winston
township
Kem Dr
Alice St
Jeketer Ct
E 30th St
NE 31st St
Craver St
Tracy St
Drewry Ln NE
Raleigh Ave
Rosemary Dr
Fondly Rd
US Hwy 311
State Hwy 8
E 29th St
Rochester St
Horizon Ln
Machine St
E 26th St
Short St
Teresa Ave
Atlee St
Spaulding Dr
Winston Lake Rd
US Hwy 52
E 26th St
E 25th St
0
0.25
0.5 mi
E 24th St
Elbon Dr
Bowen Blvd NE
E 23rd St
57
Overlook Dr
E 22nd St
E 22nd St
E 21st St
Woodland
N Cleveland Ave
N Jackson Ave
Bowen Blvd
72

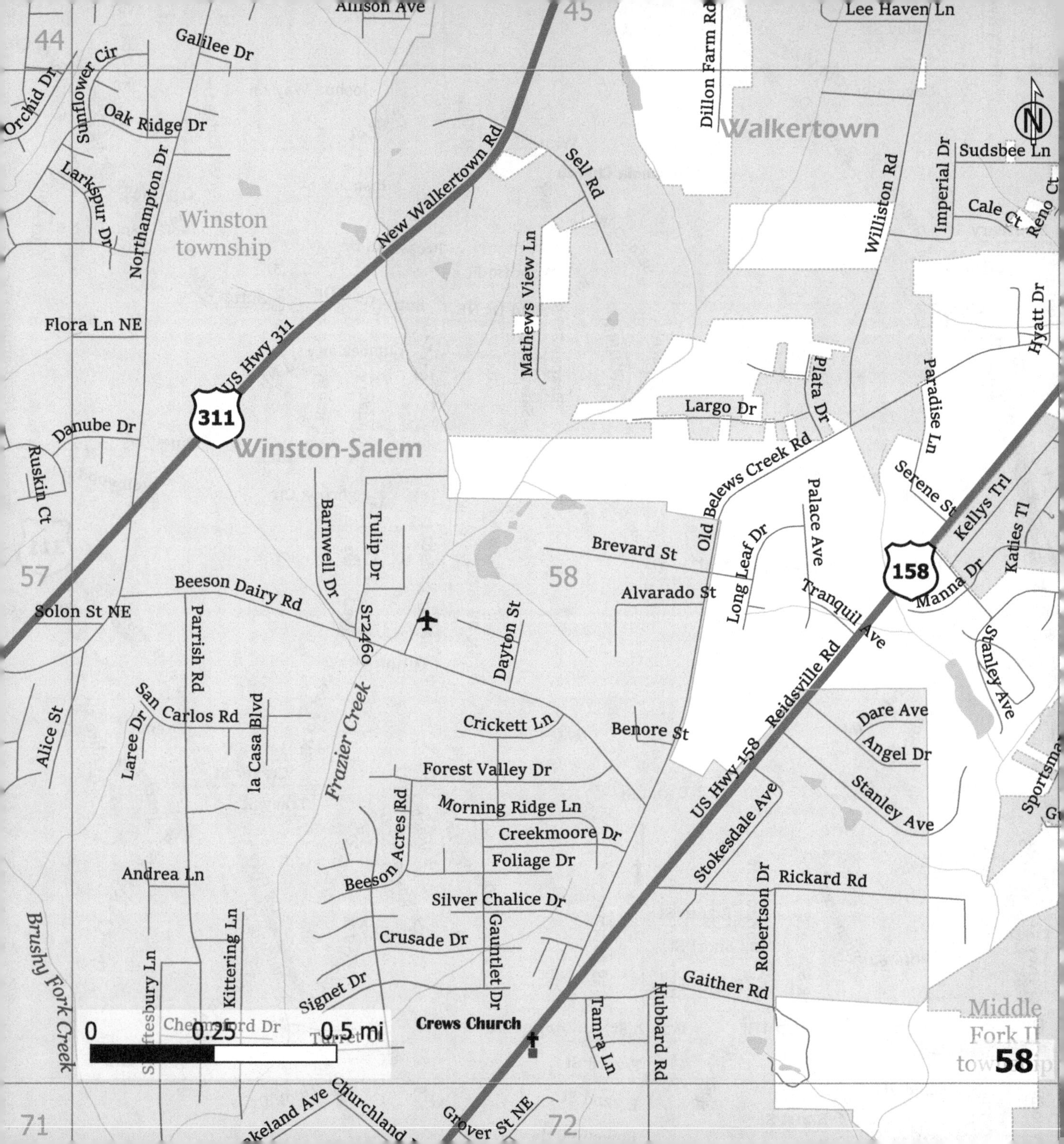

Allison Ave
Lee Haven Ln
Galilee Dr
Sunflower Cir
Orchid Dr
Oak Ridge Dr
Dillon Farm Rd
Walkertown
Sell Rd
New Walkertown Rd
Sudsbee Ln
Imperial Dr
Williston Rd
Cale Ct
Reno Ct
Larkspur Dr
Northampton Dr
Winston township
Mathews View Ln
Hyatt Dr
Flora Ln NE
US Hwy 311
311
Plata Dr
Paradise Ln
Largo Dr
Danube Dr
Winston-Salem
Ruskin Ct
Old Belews Creek Rd
Serene St
Kellys Trl
Palace Ave
Katies Tl
Barnwell Dr
Tulip Dr
Long Leaf Dr
158
Brevard St
57
58
Beeson Dairy Rd
Alvarado St
Manna Dr
Solon St NE
Parrish Rd
Sr2460
Tranquil Ave
Dayton St
Stanley Ave
Reidsville Rd
San Carlos Rd
Crickett Ln
Benore St
Dare Ave
Alice St
Laree Dr
la Casa Blvd
Frazier Creek
Angel Dr
Forest Valley Dr
US Hwy 158
Stanley Ave
Morning Ridge Ln
Beeson Acres Rd
Stokesdale Ave
Creekmoore Dr
Andrea Ln
Foliage Dr
Robertson Dr
Rickard Rd
Beeson Dr
Silver Chalice Dr
Brushy Fork Creek
Crusade Dr
Gauntlet Dr
Kittering Ln
Shaftesbury Ln
Signet Dr
Gaither Rd
Tamra Ln
Hubbard Rd
Middle Fork II township
0
0.25
0.5 mi
Chelmsford Dr
Turret Ct
Crews Church
Lakeland Ave
Churchland
Grover St NE
71
72
44
45

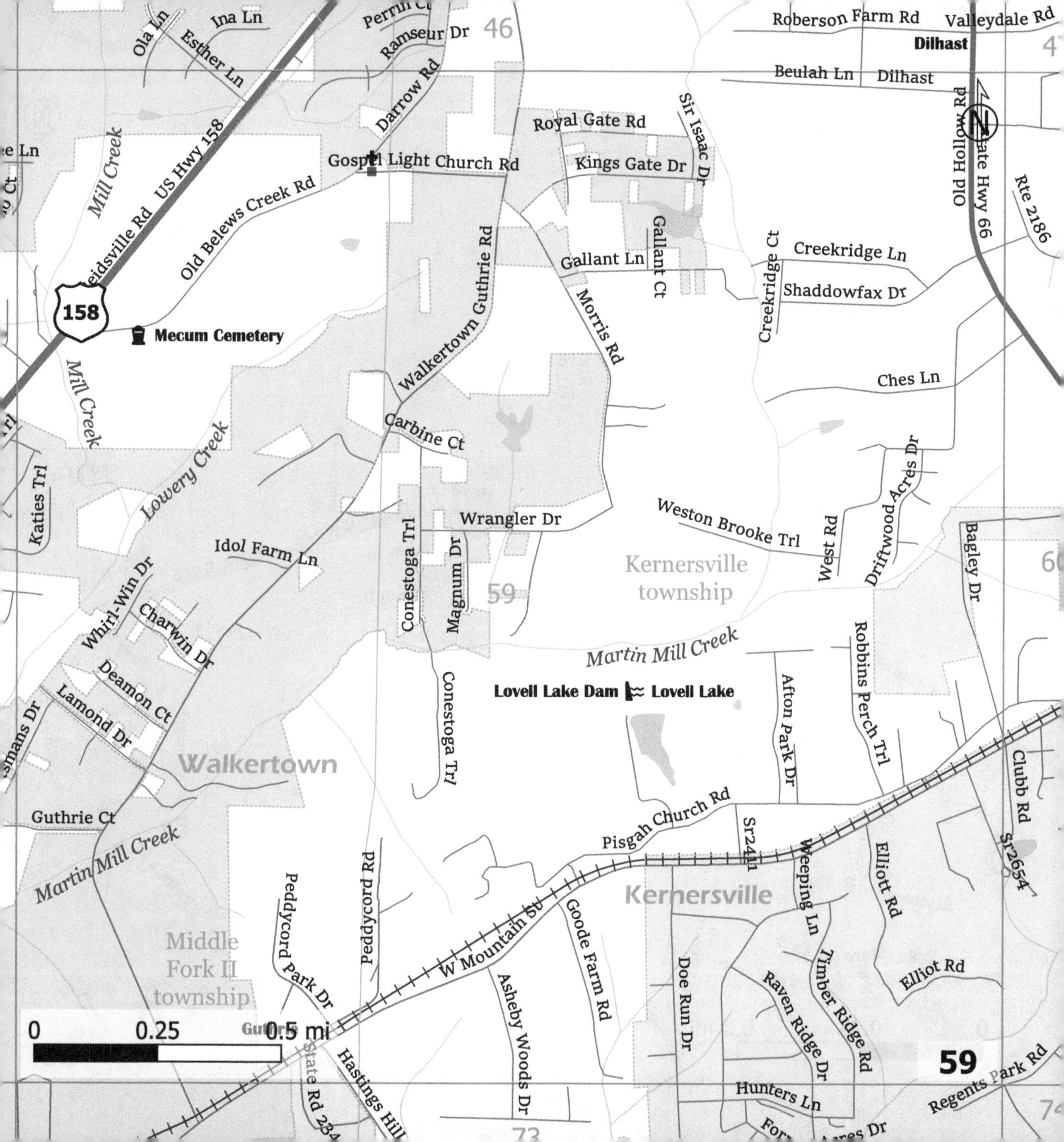

Roberson Farm Rd
Valleydale Rd
Dilhast
Beulah Ln
Dilhast
Ina Ln
Ola Ln
Esther Ln
Perrin Ct
Ramseur Dr
46
Darrow Rd
Royal Gate Rd
Sir Isaac Dr
Kings Gate Dr
Gospel Light Church Rd
Mill Creek
US Hwy 158
Reidsville Rd
Old Belews Creek Rd
Old Hollow Rd
State Hwy 66
Rte 2186
Walkertown Guthrie Rd
Gallant Ct
Gallant Ln
Creekridge Ct
Creekridge Ln
Shaddowfax Dr
158
Mecum Cemetery
Morris Rd
Ches Ln
Mill Creek
Lowery Creek
Carbine Ct
Katies Trl
Driftwood Acres Dr
Weston Brooke Trl
West Rd
Wrangler Dr
Idol Farm Ln
Conestoga Trl
Magnum Dr
Kernersville township
Bagley Dr
Whirl-Win Dr
Charwin Dr
59
Martin Mill Creek
Robbins Perch Trl
Deamon Ct
Lamond Dr
Conestoga Trl
Lovell Lake Dam
Lovell Lake
Afton Park Dr
Walkertown
Clubb Rd
Guthrie Ct
Pisgah Church Rd
Sr2411
Martin Mill Creek
Weeping Ln
Elliott Rd
Sr2654
Peddycord Park Dr
Peddycord Rd
W Mountain St
Goode Farm Rd
Kernersville
Middle Fork II township
Asheby Woods Dr
Doe Run Dr
Raven Ridge Dr
Timber Ridge Rd
Elliot Rd
0
0.25
0.5 mi
State Rd 234
Hastings Hill
Hunters Ln
Regents Park Rd
59
73
74

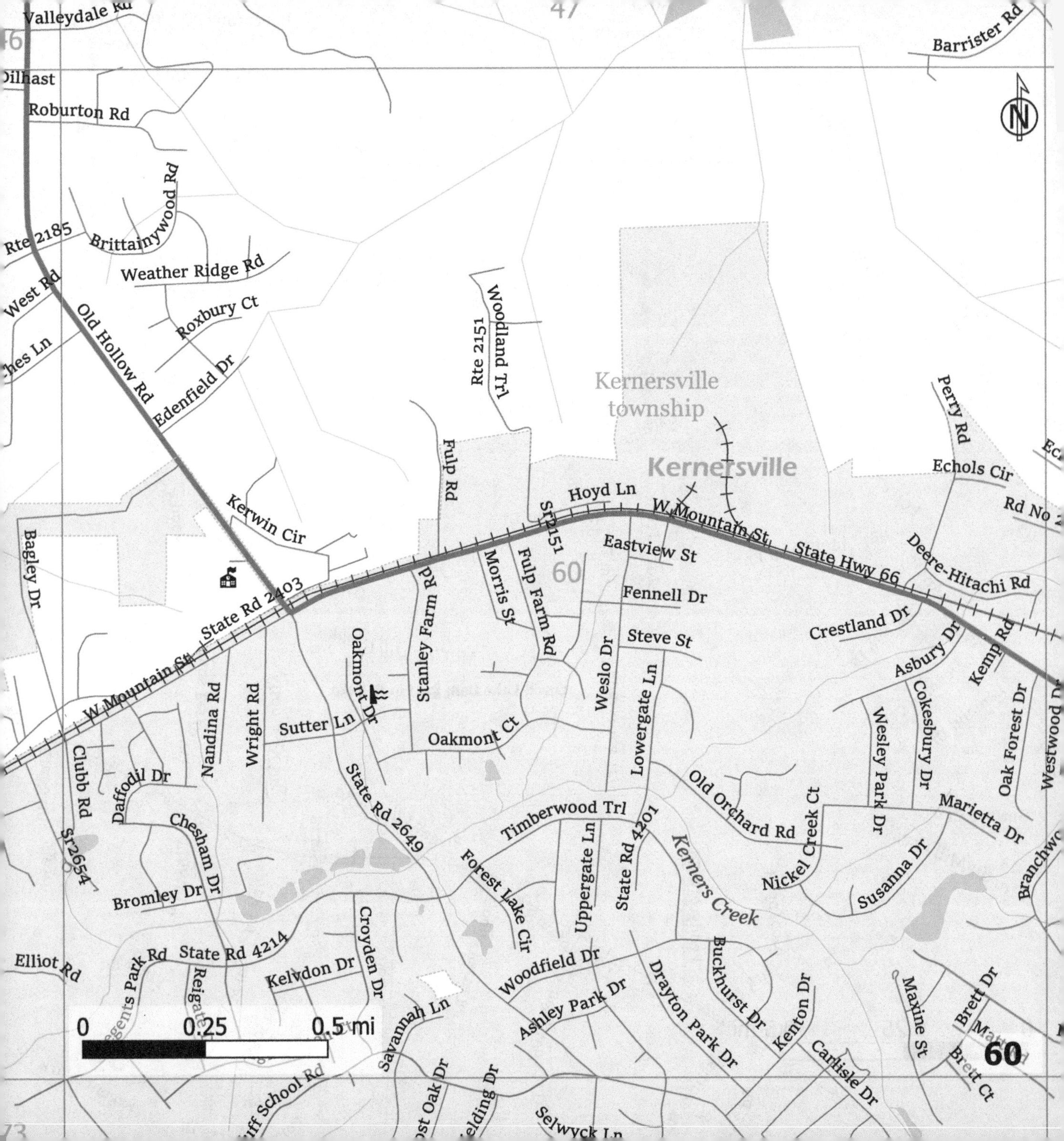

Valleydale Rd
47
Barrister Rd
Dilhast
Roburton Rd
Brittainywood Rd
Rte 2185
Weather Ridge Rd
West Rd
Roxbury Ct
Old Hollow Rd
Edenfield Dr
Woodland Trl
Rte 2151
Kernersville township
Perry Rd
Kernersville
Fulp Rd
Echols Cir
Hoyd Ln
Kerwin Cir
Sr2151
W Mountain St
Rd No
Bagley Dr
Eastview St
State Hwy 66
Deere-Hitachi Rd
Morris St
Fulp Farm Rd
60
Stanley Farm Rd
State Rd 2403
Fennell Dr
Crestland Dr
Steve St
Oakmont Dr
Kemp Rd
Asbury Dr
Weslo Dr
Lowergate Ln
W Mountain St
Sutter Ln
Wright Rd
Nandina Rd
Oakmont Ct
Wesley Park Dr
Cokesbury Dr
Oak Forest Dr
Westwood Dr
Clubb Rd
Daffodil Dr
State Rd 2649
Old Orchard Rd
Nickel Creek Ct
Marietta Dr
Cheshem Dr
Timberwood Trl
Sr2654
State Rd 4201
Uppergate Ln
Forest Lake Cir
Kerners Creek
Susanna Dr
Branchwood
Bromley Dr
Croyden Dr
State Rd 4214
Elliot Rd
Regents Park Rd
Reigate
Kelvdon Dr
Woodfield Dr
Drayton Park Dr
Buckhurst Dr
Kenton Dr
Maxine St
Brett Dr
Savannah Ln
Ashley Park Dr
0
0.25
0.5 mi
Carlisle Dr
Brett Ct
60
Selwyck Ln

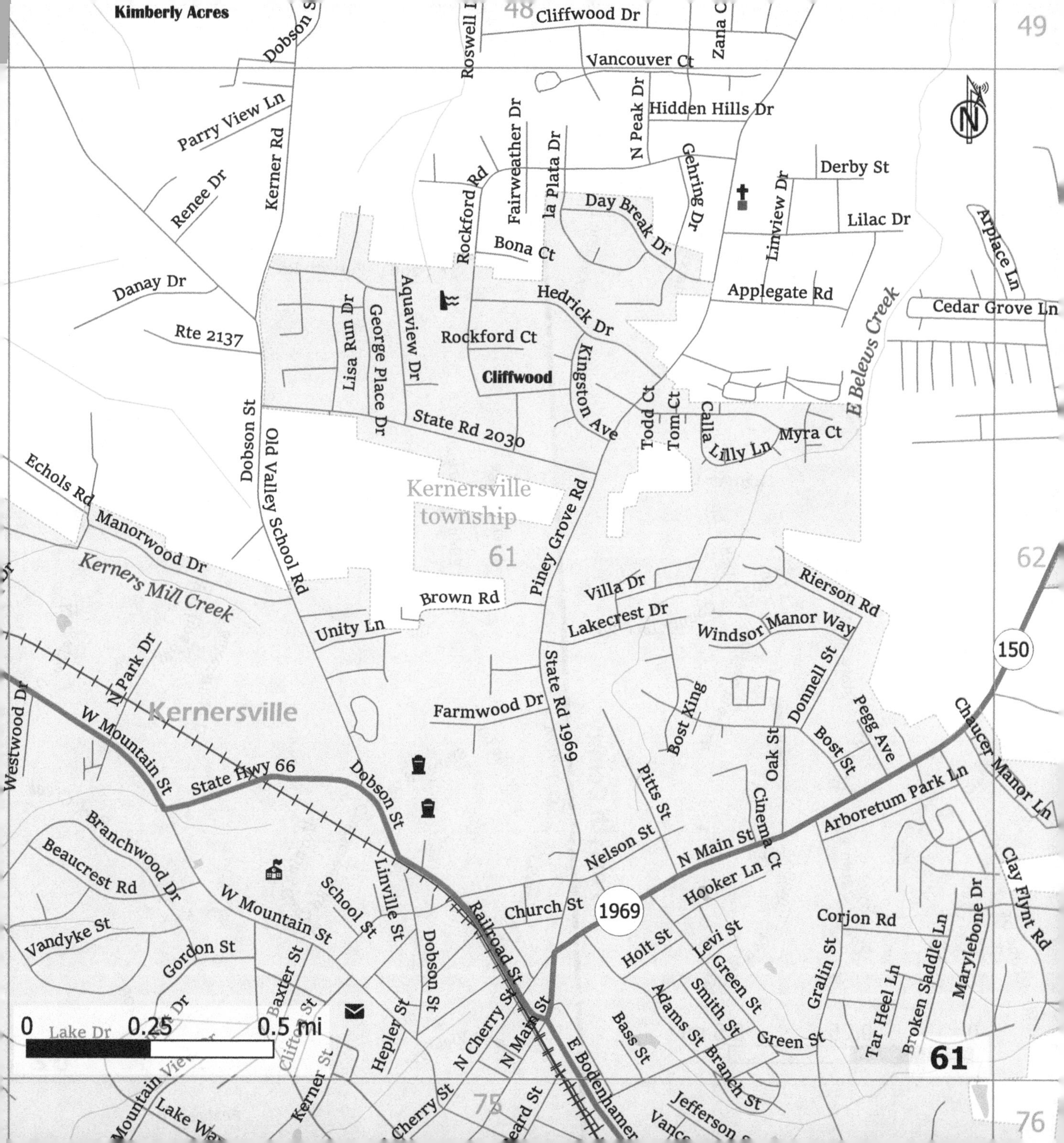

Kimberly Acres
48
Cliffwood Dr
49
Vancouver Ct
Zana Ct
Roswell
Dobson St
Hidden Hills Dr
N Peak Dr
Parry View Ln
Kerner Rd
Renee Dr
Fairweather Dr
la Plata Dr
Rockford Rd
Gehring Dr
Derby St
Day Break Dr
Linview Dr
Lilac Dr
Arplace Ln
Bona Ct
Applegate Rd
Danay Dr
Hedrick Dr
Cedar Grove Ln
E Belews Creek
Rte 2137
Lisa Run Dr
George Place Dr
Aquaview Dr
Rockford Ct
Cliffwood
Kingston Ave
Todd Ct
Tom Ct
Calla Lilly Ln
Myra Ct
State Rd 2030
Dobson St
Old Valley School Rd
Echols Rd
Kernersville township
61
Piney Grove Rd
Manorwood Dr
62
Kerners Mill Creek
Villa Dr
Rierson Rd
Brown Rd
Lakecrest Dr
Unity Ln
Windsor Manor Way
150
Donnell St
N Park Dr
State Rd 1969
Farmwood Dr
Bost Xing
Pegg Ave
Chaucer Manor Ln
Kernersville
Westwood Dr
W Mountain St
Bost St
State Hwy 66
Dobson St
Pitts St
Oak St
Arboretum Park Ln
Cinema Ct
Branchwood Dr
Nelson St
N Main St
Beaucrest Rd
Linville St
Hooker Ln
W Mountain St
School St
Railroad St
Church St
1969
Corjon Rd
Clay Flynt Rd
Vandyke St
Holt St
Levi St
Dobson St
Gordon St
Baxter St
Green St
Gralin St
Broken Saddle Ln
Marylebone Dr
Smith St
Adams St
Tar Heel Ln
Clifton St
Hepler St
N Cherry St
N Main St
Bass St
Green St
0
Lake Dr
0.25
0.5 mi
Branch St
E Bodenhamer
61
Mountain View
Kerner St
Lake Way
Cherry St
75
Heard St
Jefferson
Vance
76

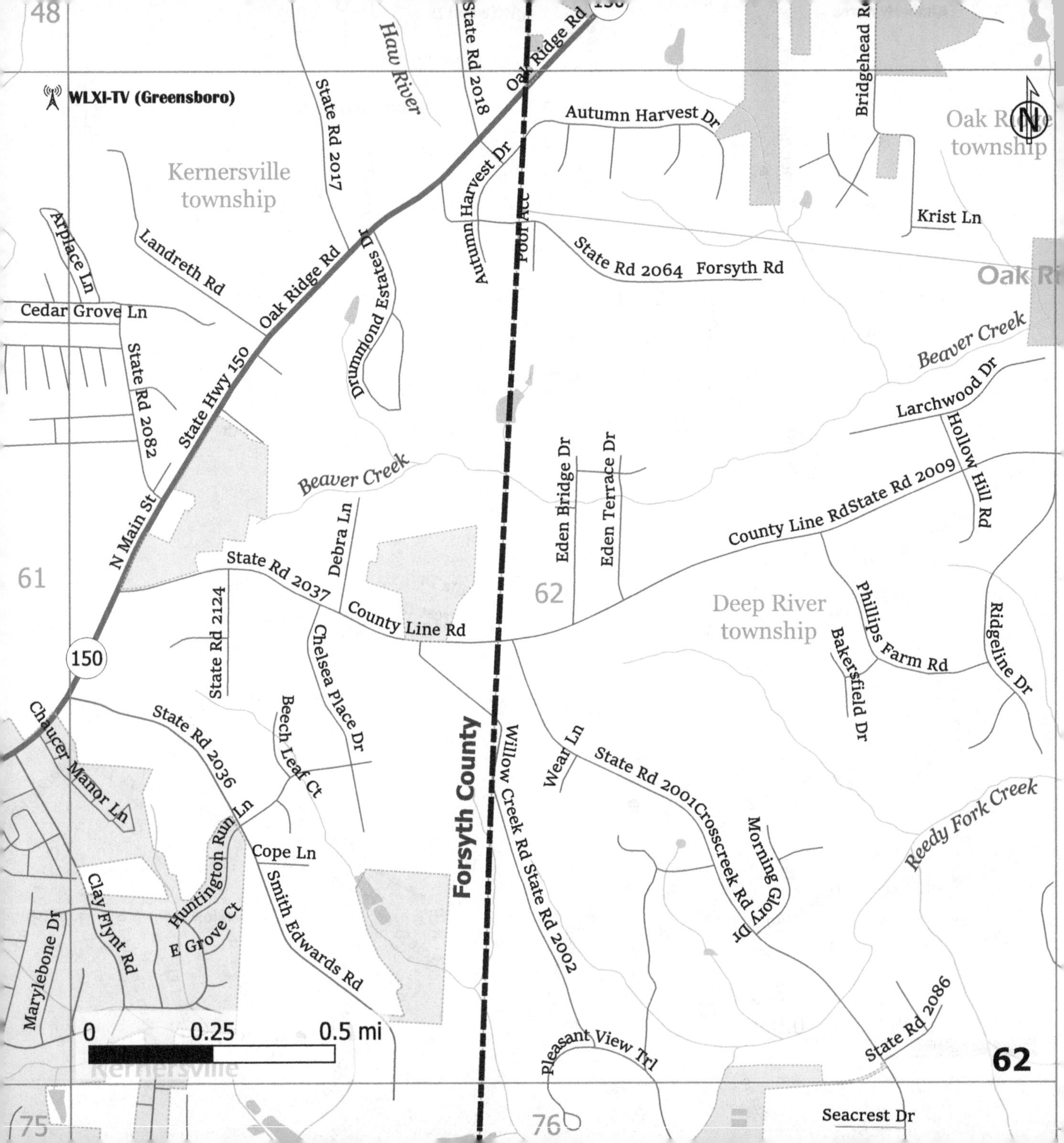
48
WLXI-TV (Greensboro)
Haw River
State Rd 2018
Oak Ridge Rd
150
Bridgehead Rd
Autumn Harvest Dr
Oak Ridge township
Kernersville township
State Rd 2017
Autumn Harvest Dr
Pour Acc
Krist Ln
Arplace Ln
Landreth Rd
Oak Ridge Rd
Drummond Estates Dr
State Rd 2064
Forsyth Rd
Cedar Grove Ln
State Rd 2082
State Hwy 150
Beaver Creek
Larchwood Dr
Hollow Hill Rd
Beaver Creek
Eden Bridge Dr
Eden Terrace Dr
State Rd 2009
County Line Rd
N Main St
Debra Ln
State Rd 2037
61
62
County Line Rd
Deep River township
State Rd 2124
Chelsea Place Dr
Phillips Farm Rd
Bakersfield Dr
Ridgeline Dr
150
Chaucer Manor Ln
State Rd 2036
Beech Leaf Ct
Forsyth County
Willow Creek Rd State Rd 2002
Wear Ln
State Rd 2001
Crosscreek Rd
Morning Glory Dr
Reedy Fork Creek
Huntington Run Ln
Cope Ln
Smith Edwards Rd
Clay Flynt Rd
E Grove Ct
Marylebone Dr
0
0.25
0.5 mi
Kernersville
Pleasant View Trl
State Rd 2086
62
Seacrest Dr
75
76

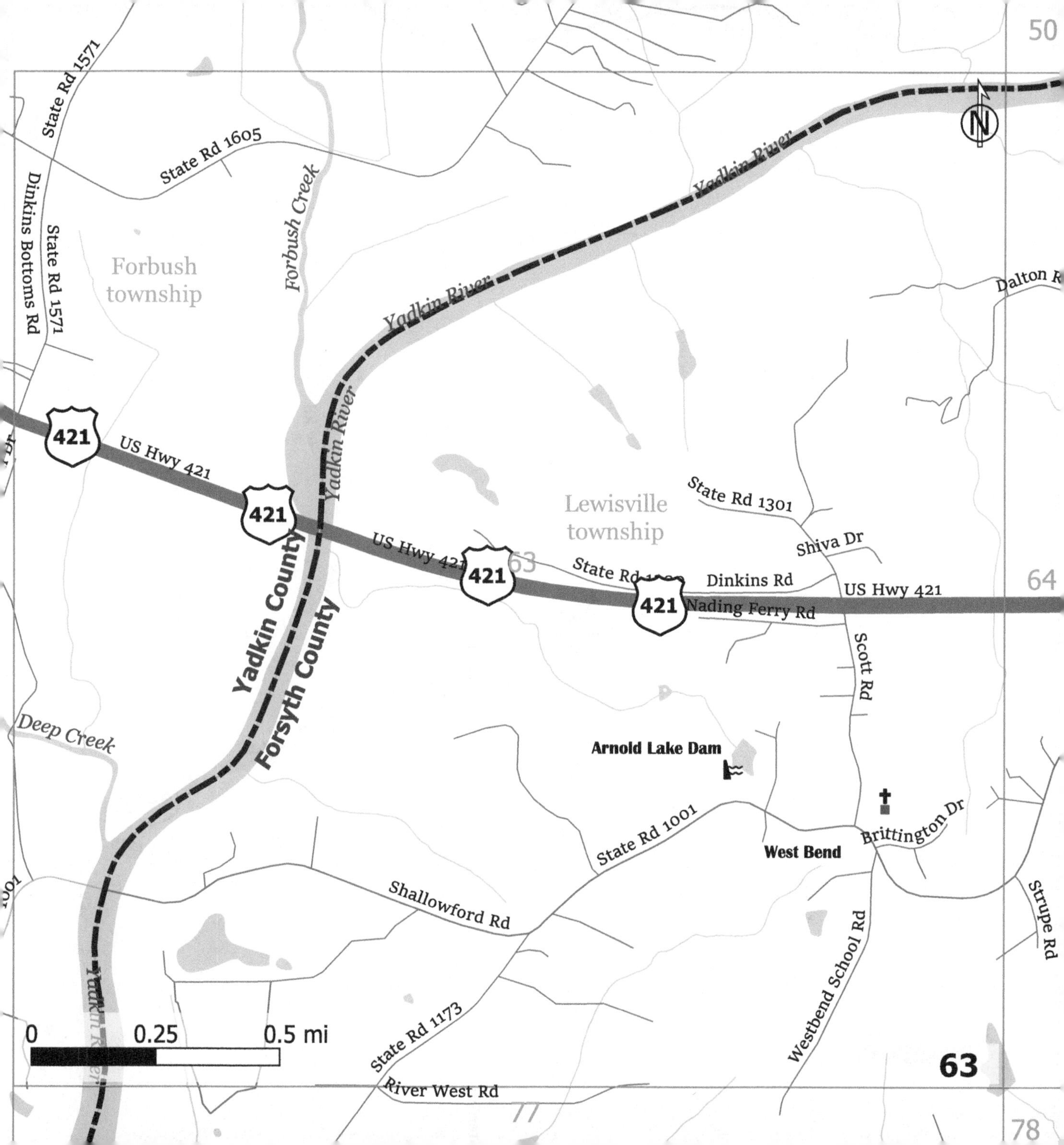
50
State Rd 1571
State Rd 1605
Dinkins Bottoms Rd
State Rd 1571
Forbush Creek
Forbush township
Yadkin River
Yadkin River
Yadkin River
Dalton Rd
421
US Hwy 421
421
US Hwy 421
421
421
Lewisville township
State Rd 1301
Shiva Dr
Dinkins Rd
US Hwy 421
64
Nading Ferry Rd
Scott Rd
Yadkin County
Forsyth County
Deep Creek
Arnold Lake Dam
State Rd 1001
West Bend
Brittington Dr
Shallowford Rd
Strupe Rd
Westbend School Rd
State Rd 1173
0
0.25
0.5 mi
River West Rd
Yadkin River
63
77
78

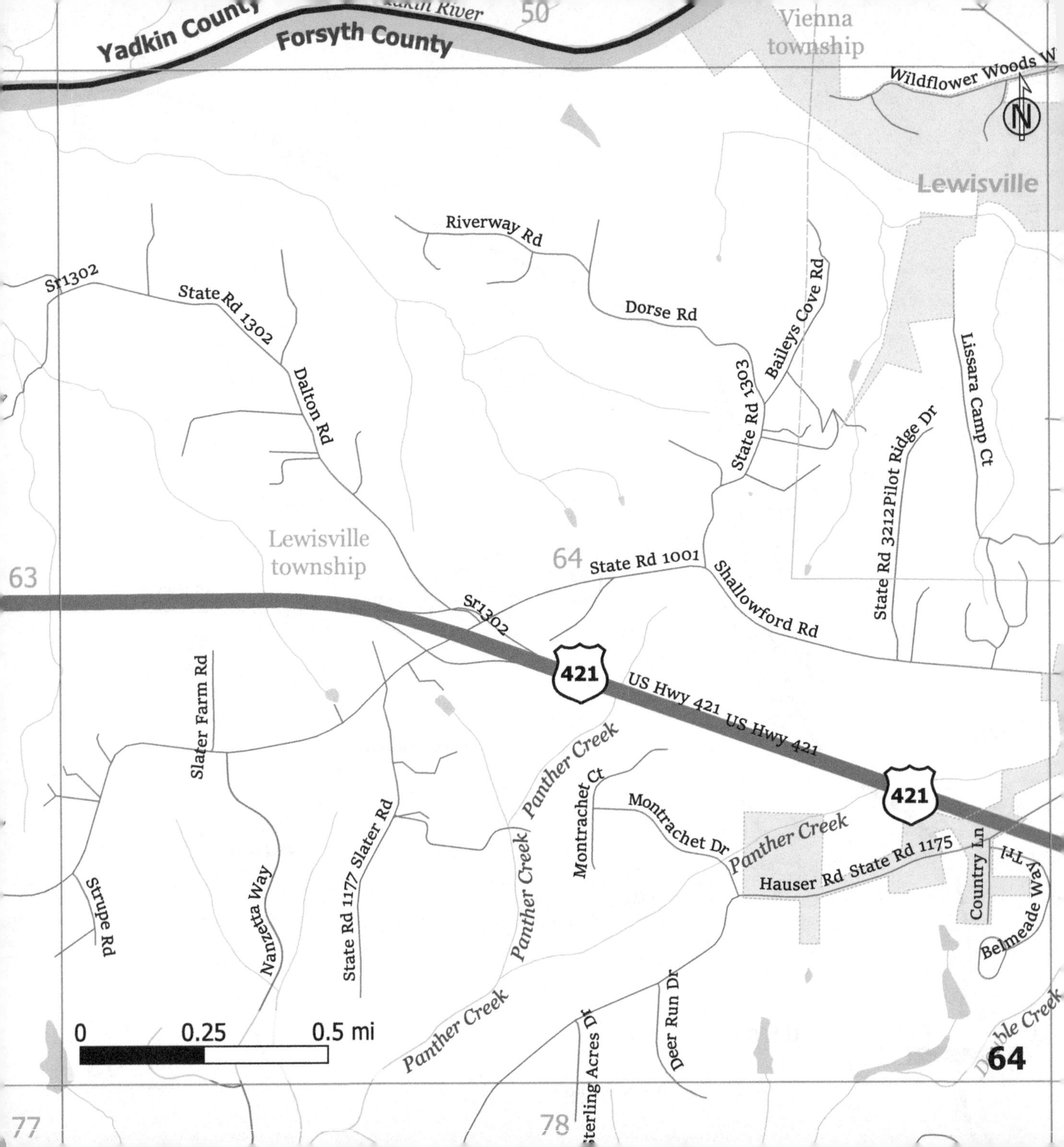

Yadkin County
Forsyth County
50
Vienna township
Lewisville
Riverway Rd
Sr1302
State Rd 1302
Dalton Rd
Dorse Rd
Baileys Cove Rd
State Rd 1303
Lissara Camp Ct
State Rd 3212 Pilot Ridge Dr
Lewisville township
63
64
State Rd 1001
Shallowford Rd
Sr1302
421
US Hwy 421
US Hwy 421
421
Slater Farm Rd
Panther Creek
Montrachet Ct
Montrachet Dr
Panther Creek
Hauser Rd State Rd 1175
Country Ln
Belmeade Way
Strupe Rd
Nanzetta Way
State Rd 1177 Slater Rd
Panther Creek
Panther Creek
Deer Run Dr
Sterling Acres Dr
0
0.25
0.5 mi
64
77
78

Conrad Lake
Grapevine Church
51
52
Curtina Ln
Tierney Dr
Beech Forest Rd
Shadowridge Dr
Cortney Glen Ln
Hilary Ct
State Rd 1312
Franklin Rd
Marshall Rd
State Rd 1305
Fair Bluff Dr
Amber Forest Ln
Lakeway Dr
Wyntfield Dr
Riverwood Dr
Heatherford Dr
Vienna township
Red Maple Ln
Allspice Ct
State Rd 1307
Sedgewick Ridge Rd
State Rd 1310 Sonata Dr
Turnbridge Dr
Tarawood Dr
Conrad Rd
Deverow Ct
Tullyries Ln
Lissara Lodge Dr
Grapevine Rd
Fernham Pl
Eaglewood
Tuscany Dr
Beechwood Dr
Lewisville
Pipers Spring Ln
State Rd 1304
State Rd 1308
Linkner Ln
Eaglewood Dr
Briar Creek Manor
State Rd 1001
Linda Dr
Troxaway Ct
Esso Ln
New Hope Church
State Rd 1175
Trevor Ln
Brookside Dr
North St
Styers St
Conrad Cir
Belnette Dr
Lucy Ln
State Rte 1156
Double Creek
Sunny Acres Dr
Shallowford Rd
US Hwy 421
Lewisville township
Williams Rd
Heritage Dr
Mock Dr
Arrow Leaf Dr
Sequoia Dr
Cotinus Cir
Ellison Creek
Holder Farm Rd
421
0
0.25
0.5 mi
State Rd 1173
Concord Church Rd
Westeba Rd
Grindstone Dr
79
80
Divaldi St
Lawrence Rdg
65

Dexter Rd
52
Wellesley Place Dr
Nix Dr
Pineola Ln
Marshall Rd
Glad Acres Rd
Heatherford Dr
State Rd 1310
Poplar Ridge Rd
Eden Rock Rd
Vienna township
Green Tree Dr
State Rd 1308
Spring Hill Rd
Ballyhoo Dr
Tarawood Dr
Belleforde Ct
Ketner Rd
Shiloh Church
Shamrock Trail Rd
Riverwood Dr
Sr1316
Sunset Ridge Dr
Lewisville Vienna Rd
Blarney Ln
Brookberry Farm Rd
Barnview Dr
Ketner Rd
65
Briar Creek Manor
Shamrock Glen Ln
Shallowford Rd
Lewisville
Charisma Ln
State Rd 1001
Esso Ln
Oak Grove Ave
Knoll Ct
Hidden Stream
Lewisville township
Summerglen Dr
Shady Brook Ln
Applewood Dr
Covington Pl
Bradford Place Ln
Sims Dr
Woodview Ridge Trl
Norwood Ln
Big Tree Dr
Big Tree Ct
Jeannine Dr
Sequoia Dr
Saddlebrook Cir
Fox Ridge Cir
Bradford Lake Ct
Lura Rd
Cotinus Cir
Bebb Willow
Grinnell St
Riding Ridge Ln
Winston-Salem
Lobolly Ct
Oak Leaf Ln
0
0.25
0.5 mi
Hollow Wood Ct
Ridge Gate Ct
66
Holly Hedge Dr
State Rd 3528
Lawrence Rdg
Vixen
State Rte 1156
80
Ridge Gate Dr

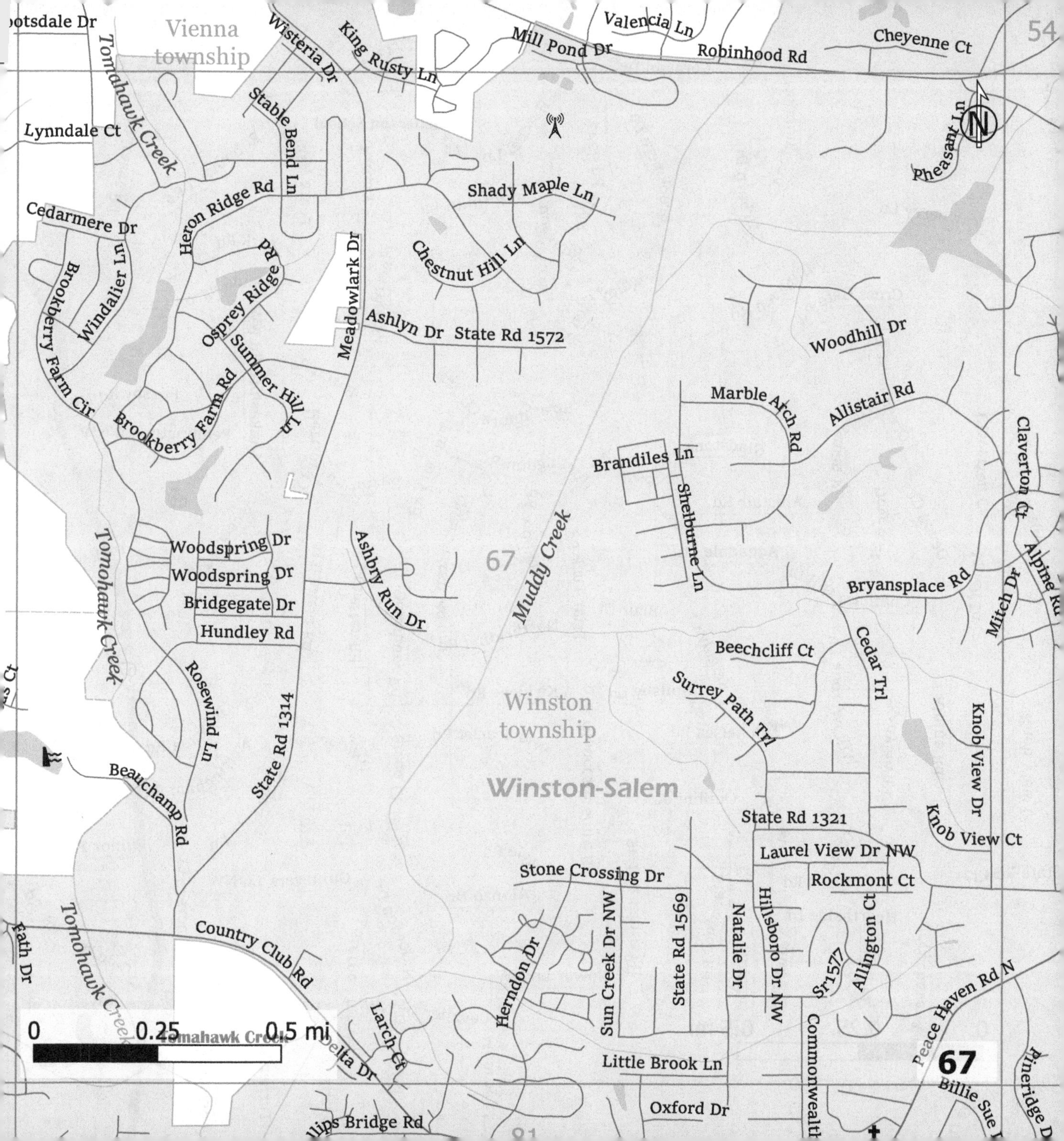

Vienna township
Valencia Ln
Mill Pond Dr
Robinhood Rd
Cheyenne Ct
54
Wisteria Dr
King Rusty Ln
Tomahawk Creek
Lynndale Ct
Stable Bend Ln
Pheasant Ln
Heron Ridge Rd
Shady Maple Ln
Cedarmere Dr
Osprey Ridge Rd
Meadowlark Dr
Chestnut Hill Ln
Brookberry Farm Cir
Windalier Ln
Ashlyn Dr
State Rd 1572
Woodhill Dr
Summer Hill Ln
Brookberry Farm Rd
Marble Arch Rd
Allistair Rd
Claverton Ct
Brandiles Ln
Shelburne Ln
Muddy Creek
Woodspring Dr
Woodspring Dr
Bridgegate Dr
Hundley Rd
Ashbry Run Dr
67
Bryansplace Rd
Alpine Rd
Mitch Dr
Beechcliff Ct
Cedar Trl
Rosewind Ln
Surrey Path Trl
Winston township
Knob View Dr
State Rd 1314
Beauchamp Rd
Winston-Salem
State Rd 1321
Knob View Ct
Laurel View Dr NW
Stone Crossing Dr
Rockmont Ct
Sun Creek Dr NW
State Rd 1569
Natalie Dr
Hillsboro Dr NW
Allington Ct
Sr1577
Country Club Rd
Herndon Dr
Peace Haven Rd N
Larch Ct
Commonwealth
Little Brook Ln
Delta Dr
Oxford Dr
Billie Sue
Pineridge D
0
0.25
0.5 mi
67

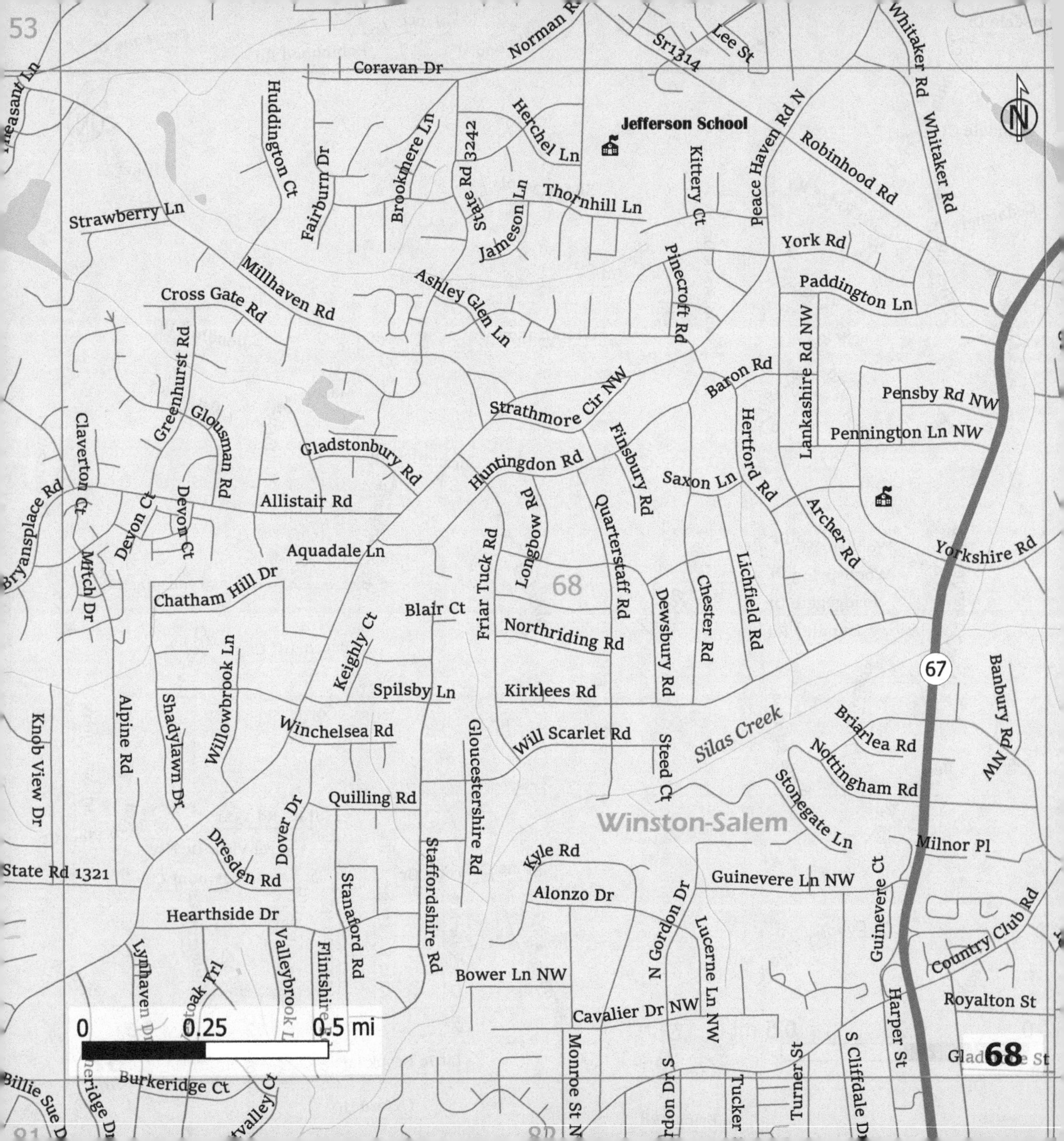

53
Norman Rd
Sr1314
Lee St
Whitaker Rd
Coravan Dr
heasant Ln
Huddington Ct
Herchel Ln
Jefferson School
Kittery Ct
Peace Haven Rd N
Robinhood Rd
Whitaker Rd
Fairburn Dr
Brookmere Ln
State Rd 3242
Jameson Ln
Thornhill Ln
Strawberry Ln
York Rd
Pinecroft Rd
Millhaven Rd
Cross Gate Rd
Ashley Glen Ln
Paddington Ln
Lankashire Rd NW
Greenhurst Rd
Baron Rd
Pensby Rd NW
Strathmore Cir NW
Glousman Rd
Pennington Ln NW
Claverton Ct
Gladstonbury Rd
Huntingdon Rd
Finsbury Rd
Hertford Rd
Saxon Ln
Bryansplace Rd
Devon Ct
Devon Ct
Allistair Rd
Longbow Rd
Quarterstaff Rd
Archer Rd
Yorkshire Rd
Aquadale Ln
Mitch Dr
Chatham Hill Dr
68
Friar Tuck Rd
Dewsbury Rd
Chester Rd
Lichfield Rd
Blair Ct
Keighly Ct
Northriding Rd
Willowbrook Ln
67
Banbury Rd NW
Knob View Dr
Alpine Rd
Shadylawn Dr
Spilsby Ln
Kirklees Rd
Winchelsea Rd
Gloucestershire Rd
Will Scarlet Rd
Steed Ct
Silas Creek
Briarlea Rd
Nottingham Rd
Quilling Rd
Stonegate Ln
Winston-Salem
Dover Dr
Dresden Rd
Staffordshire Rd
Kyle Rd
Milnor Pl
State Rd 1321
Stanaford Rd
Alonzo Dr
Guinevere Ln NW
Guinevere Ct
Hearthside Dr
Valleybrook Ln
Flintshire
Lynnhaven Dr
Oak Trl
N Gordon Dr
Lucerne Ln NW
Country Club Rd
Bower Ln NW
Royalton St
Cavalier Dr NW
0 0.25 0.5 mi
Monroe St NW
S Gordon Dr
Tucker
Turner St
S Cliffdale Dr
Harper St
Glad…e St
Burkeridge Ct
Billie Sue Dr
…eridge Dr
…tvalley Ct
81
82

Secca
Reynolda Park
Marguerite Dr
Silas Creek
Silas Creek
State Hwy 67
Kenleigh Cir
Goodwood Rd
Wellington Rd NW
Englewood Dr
Fieldwood Ln
Chatham Farm Rd
Kearns Ave
Vernon Ave
Graylyn Ct
Coliseum Dr NW
Bartram Rd
W Kent Rd NW
E Kent Rd NW
Aldersgate Dr
Reynolda Rd
Robinhood Rd
Austin Ln NW
Spring Garden Rd NW
Robinhood Rd NW
Fenner Rd NW
Kenwick Dr
Shoreland Rd
Wellington Rd
Glen Echo Trl
Acorn Ct
Kensington Rd
Avalon Rd N
Westover Ave NW
Arbor Rd NW
Oaklawn Ave NW
Buena Vista Rd
Yorkshire Rd
Fairmont Rd NW
Greenbrier Rd
Buena Vista Rd NW
Virginia Rd
Sheffield Dr
69
N Avalon Rd
Fieldale Ave
Oaklawn Ave
Buena Vista Rd
70
Winston township
Pine Valley Rd
Westview Dr N
Forest Dr
Stratford Rd N
Reynolds Dr
Arbor Rd
Winston-Salem
Club Park Rd
N Westview Dr
Warwick Rd
Angelo St
Reynolds Dr NW
N Avalon Rd
Forsyth Country Club
Sr1001
Georgia Ave
S Bitting Rd
Warwick Rd
Country Club Rd
Bitting Rd
Runnymede Rd
Mayfield Dr
Pennsylvania Ave
Plymouth Ave
Windsor Rd
Knollwood St
Grandview Ave
Greenwich Rd
Little Creek
S Stratford Rd
W 1st St
Lynwood Ave
Anita Dr
Lawndale Dr
Lynn Ave
Fairfax Dr
S Westview Dr
I- 40 Bus
US Hwy 158
Cloverdale Ave W
Greenwich Rd
Cambridge Rd
421
Lower Mall Dr
US Hwy 158
Miller St
Beach St
0
0.25
0.5 mi
69
Gladstone St
Gould St
Mission Rd
Cloverdale Ave
Melrose St
Witt St
Kerensky St
US Hwy 421
421
158
Queen St
84

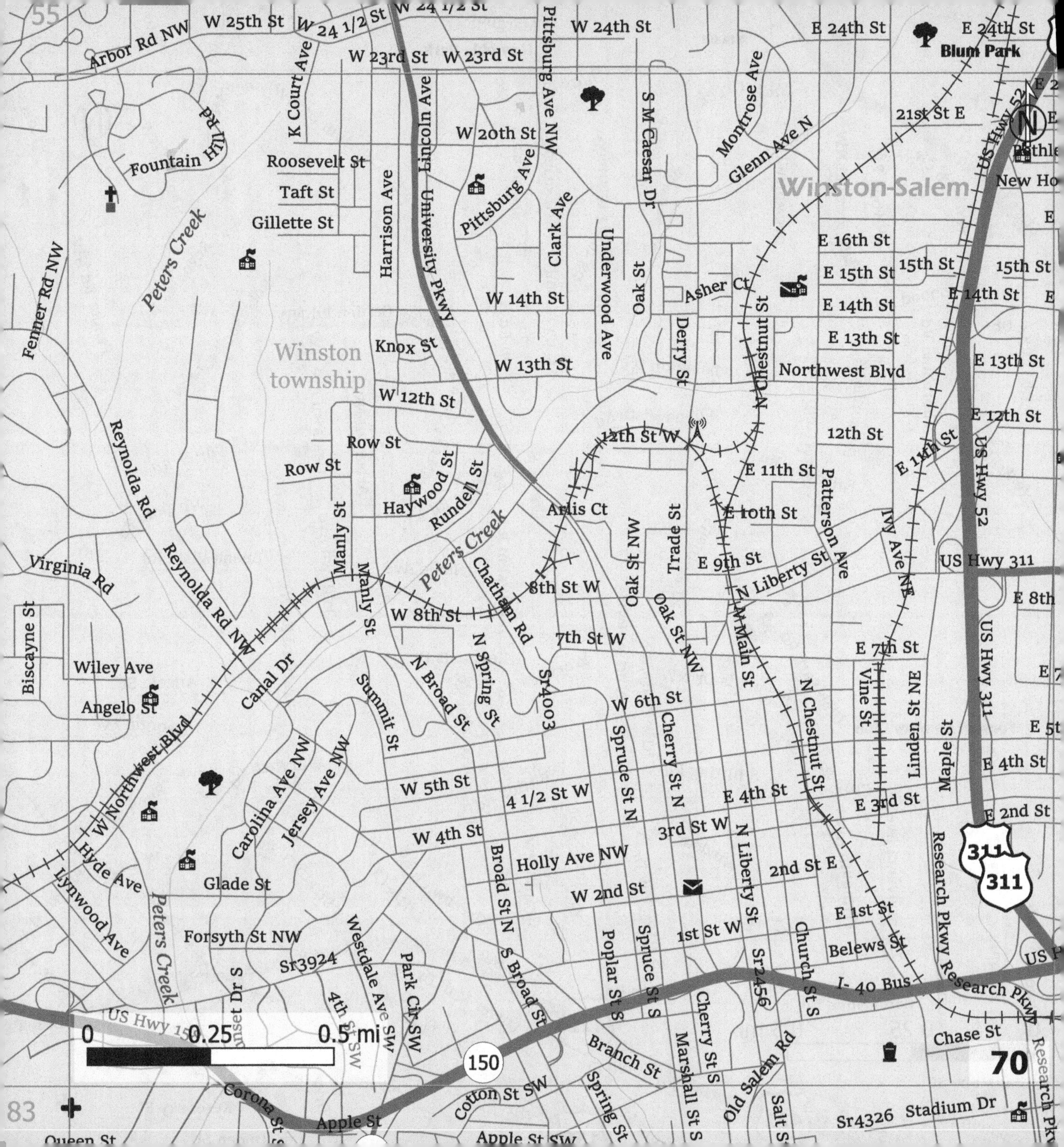

55
W 25th St
W 24 1/2 St
W 24 1/2 St
Arbor Rd NW
W 24th St
E 24th St
E 24th St
Blum Park
W 23rd St
W 23rd St
K Court Ave
Lincoln Ave
Pittsburg Ave NW
S M Caesar Dr
Montrose Ave
Fountain Hill Rd
W 20th St
21st St E
US Hwy 52
Roosevelt St
Glenn Ave N
Taft St
Pittsburg Ave
Winston-Salem
New Ho
Gillette St
Harrison Ave
University Pkwy
Clark Ave
Underwood Ave
Peters Creek
E 16th St
E 15th St
15th St
15th St
Fenner Rd NW
W 14th St
Oak St
Asher Ct
E 14th St
E 14th St
Derry St
N Chestnut St
E 13th St
Winston
township
Knox St
W 13th St
E 13th St
Northwest Blvd
W 12th St
E 12th St
12th St
Reynolda Rd
Row St
12th St W
Row St
E 11th St
E 11th St
Haywood St
Rundell St
US Hwy 52
Arlis Ct
E 10th St
Patterson Ave
Manly St
Peters Creek
Oak St NW
Trade St
Virginia Rd
Reynolda Rd NW
Chatham Rd
E 9th St
Ivy Ave NE
US Hwy 311
Manly St
8th St W
N Liberty St
E 8th
Biscayne St
W 8th St
Oak St NW
N Main St
US Hwy 311
7th St W
E 7th St
Wiley Ave
Canal Dr
N Broad St
N Spring St
Sr4003
E 7
Angelo St
Summit St
W 6th St
Cherry St N
N Chestnut St
Vine St
Linden St NE
Maple St
E 5t
W Northwest Blvd
Spruce St N
E 4th St
Carolina Ave NW
Jersey Ave NW
W 5th St
4 1/2 St W
E 4th St
E 3rd St
E 2nd St
W 4th St
3rd St W
N Liberty St
Hyde Ave
Holly Ave NW
311
311
Research Pkwy
Lynwood Ave
Glade St
2nd St E
Broad St N
W 2nd St
E 1st St
Peters Creek
Forsyth St NW
Westdale Ave SW
Poplar St S
Spruce St S
1st St W
Church St S
Belews St
S Broad St
Sr2456
US H
Sr3924
Sunset Dr S
4th St SW
Park Cir SW
I- 40 Bus
Research Pkwy
US Hwy 158
Cherry St S
Marshall St S
Old Salem Rd
Chase St
0
0.25
0.5 mi
150
Branch St
Research Pkwy
Corona St
Cotton St SW
Spring St
Salt St
Apple St
Stadium Dr
Sr4326
Queen St
Apple St SW
83

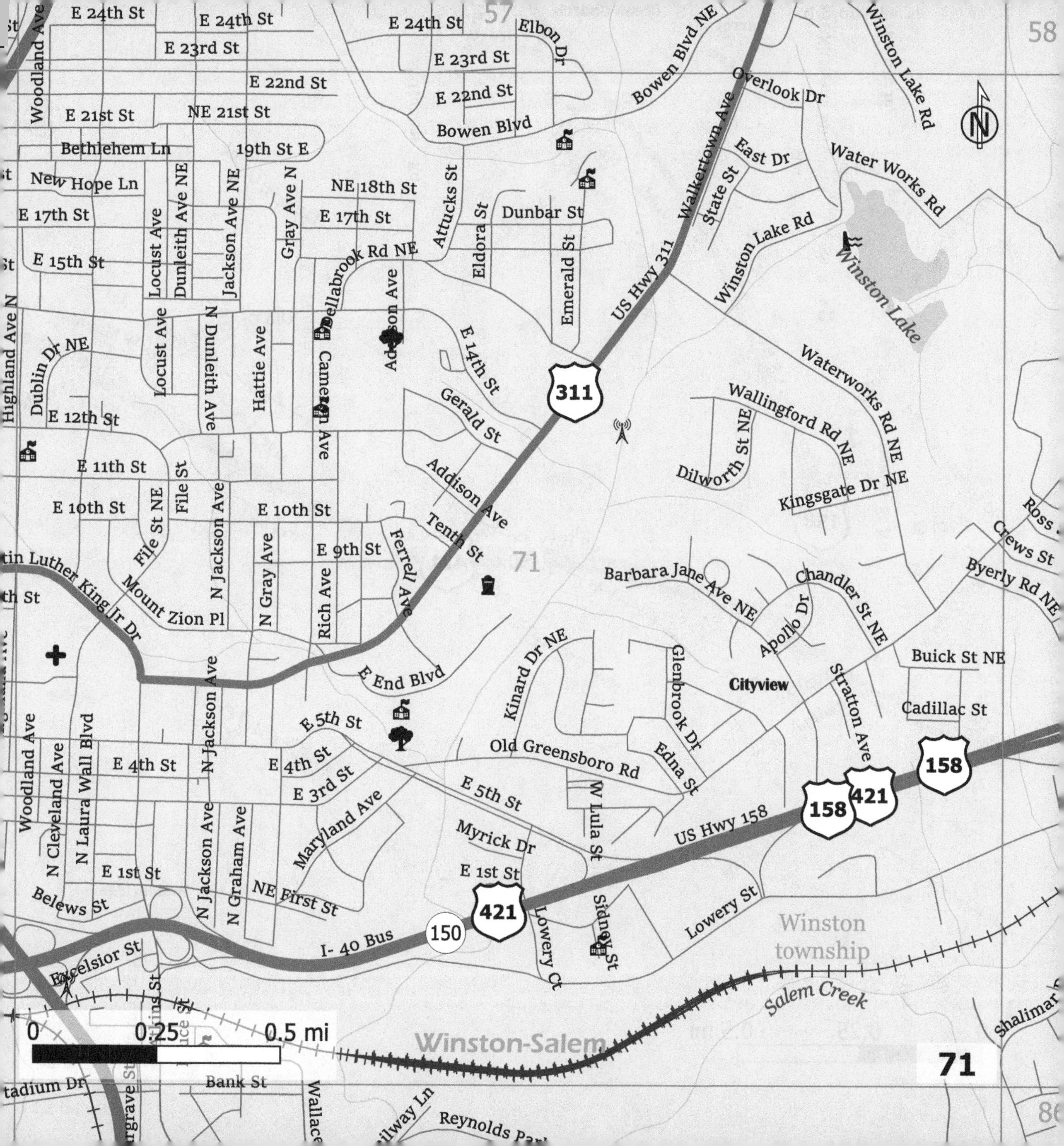
57
58
E 24th St
E 24th St
E 24th St
Elbon Dr
Woodland Ave
E 23rd St
E 23rd St
E 22nd St
E 22nd St
Bowen Blvd NE
Winston Lake Rd
Overlook Dr
E 21st St
NE 21st St
Bowen Blvd
Walkertown Ave
Bethlehem Ln
19th St E
East Dr
Water Works Rd
New Hope Ln
NE 18th St
State St
E 17th St
E 17th St
Dunbar St
Winston Lake Rd
Gray Ave N
Attucks St
Jackson Ave NE
Dunleith Ave NE
Locust Ave
E 15th St
Bellabrook Rd NE
Eldora St
Emerald St
US Hwy 311
Winston Lake
Highland Ave N
Dublin Dr NE
Addison Ave
E 14th St
Locust Ave
N Dunleith Ave
Hattie Ave
Cameron Ave
311
Waterworks Rd NE
Wallingford Rd NE
Gerald St
E 12th St
Wallingford St NE
Dilworth St NE
E 11th St
File St
Addison Ave
Kingsgate Dr NE
E 10th St
File St NE
N Jackson Ave
E 10th St
Tenth St
Ross
Crews St
E 9th St
Ferrell Ave
71
Byerly Rd NE
Martin Luther King Jr Dr
Mount Zion Pl
N Gray Ave
Rich Ave
Barbara Jane Ave NE
Chandler St NE
Apollo Dr
Kinard Dr NE
Glenbrook Dr
Stratton Ave
Buick St NE
Cityview
E End Blvd
Cadillac St
N Jackson Ave
E 5th St
Woodland Ave
N Cleveland Ave
N Laura Wall Blvd
E 4th St
E 4th St
Old Greensboro Rd
Edna St
158
E 3rd St
E 5th St
W Lula St
421
158
Maryland Ave
N Jackson Ave
N Graham Ave
Myrick Dr
US Hwy 158
E 1st St
E 1st St
NE First St
Belews St
421
Lowery Ct
Sidney St
Lowery St
Winston township
150
I- 40 Bus
Excelsior St
Salem Creek
Shalimar
0
0.25
0.5 mi
Winston-Salem
Stadium Dr
Bank St
Wallace
Reynolds Park
Railway Ln
86
71

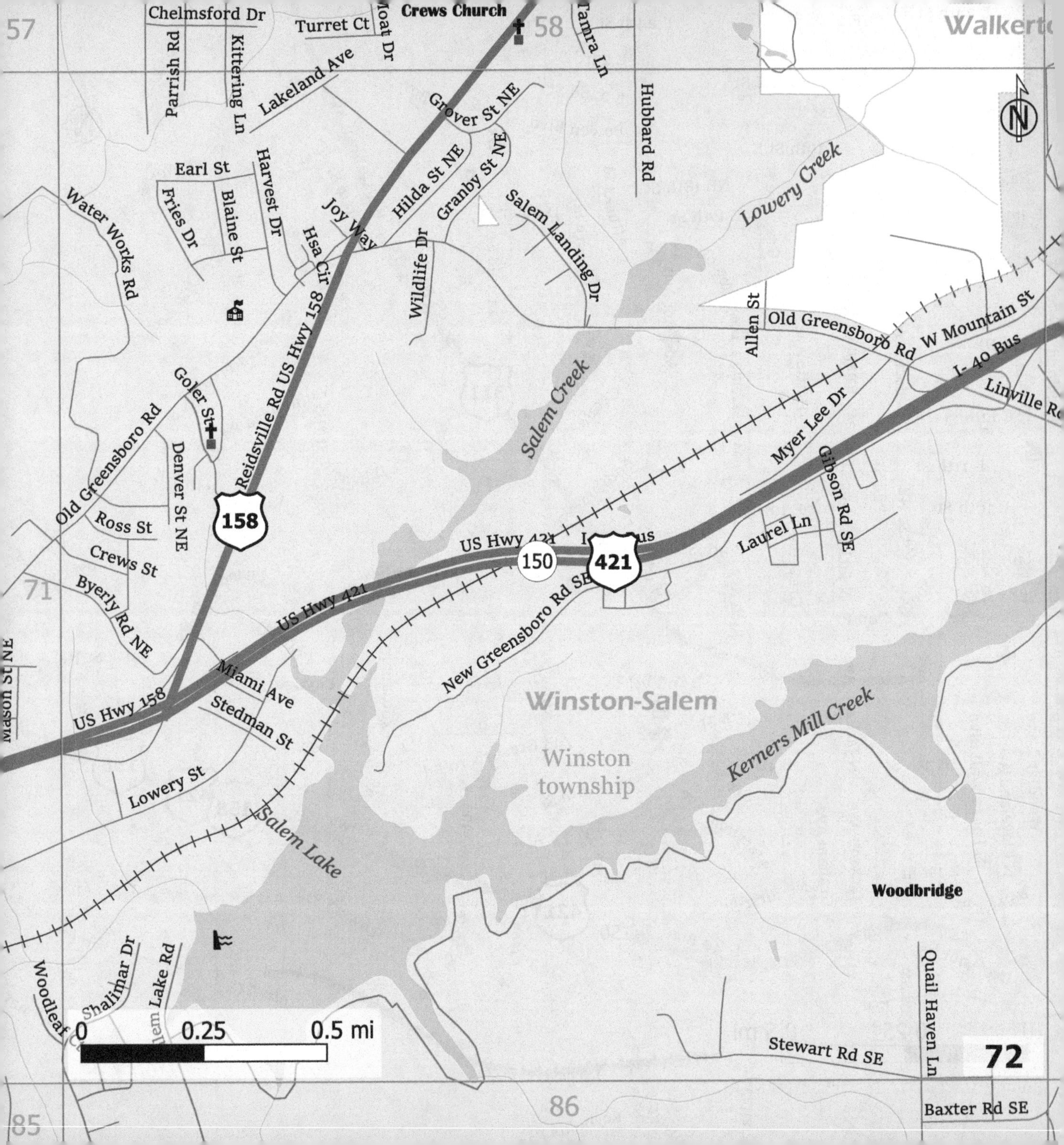

57
58
Walkerto
Crews Church
Chelmsford Dr
Turret Ct
Moat Dr
Tamra Ln
Parrish Rd
Kittering Ln
Lakeland Ave
Grover St NE
Hubbard Rd
Earl St
Harvest Dr
Hilda St NE
Granby St NE
Lowery Creek
Water Works Rd
Fries Dr
Blaine St
Joy Way
Hsa Cir
Wildlife Dr
Salem Landing Dr
Allen St
Old Greensboro Rd
W Mountain St
I- 40 Bus
Linville Rd
Reidsville Rd US Hwy 158
Goler St
Salem Creek
Myer Lee Dr
Old Greensboro Rd
Denver St NE
158
Gibson Rd SE
Ross St
Laurel Ln
US Hwy 421
150
421
Crews St
71
Byerly Rd NE
US Hwy 421
New Greensboro Rd SE
Mason St NE
Miami Ave
US Hwy 158
Stedman St
Winston-Salem
Kerners Mill Creek
Winston township
Lowery St
Salem Lake
Woodbridge
Woodlea
Shalimar Dr
Lake Rd
Quail Haven Ln
0
0.25
0.5 mi
Stewart Rd SE
72
86
85
Baxter Rd SE

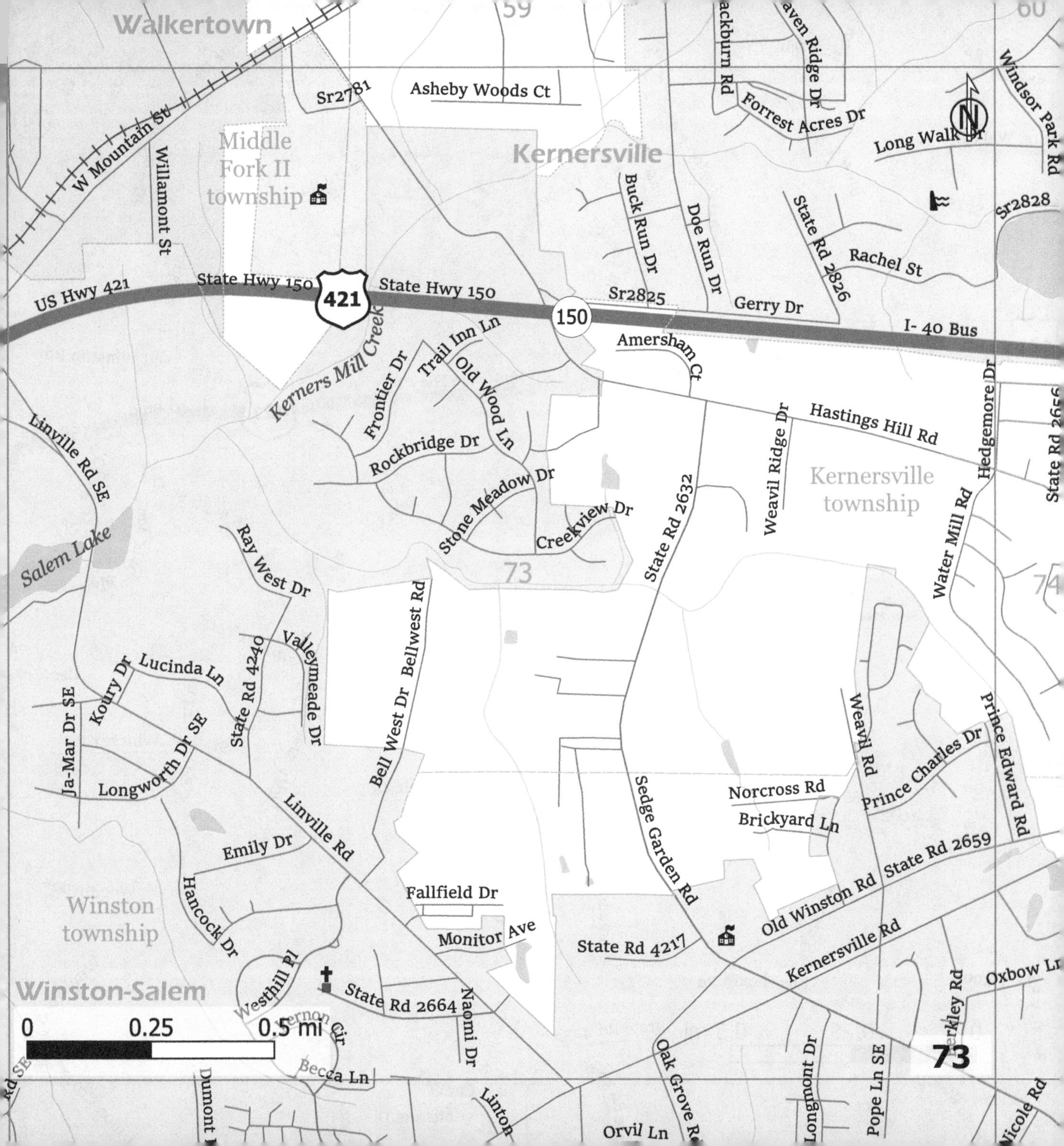

Walkertown
59
60
Kernersville
Middle Fork II township
Kernersville township
Winston township
Winston-Salem
W Mountain St
Willamont St
Sr2781
Asheby Woods Ct
Forrest Acres Dr
Long Walk Dr
Windsor Park Rd
Buck Run Dr
Doe Run Dr
State Rd 2826
Rachel St
Sr2828
US Hwy 421
State Hwy 150
421
150
Sr2825
Gerry Dr
I- 40 Bus
Kerners Mill Creek
Trail Inn Ln
Frontier Dr
Old Wood Ln
Amersham Ct
Hastings Hill Rd
Weavil Ridge Dr
Hedgemore Dr
Rockbridge Dr
Stone Meadow Dr
Creekview Dr
State Rd 2632
Water Mill Rd
Linville Rd SE
Salem Lake
Ray West Dr
73
Bellwest Rd
Bell West Dr
Valleymeade Dr
State Rd 4240
Lucinda Ln
Koury Dr
Ja-Mar Dr SE
Longworth Dr SE
Linville Rd
Emily Dr
Hancock Dr
Sedge Garden Rd
Norcross Rd
Brickyard Ln
Weavil Rd
Prince Charles Dr
Prince Edward Rd
State Rd 2659
Old Winston Rd
Fallfield Dr
Monitor Ave
State Rd 4217
Kernersville Rd
Westhill Pl
State Rd 2664
Naomi Dr
Vernon Cir
Becca Ln
Oxbow Ln
0
0.25
0.5 mi
Dumont
Linton
Orvil Ln
Oak Grove Rd
Longmont Dr
Pope Ln SE
Nicole Rd

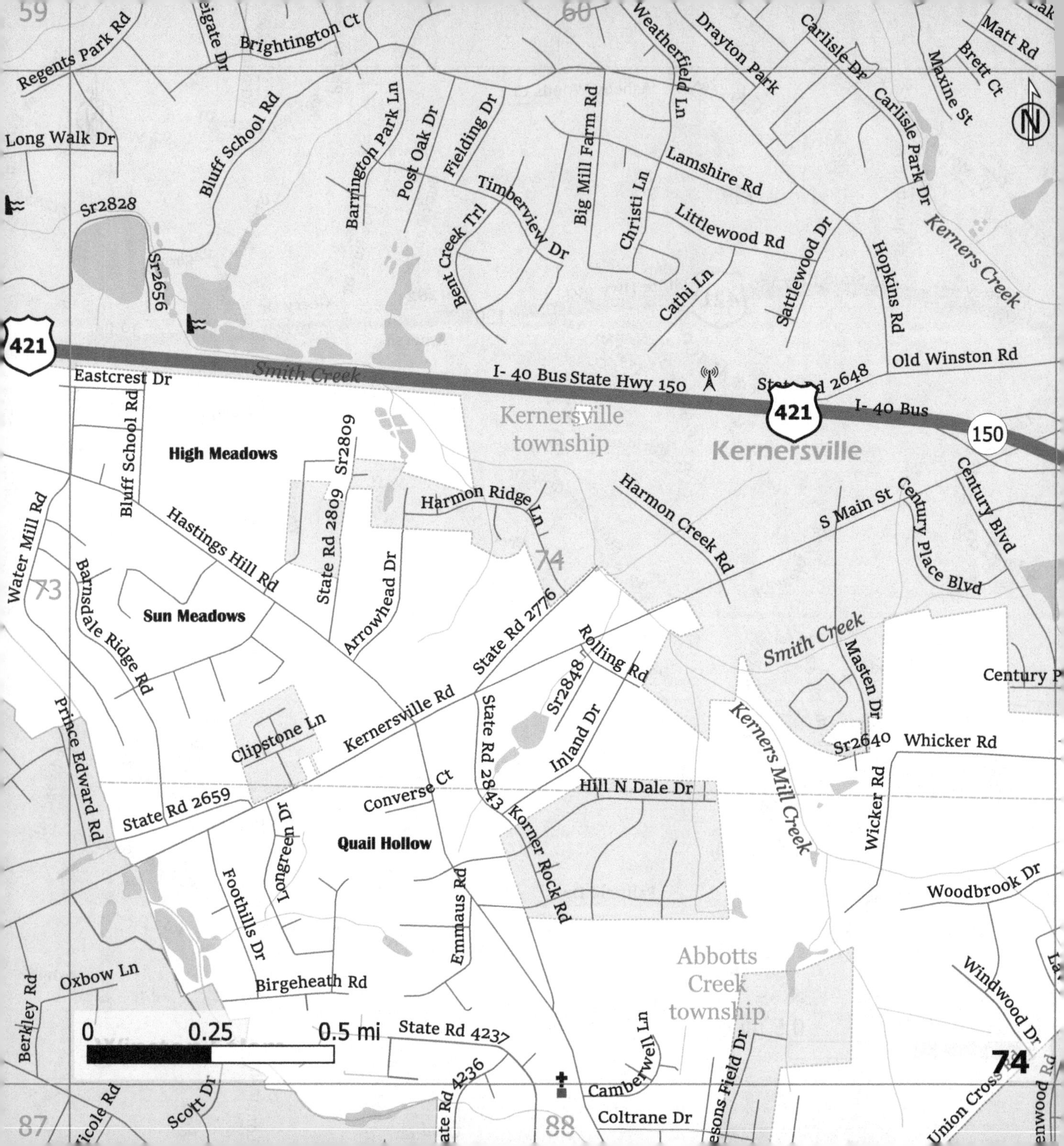
59
60
Regents Park Rd
Brightington Ct
Weatherfield Ln
Drayton Park
Carlisle Dr
Matt Rd
Brett Ct
Maxine St
Carlisle Park Dr
Long Walk Dr
Bluff School Rd
Barrington Park Ln
Post Oak Dr
Fielding Dr
Big Mill Farm Rd
Lamshire Rd
Christi Ln
Timberview Dr
Littlewood Rd
Sattlewood Dr
Hopkins Rd
Kerners Creek
Sr2828
Sr2656
Bent Creek Trl
Cathi Ln
421
Smith Creek
Eastcrest Dr
I- 40 Bus State Hwy 150
Old Winston Rd
I- 40 Bus
150
Bluff School Rd
Sr2809
High Meadows
Kernersville township
Kernersville
Century Blvd
Harmon Ridge Ln
Harmon Creek Rd
S Main St
Century Place Blvd
Water Mill Rd
Hastings Hill Rd
State Rd 2809
74
73
Barnsdale Ridge Rd
Sun Meadows
Arrowhead Dr
State Rd 2776
Rolling Rd
Smith Creek
Masten Dr
Century P
Prince Edward Rd
Clipstone Ln
Kernersville Rd
State Rd 2843
Sr2848
Inland Dr
Kerners Mill Creek
Sr2640
Whicker Rd
Wicker Rd
Hill N Dale Dr
State Rd 2659
Converse Ct
Longreen Dr
Quail Hollow
Korner Rock Rd
Woodbrook Dr
Foothills Dr
Emmaus Rd
Abbotts Creek township
Windwood Dr
Berkley Rd
Oxbow Ln
Birgeheath Rd
0
0.25
0.5 mi
State Rd 4237
Camberwell Ln
Scott Dr
Camberwell Ln
Coltrane Dr
Union Cross Rd
87
88
74

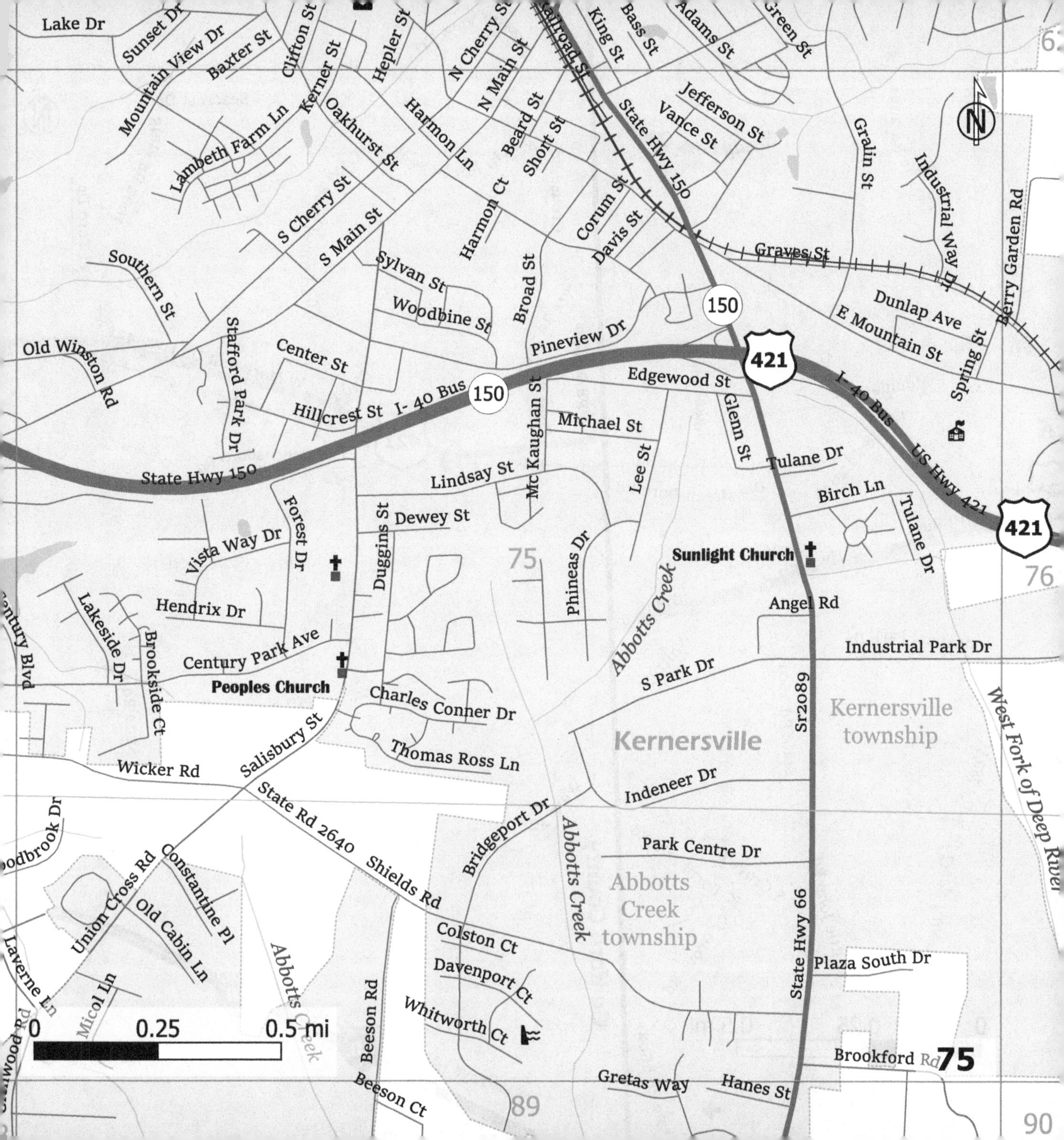

Lake Dr
Sunset Dr
Mountain View Dr
Baxter St
Clifton St
Kerner St
Hepler St
N Cherry St
N Main St
Railroad St
King St
Bass St
Adams St
Green St
Lambeth Farm Ln
Oakhurst St
Harmon Ln
Beard St
Short St
Jefferson St
Vance St
State Hwy 150
Gralin St
Industrial Way Dr
Berry Garden Rd
S Cherry St
S Main St
Harmon Ct
Corum St
Davis St
Graves St
Southern St
Sylvan St
Woodbine St
Broad St
150
Dunlap Ave
E Mountain St
Spring St
Old Winston Rd
Stafford Park Dr
Center St
Pineview Dr
421
Edgewood St
Hillcrest St
I- 40 Bus
Mc Kaughan St
Michael St
Glenn St
Lee St
Tulane Dr
State Hwy 150
Lindsay St
Forest Dr
Birch Ln
US Hwy 421
Dewey St
Duggins St
Vista Way Dr
75
Phineas Dr
Sunlight Church
Tulane Dr
76
Abbotts Creek
Angel Rd
Lakeside Dr
Hendrix Dr
Brookside Ct
Century Blvd
Century Park Ave
Industrial Park Dr
Peoples Church
S Park Dr
Charles Conner Dr
Sr2089
Kernersville township
West Fork of Deep River
Salisbury St
Kernersville
Thomas Ross Ln
Wicker Rd
Indeneer Dr
State Rd 2640
Bridgeport Dr
Abbotts Creek
Woodbrook Dr
Constantine Pl
Union Cross Rd
Shields Rd
Park Centre Dr
Abbotts Creek township
Old Cabin Ln
Colston Ct
State Hwy 66
Laverne Ln
Micol Ln
Abbotts Creek
Davenport Ct
Plaza South Dr
Beeson Rd
Whitworth Ct
0
0.25
0.5 mi
Brookford Rd
75
Gretas Way
Hanes St
Beeson Ct
89
90

Pleasant View Trl
Seacrest Dr
State Rd 2041
Reedy Fork Creek
Reedy Fork Creek
Crouse Rd
Triad Park (Auth Only)
State Rd 2001
el Toro Dr
Kernersville township
State Rd 2000
Kentland Rdg
Spring St
Lakeview Dr
Pratt Rd
W Market St US Hwy 421
E Mountain St
Triad Park
State Rd 2042
421
Old Greensboro Rd
Old Greensboro Rd
421
I- 40 Bus
US Hwy 421
75
76
Kernersville
I- 40 Bus
Industrial Park Dr
Deep River township
Whitt Rd
State Rd 1863
State Rd 2601
I- 40 Bus
Bending Rd
West Fork of Deep River
Whitt Rd
I- 40 Bus
Stack Rd
Little John Rd
S Grove Rd
Burnt Mill Rd
Guilford County
Macy Grove Rd
Outba
High Po
40
0
0.25
0.5 mi
I- 40
I- 40
40
Grays Land Ct
Hawkins Trl
Kernersville
State Rd 2602
90

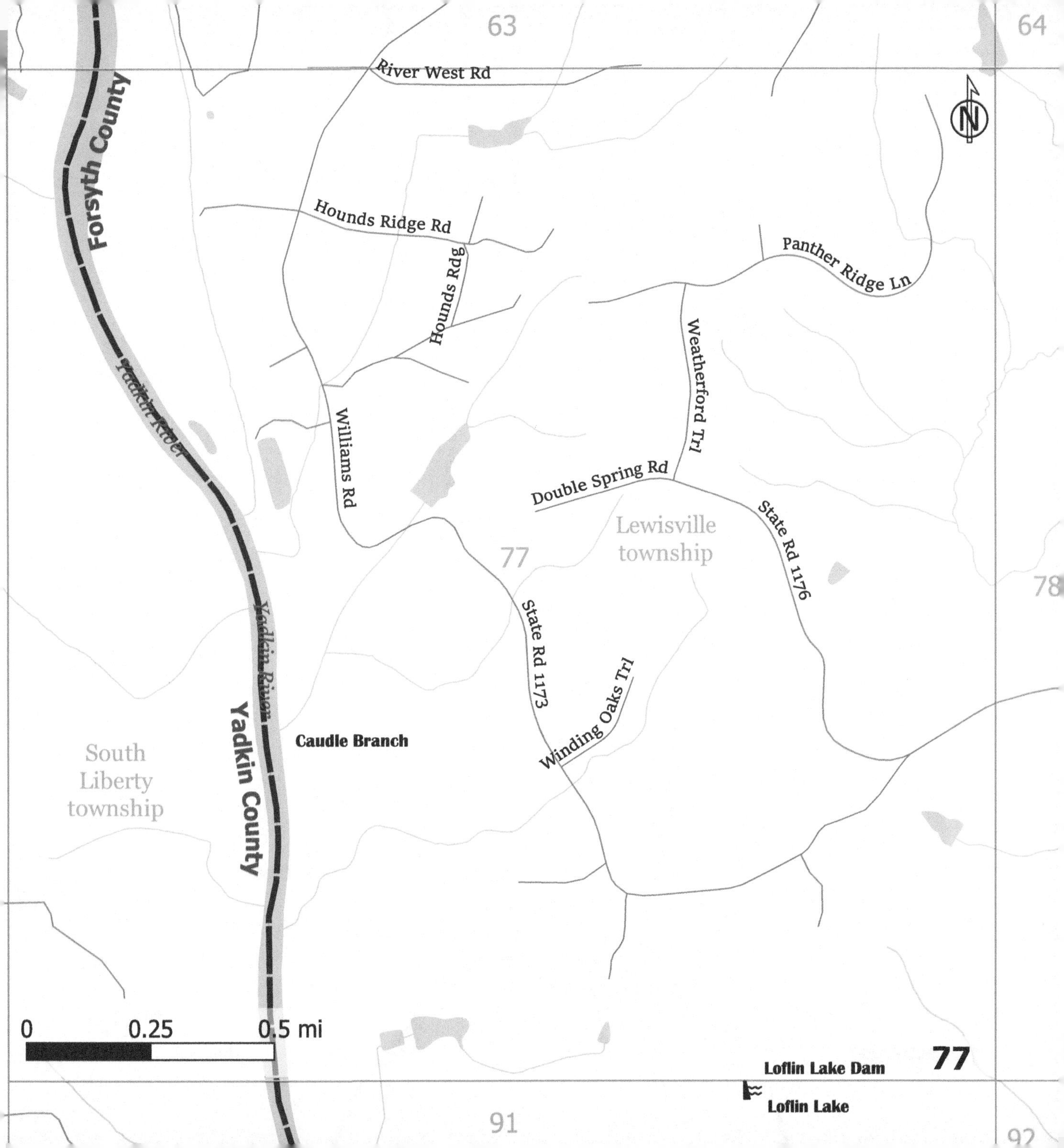
63
64
River West Rd
N
Forsyth County
Hounds Ridge Rd
Hounds Rdg
Panther Ridge Ln
Weatherford Trl
Yadkin River
Williams Rd
Double Spring Rd
Lewisville township
State Rd 1176
77
78
Yadkin River
State Rd 1173
Winding Oaks Trl
Yadkin County
Caudle Branch
South Liberty township
0
0.25
0.5 mi
Loflin Lake Dam
Loflin Lake
91
92

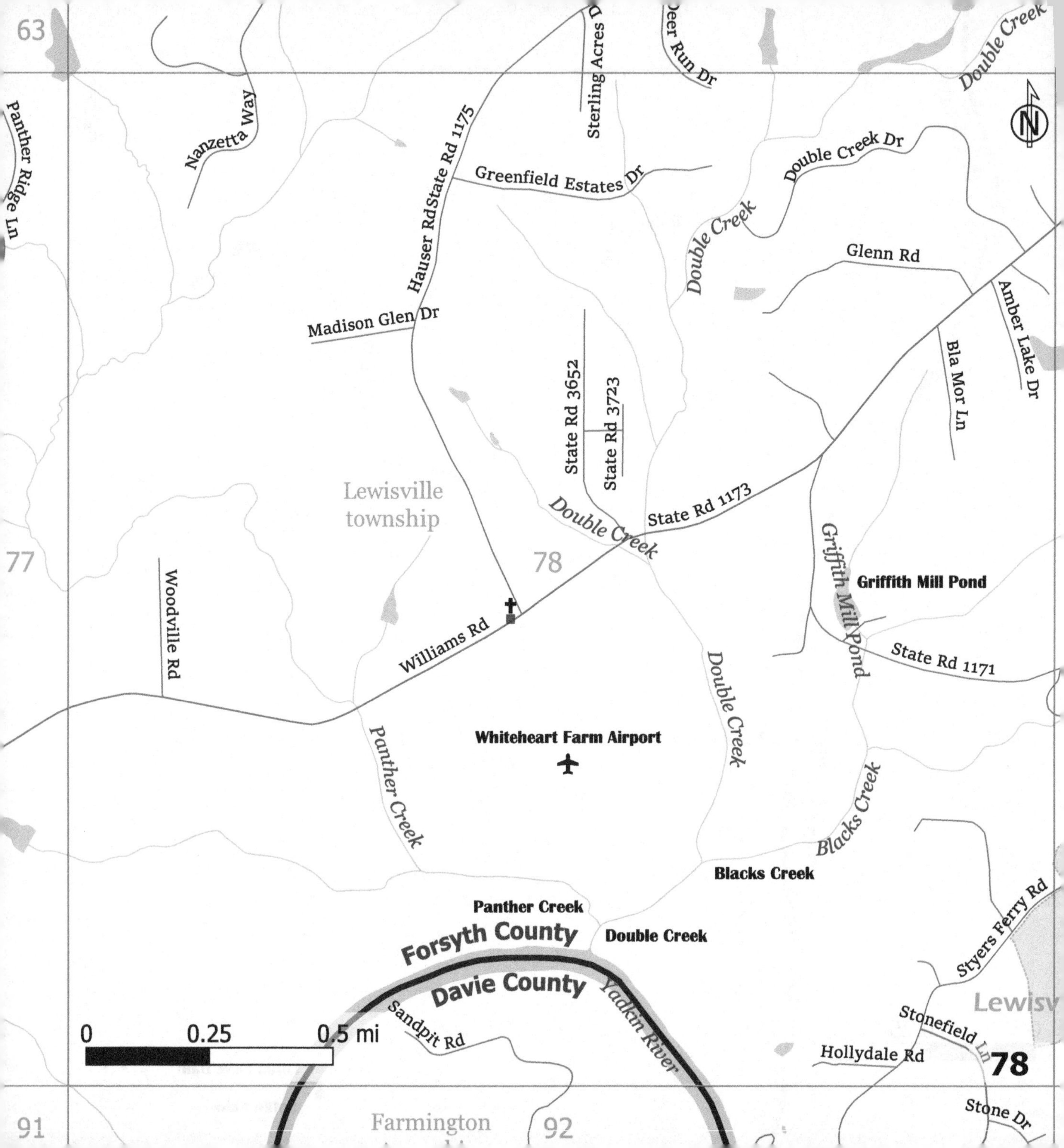
63
Double Creek
Deer Run Dr
Sterling Acres D
Panther Ridge Ln
Nanzetta Way
Hauser Rd
State Rd 1175
Greenfield Estates Dr
Double Creek Dr
Double Creek Dr
Double Creek
Glenn Rd
Amber Lake Dr
Madison Glen Dr
Bla Mor Ln
State Rd 3652
State Rd 3723
Lewisville township
Double Creek
State Rd 1173
Griffith Mill Pond
Griffith Mill Pond
77
78
Woodville Rd
Williams Rd
State Rd 1171
Double Creek
Whiteheart Farm Airport
Panther Creek
Blacks Creek
Blacks Creek
Panther Creek
Double Creek
Forsyth County
Davie County
Yadkin River
Styers Ferry Rd
Lewisv
Sandpit Rd
Stonefield Ln
Hollydale Rd
0
0.25
0.5 mi
78
Stone Dr
91
Farmington
92

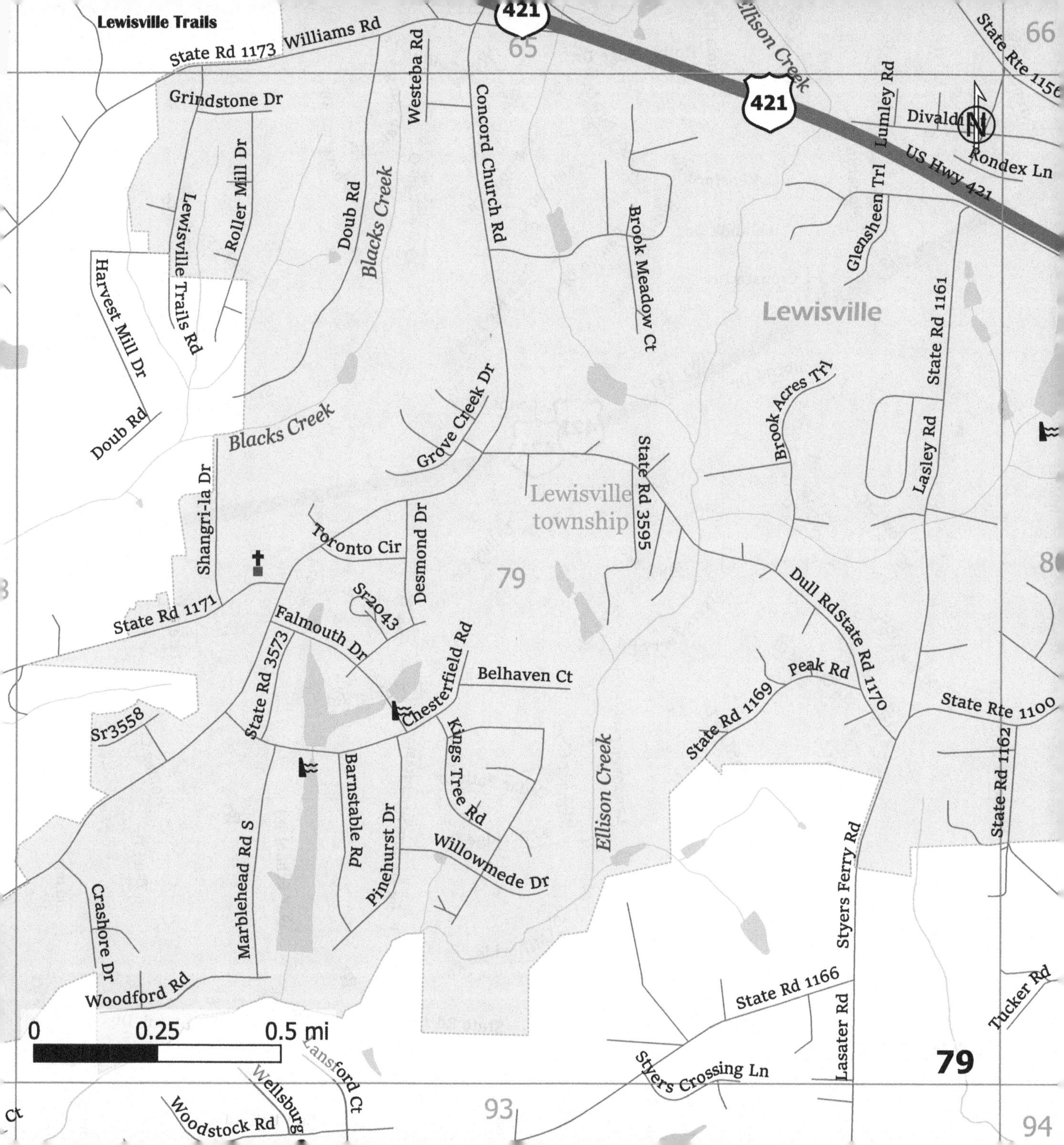
Lewisville Trails
State Rd 1173
Williams Rd
421
65
66
Ellison Creek
State Rte 1156
Westeba Rd
Concord Church Rd
Grindstone Dr
Roller Mill Dr
Doub Rd
Blacks Creek
Lewisville Trails Rd
Harvest Mill Dr
Lumley Rd
Divaldi
Rondex Ln
US Hwy 421
Glensheen Trl
Brook Meadow Ct
Lewisville
State Rd 1161
Brook Acres Trl
Lasley Rd
Grove Creek Dr
Doub Rd
Blacks Creek
Shangri-la Dr
State Rd 3595
Lewisville township
Toronto Cir
Desmond Dr
79
State Rd 1171
Sr2043
Falmouth Dr
State Rd 3573
Chesterfield Rd
Belhaven Ct
Dull Rd
State Rd 1170
Peak Rd
State Rd 1169
State Rte 1100
Sr3558
Kings Tree Rd
Ellison Creek
State Rd 1162
Barnstable Rd
Pinehurst Dr
Willowmede Dr
Marblehead Rd S
Crashore Dr
Styers Ferry Rd
Woodford Rd
State Rd 1166
Lasater Rd
Tucker Rd
0
0.25
0.5 mi
Lansford Ct
Wellsburg
Woodstock Rd
Styers Crossing Ln
93
94
79

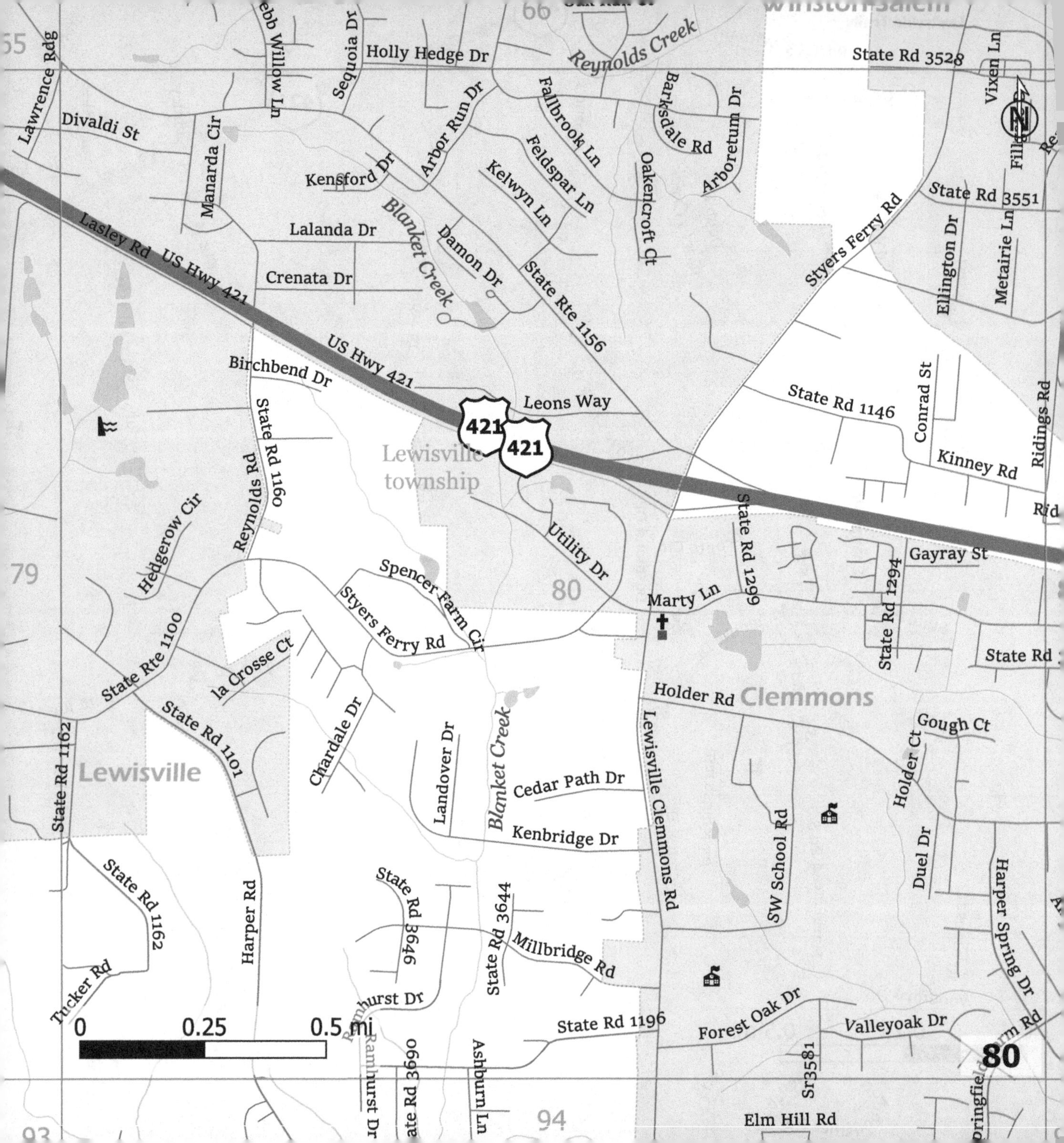

Holly Hedge Dr
Reynolds Creek
State Rd 3528
Vixen Ln
Lawrence Rdg
Sequoia Dr
Divaldi St
Manarda Cir
Kensford Dr
Arbor Run Dr
Fallbrook Ln
Barksdale Rd
Arboretum Dr
Feldspar Ln
Kelwyn Ln
Oakencroft Ct
State Rd 3551
Styers Ferry Rd
Ellington Dr
Metairie Ln
Lalanda Dr
Blanket Creek
Damon Dr
Crenata Dr
Lasley Rd
US Hwy 421
State Rte 1156
Birchbend Dr
Leons Way
State Rd 1146
Conrad St
Ridings Rd
421
421
Lewisville township
Kinney Rd
State Rd 1160
Reynolds Rd
Hedgerow Cir
Utility Dr
State Rd 1299
Gayray St
Spencer Farm Cir
80
Marty Ln
State Rd 1294
Styers Ferry Rd
State Rte 1100
la Crosse Ct
State Rd
Holder Rd
Clemmons
State Rd 1101
Chardale Dr
Gough Ct
State Rd 1162
Lewisville
Landover Dr
Blanket Creek
Cedar Path Dr
Lewisville Clemmons Rd
Holder Ct
SW School Rd
Kenbridge Dr
Duel Dr
State Rd 1162
Harper Rd
State Rd 3646
State Rd 3644
Millbridge Rd
Harper Spring Dr
Tucker Rd
Ramhurst Dr
0
0.25
0.5 mi
State Rd 1196
Forest Oak Dr
Valleyoak Dr
Elm Hill Rd
Ashburn Ln
Sr3581
80

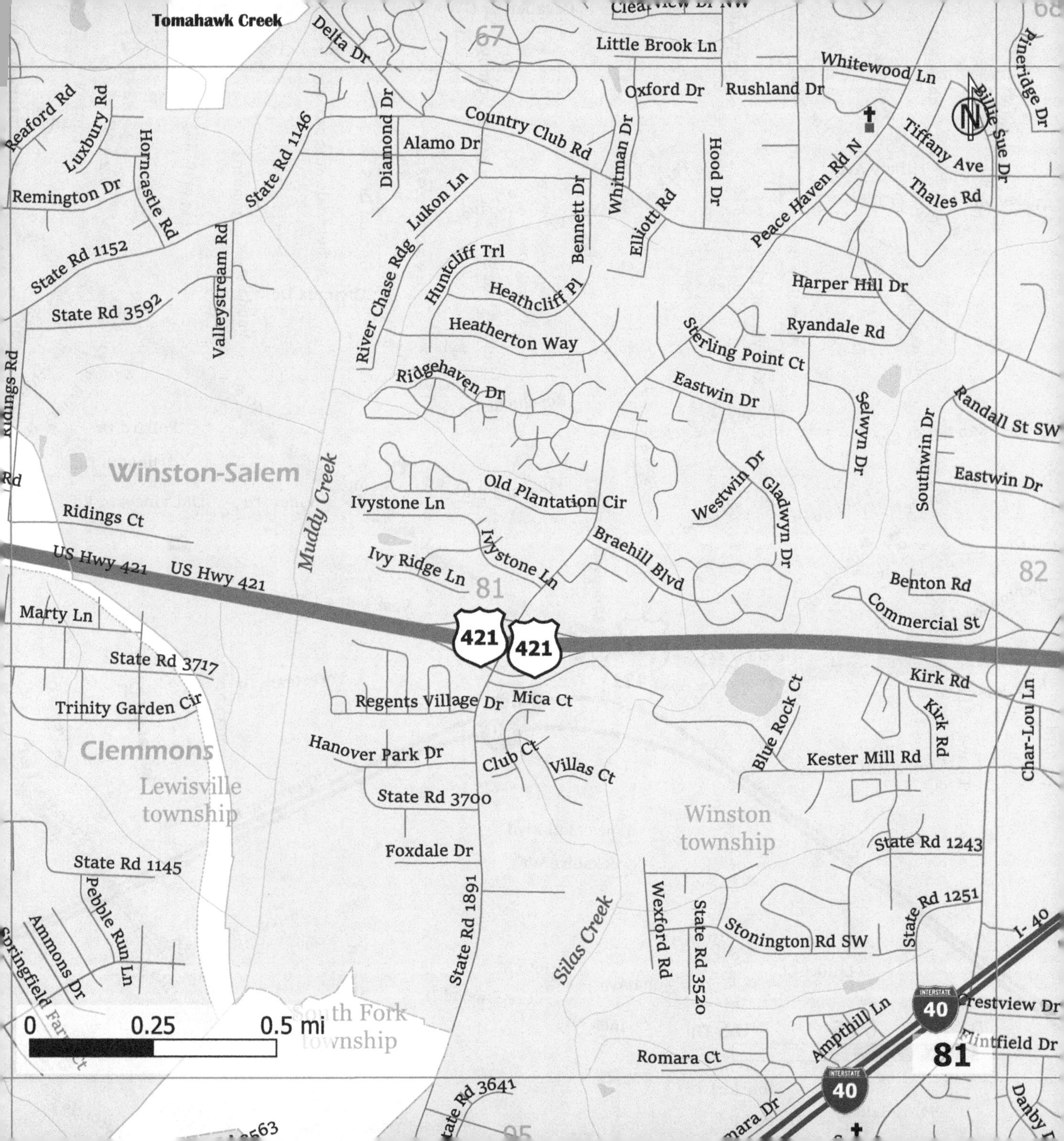
Tomahawk Creek
Delta Dr
Little Brook Ln
Whitewood Ln
Oxford Dr
Rushland Dr
Pineridge Dr
Billie Sue Dr
Reaford Rd
Luxbury Rd
Horncastle Rd
State Rd 1146
Diamond Dr
Country Club Rd
Alamo Dr
Whitman Dr
Hood Dr
Tiffany Ave
Peace Haven Rd N
Thales Rd
Remington Dr
Lukon Ln
Bennett Dr
Elliott Rd
State Rd 1152
Valleystream Rd
Huntcliff Trl
River Chase Rdg
Heathcliff Pl
Harper Hill Dr
State Rd 3592
Heatherton Way
Ryandale Rd
Sterling Point Ct
Ridgehaven Dr
Eastwin Dr
Selwyn Dr
Southwin Dr
Randall St SW
Eastwin Dr
Winston-Salem
Muddy Creek
Old Plantation Cir
Westwin Dr
Gladwyn Dr
Ivystone Ln
Ridings Ct
Ivystone Ln
Braehill Blvd
US Hwy 421
US Hwy 421
Ivy Ridge Ln
81
82
Benton Rd
Commercial St
Marty Ln
421
421
State Rd 3717
Kirk Rd
Kirk Rd
Trinity Garden Cir
Regents Village Dr
Mica Ct
Blue Rock Ct
Char-Lou Ln
Clemmons
Hanover Park Dr
Club Ct
Villas Ct
Kester Mill Rd
Lewisville township
State Rd 3700
Winston township
Foxdale Dr
State Rd 1243
State Rd 1145
Pebble Run Ln
State Rd 1891
Silas Creek
Wexford Rd
State Rd 3520
Stonington Rd SW
State Rd 1251
I- 40
Ammons Dr
Springfield Farm Ct
South Fork township
0
0.25
0.5 mi
Crestview Dr
Ampthill Ln
40
Flintfield Dr
81
Romara Ct
40
State Rd 3641
Danby

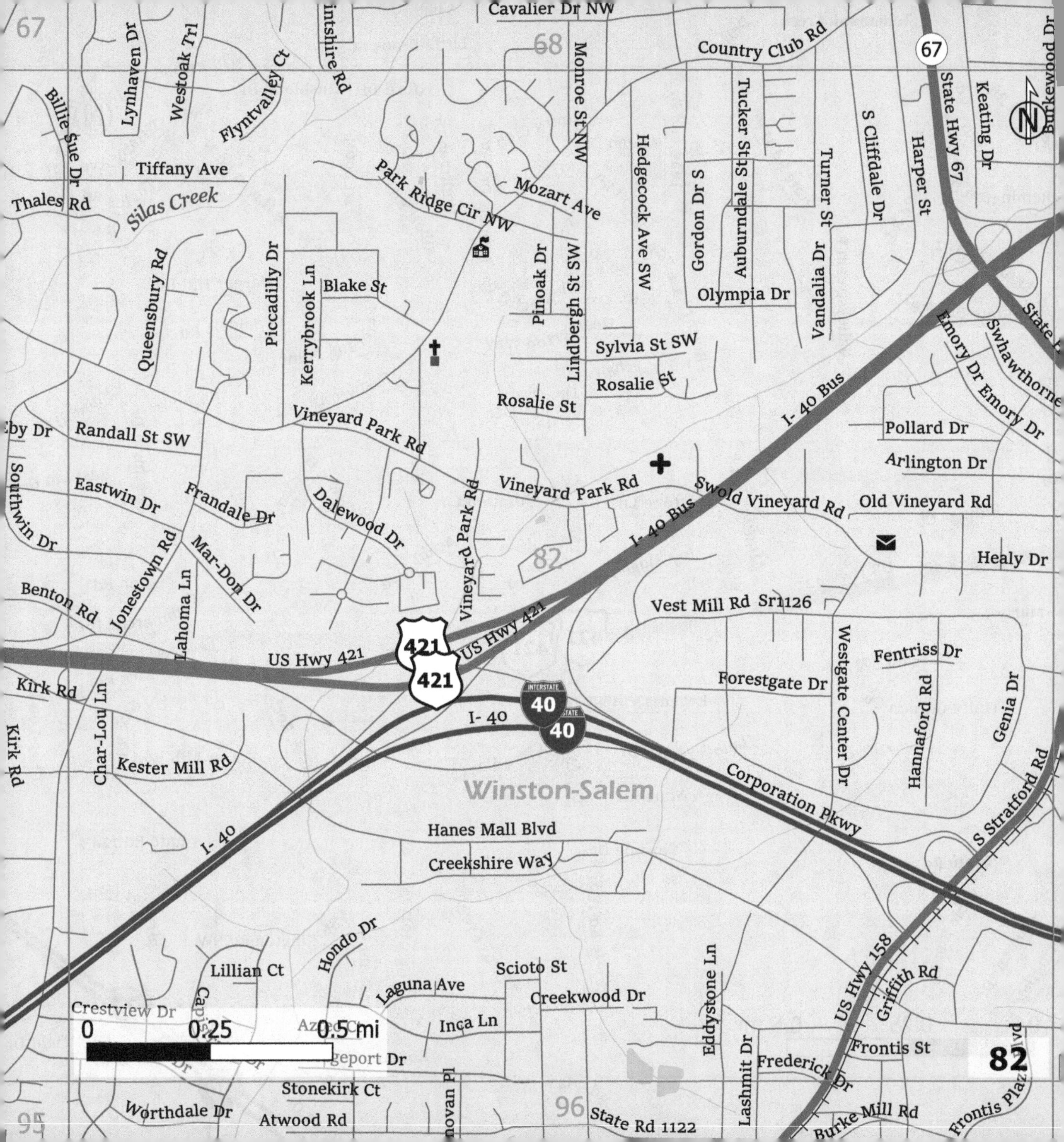
Cavalier Dr NW
67
68
Country Club Rd
67
Lynhaven Dr
Westoak Trl
Flyntvalley Ct
Monroe St NW
Tucker St
State Hwy 67
Keating Dr
Burkewood Dr
Billie Sue Dr
Tiffany Ave
Thales Rd
Silas Creek
Park Ridge Cir NW
Mozart Ave
Hedgecock Ave SW
Gordon Dr S
Auburndale St
Turner St
S Cliffdale Dr
Harper St
N
Queensbury Rd
Piccadilly Dr
Kerrybrook Ln
Blake St
Pinoak Dr
Lindbergh St SW
Olympia Dr
Vandalia Dr
Emory Dr
Swhawthorne
Sylvia St SW
Rosalie St
Rosalie St
I- 40 Bus
Emory Dr
Eby Dr
Randall St SW
Vineyard Park Rd
Pollard Dr
Arlington Dr
Southwin Dr
Eastwin Dr
Frandale Dr
Dalewood Dr
Vineyard Park Rd
Vineyard Park Rd
Swold Vineyard Rd
Old Vineyard Rd
I- 40 Bus
Healy Dr
Jonestown Rd
Mar-Don Dr
82
Benton Rd
Lahoma Ln
Vest Mill Rd Sr1126
US Hwy 421
421
421
US Hwy 421
Westgate Center Dr
Fentriss Dr
Kirk Rd
Forestgate Dr
Char-Lou Ln
40
I- 40
40
Hannaford Rd
Genia Dr
Kirk Rd
Kester Mill Rd
Winston-Salem
Corporation Pkwy
S Stratford Rd
Hanes Mall Blvd
I- 40
Creekshire Way
Hondo Dr
US Hwy 158
Lillian Ct
Scioto St
Griffith Rd
Laguna Ave
Creekwood Dr
Eddystone Ln
Crestview Dr
0
0.25
0.5 mi
Inca Ln
Frontis St
Lashmit Dr
Frederick Dr
82
Stonekirk Ct
Worthdale Dr
Atwood Rd
96
State Rd 1122
Burke Mill Rd
Frontis Plaza Blvd

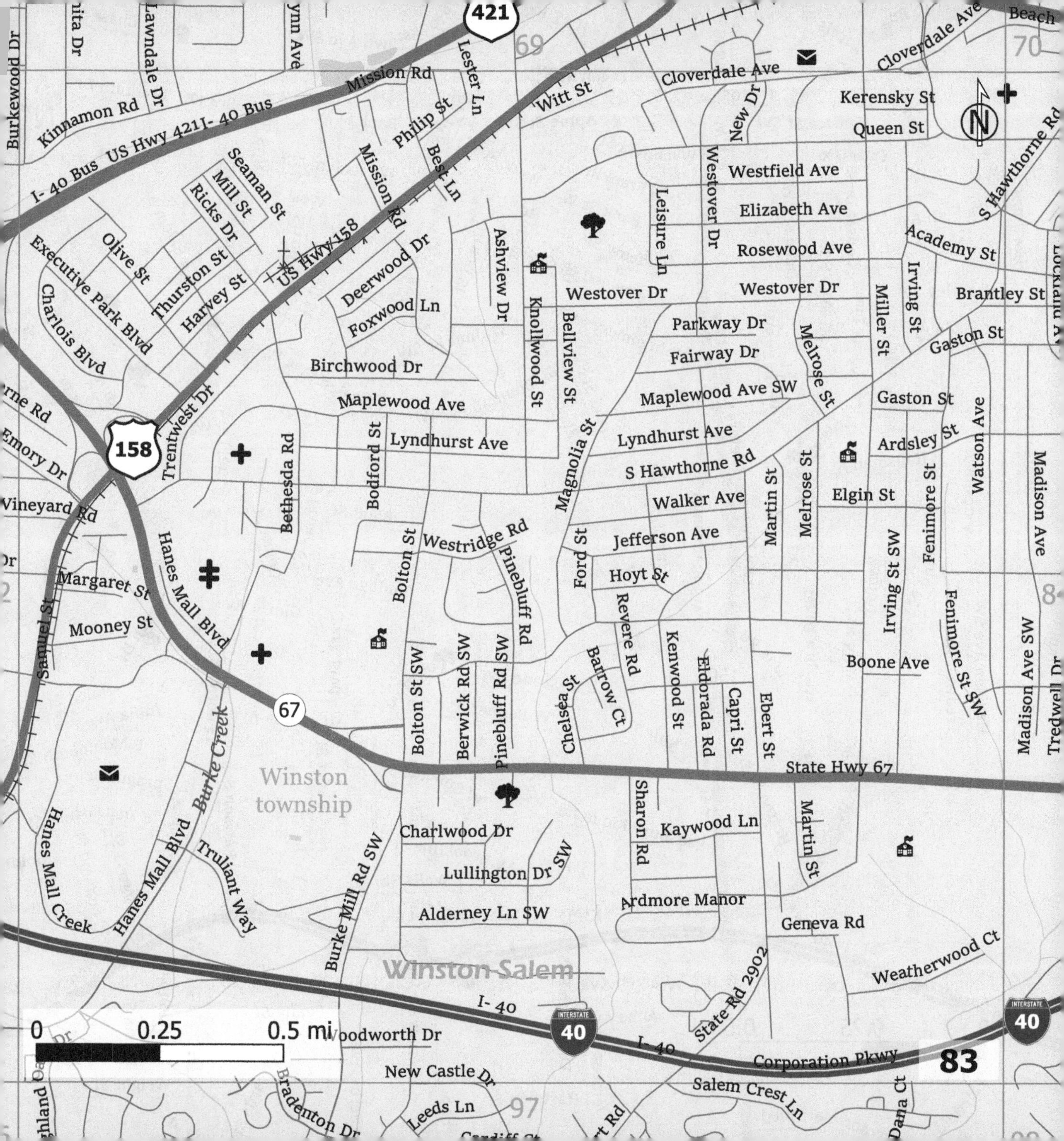
421
69
70
Beach
Cloverdale Ave
Burkewood Dr
Lawndale Dr
Lester Ln
Mission Rd
Kinnamon Rd
Witt St
Philip St
New Dr
Kerensky St
Queen St
I- 40 Bus
US Hwy 421
I- 40 Bus
Seaman St
Mill St
Ricks Dr
Mission Rd
Best Ln
Westover Dr
Westfield Ave
S Hawthorne Rd
Leisure Ln
Elizabeth Ave
Ashview Dr
Academy St
Rosewood Ave
Olive St
Thurston St
US Hwy 158
Deerwood Dr
Irving St
Executive Park Blvd
Harvey St
Westover Dr
Westover Dr
Brantley St
Charlois Blvd
Foxwood Ln
Knollwood St
Bellview St
Miller St
Parkway Dr
Melrose St
Gaston St
Fairway Dr
Birchwood Dr
Maplewood Ave SW
Gaston St
Maplewood Ave
Watson Ave
Trentwest Dr
Magnolia St
158
Lyndhurst Ave
Lyndhurst Ave
Ardsley St
Emory Dr
Bethesda Rd
Bodford St
S Hawthorne Rd
Madison Ave
Martin St
Melrose St
Fenimore St
Elgin St
Walker Ave
Vineyard Rd
Westridge Rd
Jefferson Ave
Bolton St
Ford St
Pinebluff Rd
Hanes Mall Blvd
Irving St SW
Hoyt St
Margaret St
Samuel St
Fenimore St SW
Revere Rd
Mooney St
Boone Ave
Barrow Ct
Kenwood St
Eldorada Rd
Madison Ave SW
Tredwell Dr
Bolton St SW
Berwick Rd SW
Pinebluff Rd SW
Chelsea St
Capri St
Ebert St
67
Burke Creek
State Hwy 67
Winston township
Sharon Rd
Martin St
Charlwood Dr
Kaywood Ln
Hanes Mall Creek
Hanes Mall Blvd
Truliant Way
Lullington Dr SW
Burke Mill Rd SW
Ardmore Manor
Alderney Ln SW
Geneva Rd
Weatherwood Ct
Winston-Salem
State Rd 2902
I- 40
40
40
I- 40
0
0.25
0.5 mi
Woodworth Dr
Corporation Pkwy
83
New Castle Dr
Salem Crest Ln
Bradenton Dr
Leeds Ln
97
Dana Ct

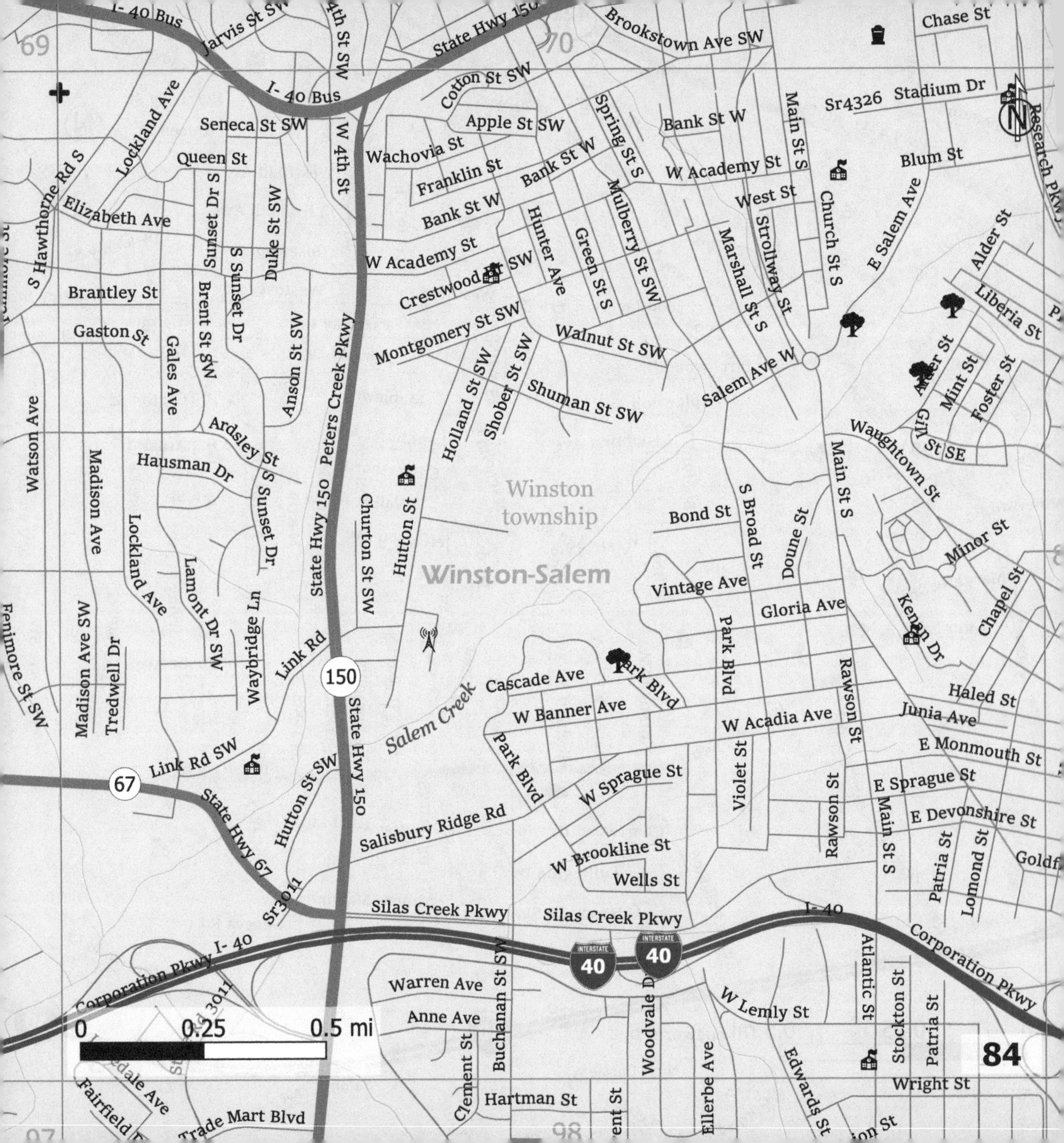
I- 40 Bus
Jarvis St SW
4th St SW
State Hwy 150
Brookstown Ave SW
Chase St
69
70
Cotton St SW
I- 40 Bus
Sr4326
Stadium Dr
Research Pkwy
Lockland Ave
Seneca St SW
W 4th St
Apple St SW
Spring St S
Bank St W
Wachovia St
Queen St
Franklin St
Bank St W
W Academy St
Main St S
Blum St
S Hawthorne Rd S
Elizabeth Ave
Sunset Dr S
Duke St SW
Bank St W
Mulberry St SW
West St
Church St S
E Salem Ave
S Sunset Dr
W Academy St
Hunter Ave
Green St S
Marshall St S
Strollway St
Alder St
Brantley St
Brent St SW
Crestwood Dr SW
Liberia St
Gaston St
Montgomery St SW
Walnut St SW
Gales Ave
Anson St SW
Peters Creek Pkwy
Salem Ave W
Holland St SW
Shober St SW
Shuman St SW
Mint St
Foster St
Watson Ave
Ardsley St
Waughtown St
Gill St SE
Madison Ave
Hausman Dr
S Sunset Dr
State Hwy 150
Churton St SW
Hutton St
Winston township
Main St S
S Broad St
Bond St
Doune St
Minor St
Lockland Ave
Lamont Dr SW
Winston-Salem
Vintage Ave
Chapel St
Fenimore St SW
Madison Ave SW
Tredwell Dr
Waybridge Ln
Link Rd
Gloria Ave
Park Blvd
Kenan Dr
150
Rawson St
Cascade Ave
Park Blvd
Haled St
Salem Creek
W Banner Ave
W Acadia Ave
Junia Ave
State Hwy 150
E Monmouth St
Link Rd SW
Park Blvd
Violet St
67
Hutton St SW
W Sprague St
E Sprague St
Rawson St
State Hwy 67
Salisbury Ridge Rd
Main St S
E Devonshire St
W Brookline St
Patria St
Lomond St
Goldf
Wells St
Sr3011
Silas Creek Pkwy
Silas Creek Pkwy
I- 40
I- 40
Corporation Pkwy
Interstate 40
Interstate 40
Corporation Pkwy
Buchanan St SW
Atlantic St
Warren Ave
W Lemly St
Stockton St
Patria St
0
0.25
0.5 mi
Anne Ave
Woodvale Dr
Edwards St
Clement St
Ellerbe Ave
Wright St
Fairfield
Hartman St
Trade Mart Blvd
97
98

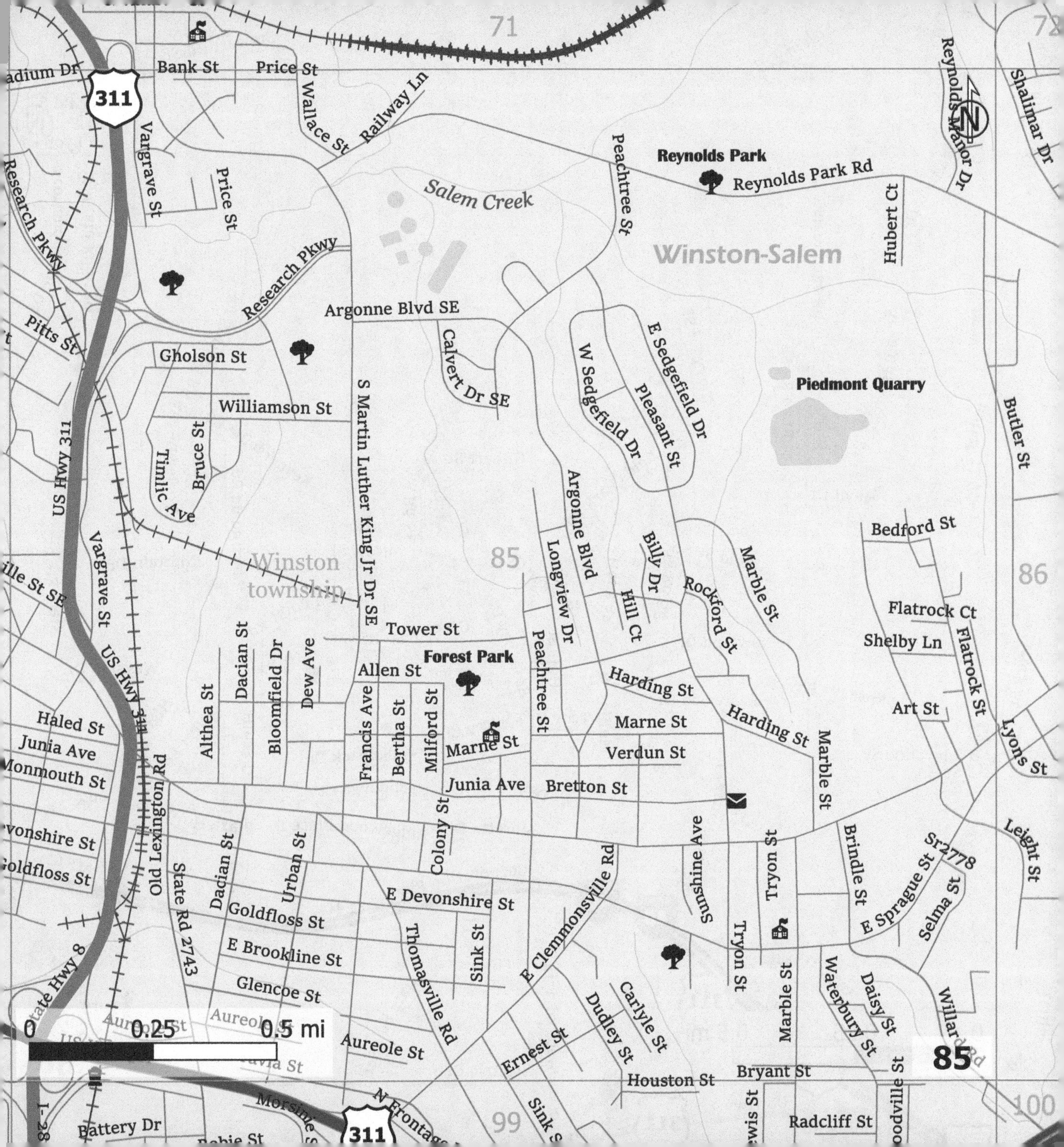

71
72
Bank St
Price St
Stadium Dr
311
Wallace St
Railway Ln
Reynolds Manor Dr
Shalimar Dr
Vargrave St
Price St
Research Pkwy
Peachtree St
Reynolds Park
Reynolds Park Rd
Hubert Ct
Salem Creek
Winston-Salem
Research Pkwy
Argonne Blvd SE
Pitts St
Gholson St
Calvert Dr SE
W Sedgefield Dr
E Sedgefield Dr
Pleasant St
Piedmont Quarry
Williamson St
S Martin Luther King Jr Dr SE
Butler St
US Hwy 311
Bruce St
Timlic Ave
Argonne Blvd
Billy Dr
Marble St
Bedford St
Vargrave St
Winston township
85
Longview Dr
Hill Ct
Rockford St
86
Flatrock Ct
Tower St
Shelby Ln
Flatrock St
Forest Park
Peachtree St
Althea St
Dacian St
Bloomfield Dr
Dew Ave
Allen St
Harding St
US Hwy 311
Art St
Haled St
Junia Ave
Monmouth St
Francis Ave
Bertha St
Milford St
Marne St
Marne St
Harding St
Lyons St
Verdun St
Old Lexington Rd
Junia Ave
Bretton St
Marble St
Colony St
Sunshine Ave
Tryon St
Brindle St
Leight St
Sr2778
Goldfloss St
State Rd 2743
Dacian St
Urban St
E Devonshire St
E Clemmonsville Rd
E Sprague St
Selma St
Goldfloss St
E Brookline St
Thomasville Rd
Sink St
Tryon St
Marble St
Waterbury St
Daisy St
State Hwy 8
Glencoe St
Carlyle St
Dudley St
Willard Rd
0
0.25
0.5 mi
Aureole St
Aureole St
Ernest St
85
Houston St
Bryant St
Battery Dr
Sink St
Radcliff St
99
100

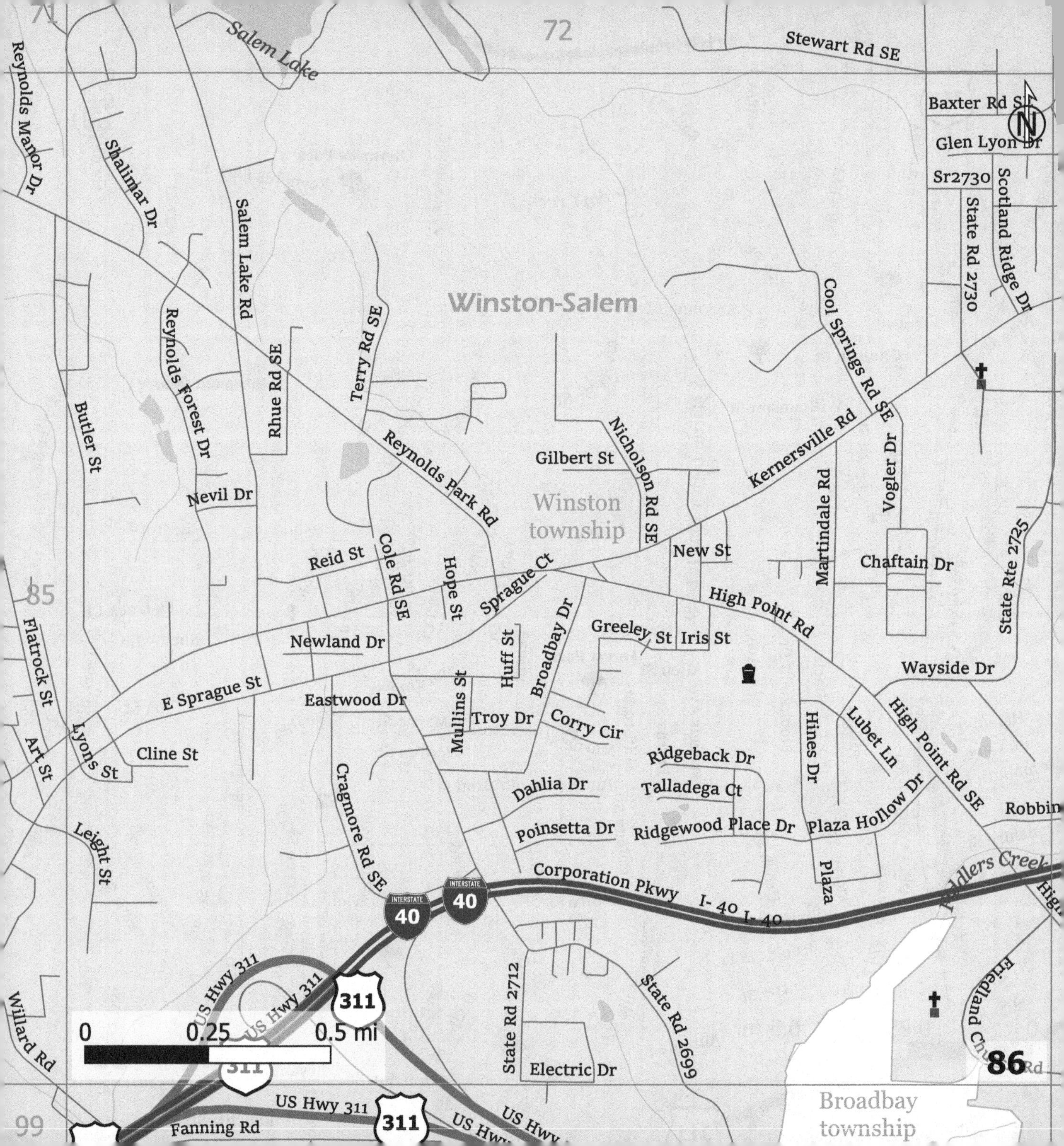
71
72
85
99
86
Salem Lake
Stewart Rd SE
Baxter Rd S
Glen Lyon Dr
Sr2730
Scotland Ridge Dr
State Rd 2730
Reynolds Manor Dr
Shalimar Dr
Salem Lake Rd
Winston-Salem
Reynolds Forest Dr
Rhue Rd SE
Terry Rd SE
Cool Springs Rd SE
Butler St
Reynolds Park Rd
Gilbert St
Nicholson Rd SE
Kernersville Rd
Martindale Rd
Vogler Dr
Nevil Dr
Winston township
New St
Chaftain Dr
State Rte 2725
Reid St
Cole Rd SE
Hope St
Sprague Ct
Broadbay Dr
High Point Rd
Flatrock St
Newland Dr
Huff St
Greeley St
Iris St
E Sprague St
Eastwood Dr
Mullins St
Wayside Dr
Troy Dr
Corry Cir
Hines Dr
Lubet Ln
High Point Rd SE
Art St
Lyons St
Cline St
Cragmore Rd SE
Ridgeback Dr
Dahlia Dr
Talladega Ct
Robbin
Leight St
Poinsetta Dr
Ridgewood Place Dr
Plaza Hollow Dr
Plaza
Corporation Pkwy
I- 40
I- 40
40
40
Fiddlers Creek
High
US Hwy 311
311
Friedland Church Rd
State Rd 2712
State Rd 2699
0
0.25
0.5 mi
Willard Rd
Electric Dr
Fanning Rd
Broadbay township
US Hwy

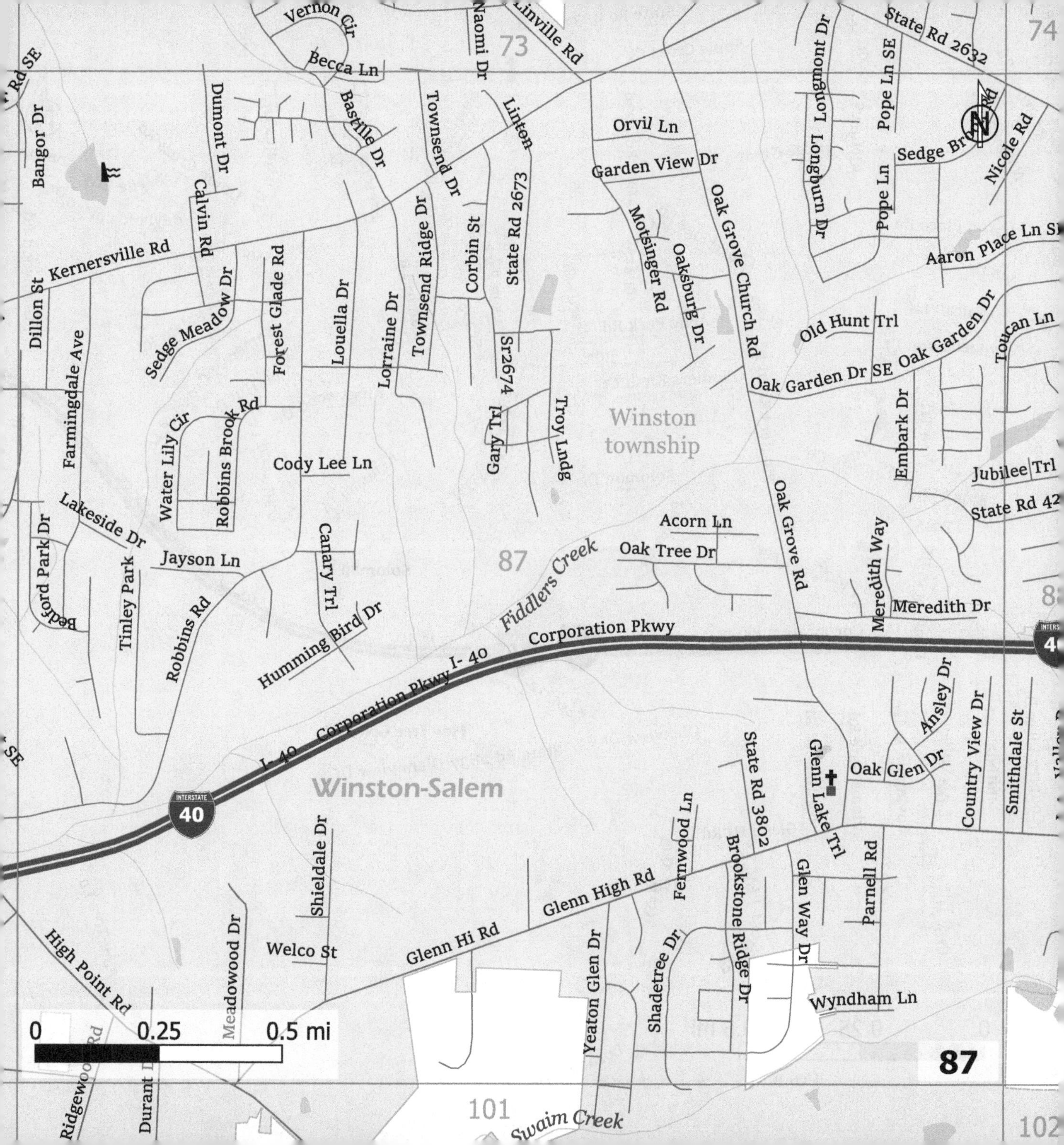

Vernon Cir
Naomi Dr
Linville Rd
73
State Rd 2632
74
Becca Ln
Dumont Dr
Bastille Dr
Townsend Dr
Linton
Longmont Dr
Pope Ln SE
Bangor Dr
Orvil Ln
Sedge Brook Rd
Nicole Rd
Garden View Dr
Longburn Dr
Calvin Rd
Townsend Ridge Dr
Corbin St
State Rd 2673
Motsinger Rd
Oak Grove Church Rd
Pope Ln
Kernersville Rd
Oaksburg Dr
Aaron Place Ln
Dillon St
Sedge Meadow Dr
Forest Glade Rd
Louella Dr
Lorraine Dr
Old Hunt Trl
Oak Garden Dr
Toucan Ln
Farmingdale Ave
Sr2674
Oak Garden Dr SE
Robbins Brook Rd
Water Lily Cir
Troy Lndg
Gary Trl
Winston township
Embark Dr
Cody Lee Ln
Robbins Rd
Jubilee Trl
Lakeside Dr
State Rd 42
Acorn Ln
Canary Trl
Oak Grove Rd
Bedford Park Dr
Jayson Ln
87
Fiddlers Creek
Oak Tree Dr
Meredith Way
Tinley Park
Meredith Dr
Humming Bird Dr
Corporation Pkwy
I- 40
Corporation Pkwy
Ansley Dr
Country View Dr
Smithdale St
State Rd 3802
Glenn Lake Trl
Oak Glen Dr
Winston-Salem
40
Shieldale Dr
Fernwood Ln
Brookstone Ridge Dr
Glen Way Dr
Parnell Rd
Glenn High Rd
High Point Rd
Meadowood Dr
Welco St
Glenn Hi Rd
Yeaton Glen Dr
Shadetree Dr
Wyndham Ln
0
0.25
0.5 mi
Ridgewood Rd
Durant
101
Swaim Creek
102

State Rd 4237
74
Apple Cross Ct
Berkley Rd
Sedge Brook Rd
Nicole Rd
Scott Dr
Tammy Dr
Sedge Garden Rd
State Rd 4236
Hastings Hill Rd
Beesons Field Dr
Day Lily Ct
Greenlawn Dr
Union Cross Rd
Clyde Edgerton Dr
Reynolds Price Dr
Glenwood Rd
Aaron Place Ln
Oak Garden Dr
Crossridge Ln
Country Ln
Beeson Park Ln
Lambs Ln
Dora Dr
Old Salem Rd
Toucan Ln
Sr3606
Abby Park Rd
Picardy Ct
Sr2657
Somerset Crossing Ln
Edgebaston Dr
Fiddlers Knoll Ct
Fiddlers Knoll Dr
Birch Hill Dr
Kingswood Dr
Pope Hill Ct
Jubilee Trl
Pecan Ridge Cir
Silver Creek Trl
Trailwood Ln
Kenosha Dr
Solomon Dr
Blue Stone Ln
Pecan Ln
Corporation Pkwy
Pebble Creek Rd
State Rd 3833
Fiddlers Creek
87
88
Soloman Dr
I- 40
Corporation Pkwy
40
40
Kernersville
Sr4312
Pine Tree Golf Club
Glenview Dr
State Rd 2837 Glennview Dr
Country View Dr
Smithdale St
Lake Valley Dr
Covington Ridge Rd
Adams Gate Rd
Nottinghill Dr
Winston township
Glenn Hi Rd
Bobcat Aly
Carl L Clark Rd
Crossfield Dr
Abbotts Creek township
Pine Tree Ln
Swain Cr
0
0.25
0.5 mi
Loradale Dr
Oakdale Park Ct
Dell Blvd
101
Winston-Salem
N

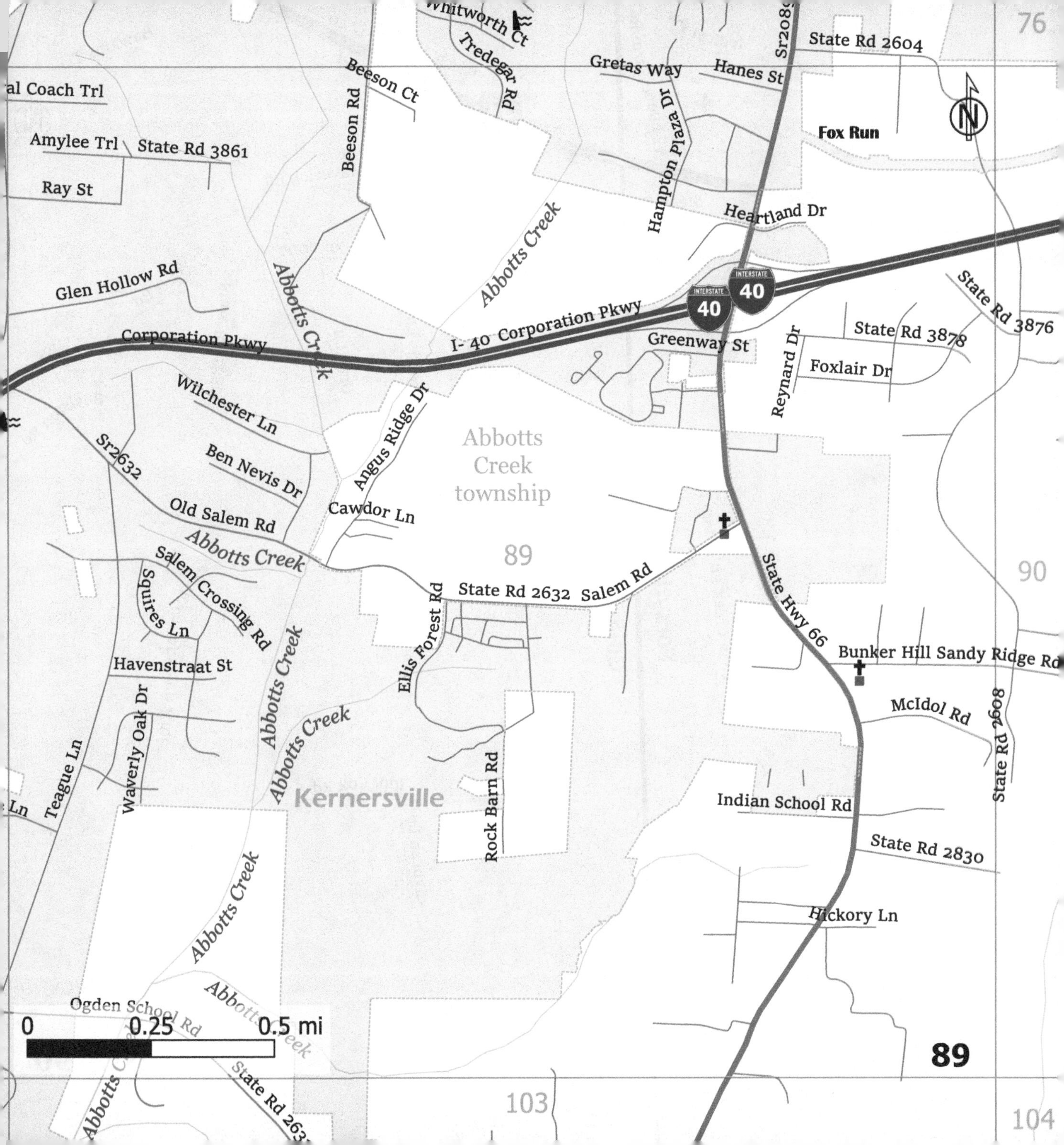
76
Whitworth Ct
Tredegar Rd
Sr2089
State Rd 2604
Gretas Way
Hanes St
Beeson Ct
al Coach Trl
Beeson Rd
Hampton Plaza Dr
Fox Run
Amylee Trl
State Rd 3861
Ray St
Heartland Dr
Abbotts Creek
Glen Hollow Rd
Abbotts Creek
40
40
State Rd 3876
Corporation Pkwy
I- 40 Corporation Pkwy
Greenway St
State Rd 3878
Reynard Dr
Foxlair Dr
Wilchester Ln
Angus Ridge Dr
Sr2632
Ben Nevis Dr
Abbotts Creek township
Cawdor Ln
Old Salem Rd
Abbotts Creek
89
Salem Crossing Rd
State Rd 2632
Salem Rd
State Hwy 66
90
Squires Ln
Ellis Forest Rd
Bunker Hill Sandy Ridge Rd
Havenstraat St
Abbotts Creek
McIdol Rd
Waverly Oak Dr
Abbotts Creek
State Rd 2608
Teague Ln
Rock Barn Rd
Kernersville
Indian School Rd
Ln
State Rd 2830
Abbotts Creek
Hickory Ln
Ogden School Rd
Abbotts Creek
0
0.25
0.5 mi
89
Abbotts Creek
State Rd 263
103
104

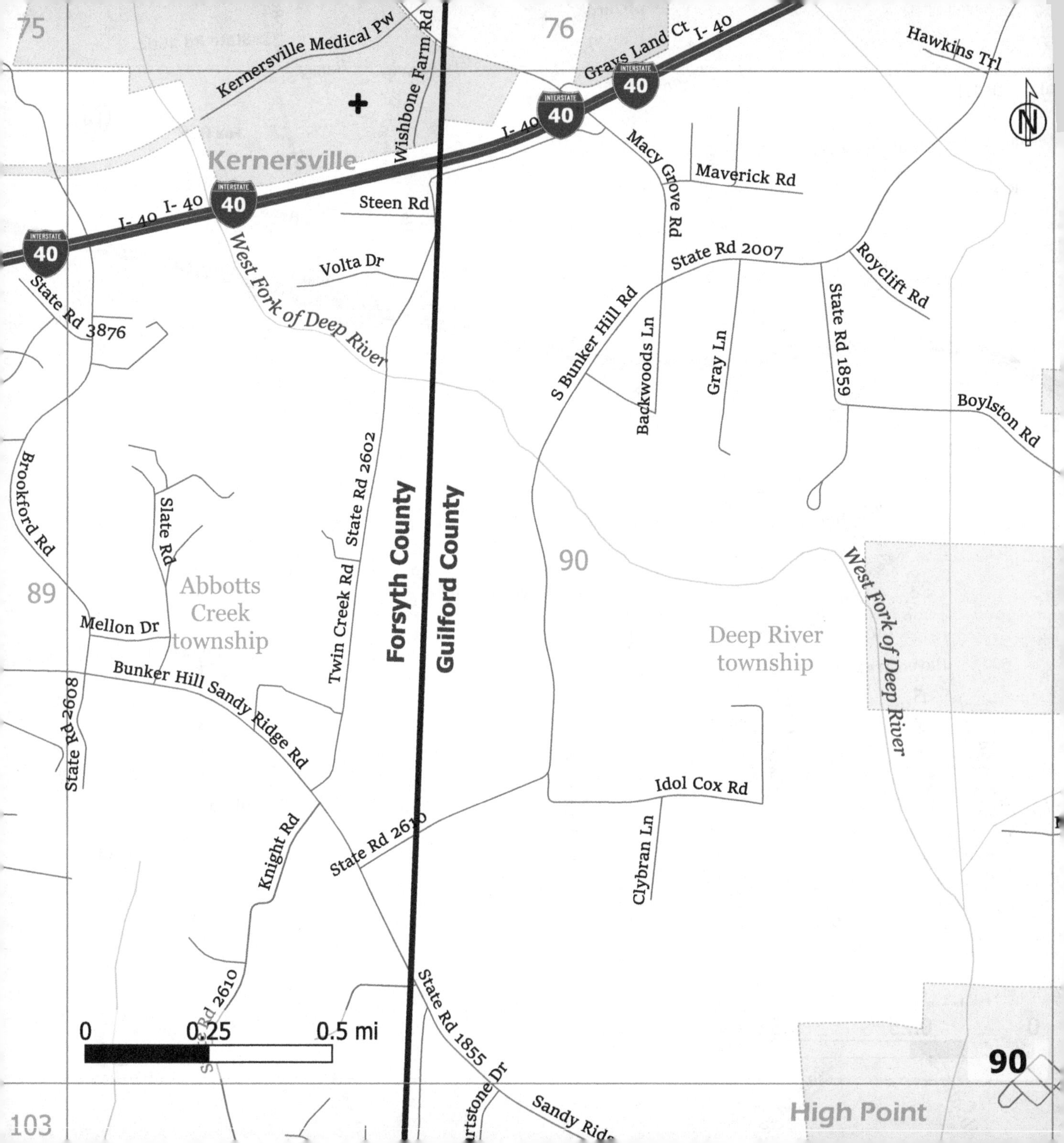

75
76
Kernersville Medical Pw
Wishbone Farm Rd
Grays Land Ct
I- 40
Hawkins Trl
40
Kernersville
I- 40
I- 40
Steen Rd
Macy Grove Rd
Maverick Rd
State Rd 2007
Volta Dr
West Fork of Deep River
State Rd 3876
Royclift Rd
S Bunker Hill Rd
Backwoods Ln
Gray Ln
State Rd 1859
Boylston Rd
Brookford Rd
Slate Rd
State Rd 2602
Twin Creek Rd
Forsyth County
Guilford County
90
89
Abbotts Creek township
Mellon Dr
Deep River township
West Fork of Deep River
Bunker Hill Sandy Ridge Rd
State Rd 2608
Idol Cox Rd
Clybran Ln
Knight Rd
State Rd 2610
State Rd 1855
0
0.25
0.5 mi
90
High Point
103
Sandy Rid

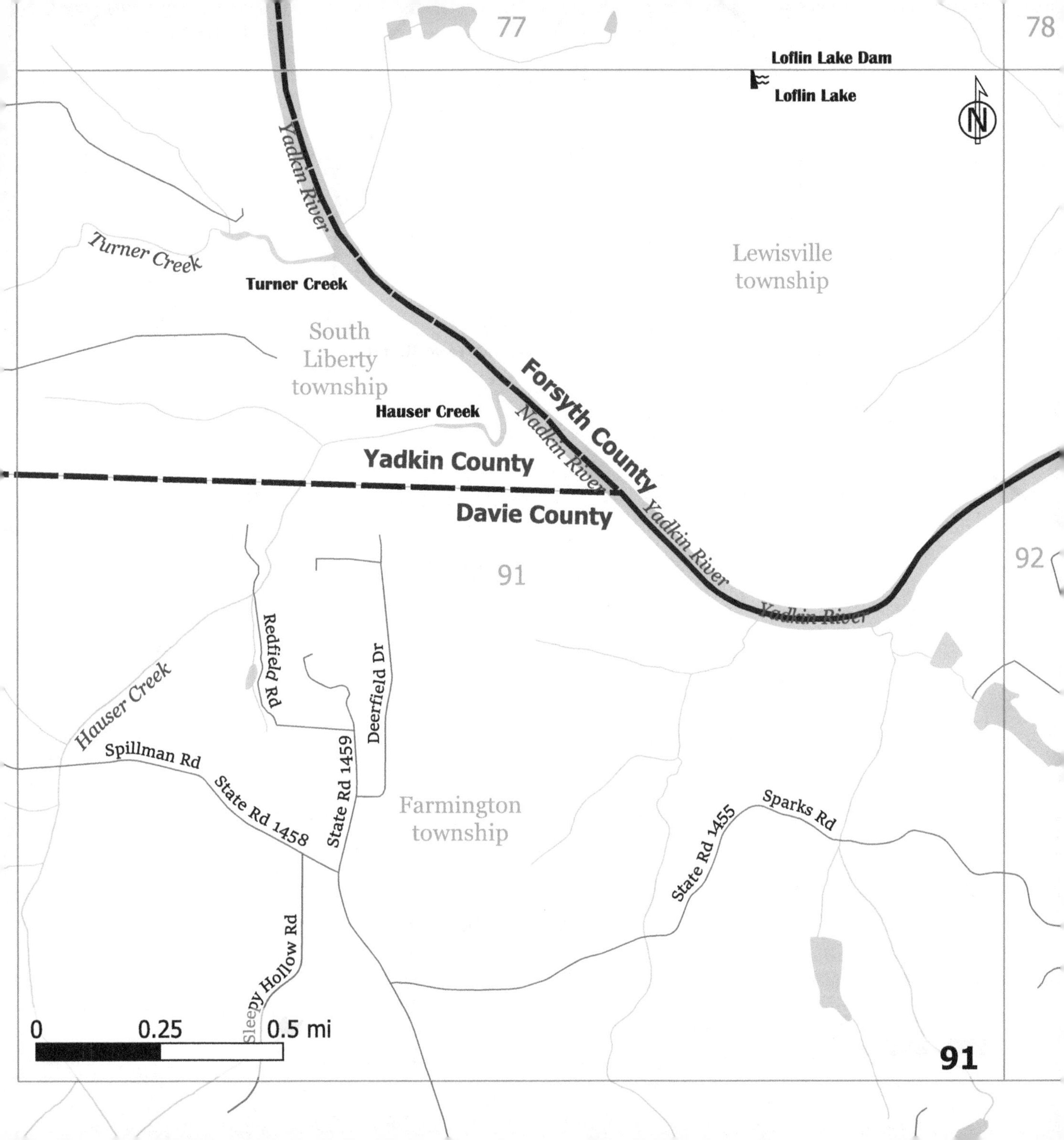
77
78
Loflin Lake Dam
Loflin Lake
N
Yadkin River
Turner Creek
Turner Creek
Lewisville
township
South
Liberty
township
Forsyth County
Hauser Creek
Yadkin River
Yadkin County
Davie County
Yadkin River
92
91
Yadkin River
Redfield Rd
Deerfield Dr
Hauser Creek
Spillman Rd
State Rd 1459
State Rd 1458
Farmington
township
Sparks Rd
State Rd 1455
Sleepy Hollow Rd
0
0.25
0.5 mi

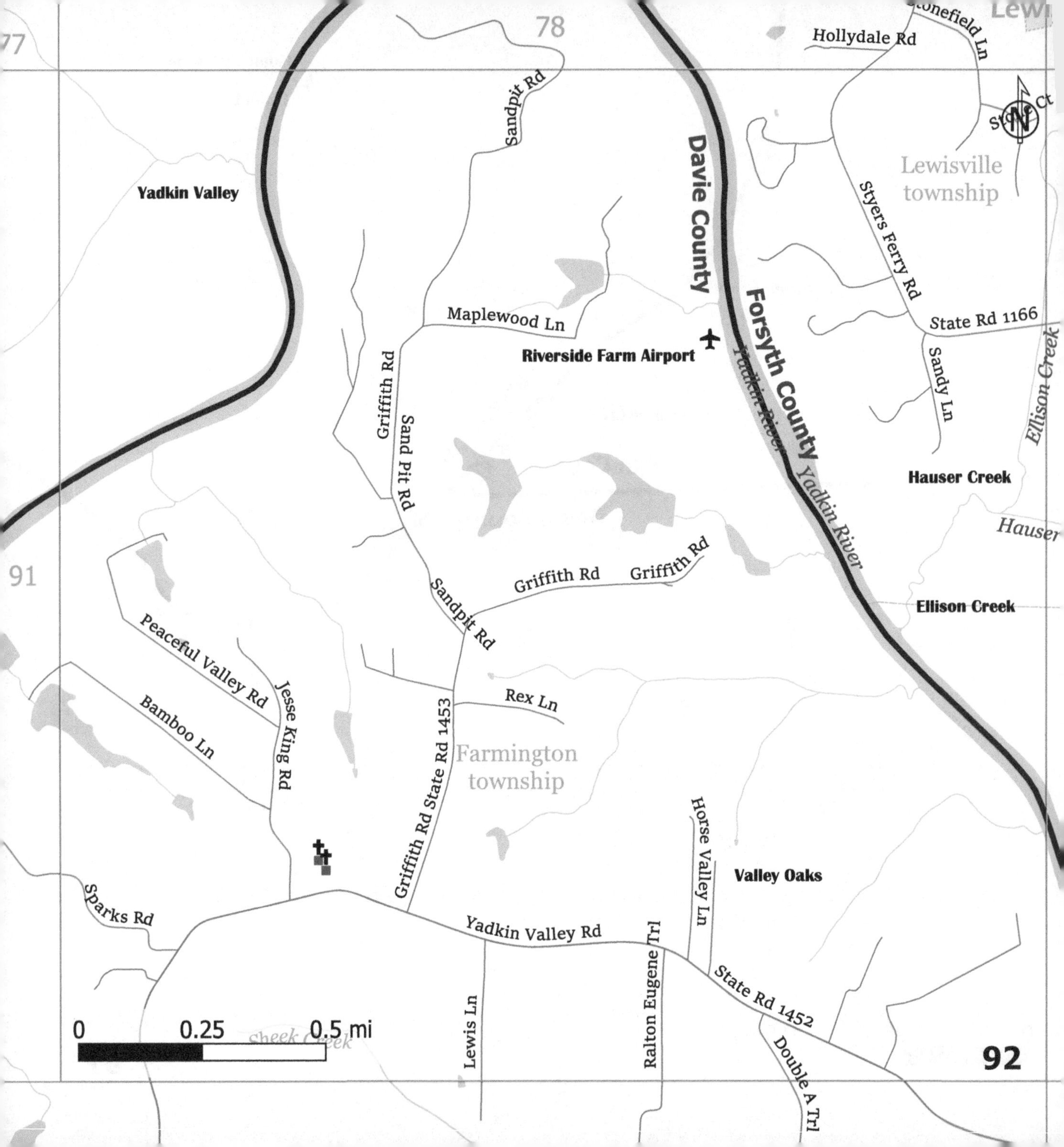

77
78
91
Lewi
Hollydale Rd
Stonefield Ln
Stone Ct
N
Lewisville township
Sandpit Rd
Yadkin Valley
Davie County
Forsyth County
Yadkin River
Styers Ferry Rd
State Rd 1166
Maplewood Ln
Riverside Farm Airport
Griffith Rd
Sand Pit Rd
Sandy Ln
Ellison Creek
Hauser Creek
Hauser
Griffith Rd
Griffith Rd
Sandpit Rd
Ellison Creek
Peaceful Valley Rd
Jesse King Rd
Rex Ln
Bamboo Ln
Farmington township
Griffith Rd State Rd 1453
Horse Valley Ln
Valley Oaks
Sparks Rd
Yadkin Valley Rd
Ralton Eugene Trl
State Rd 1452
Lewis Ln
Double A Trl
0
0.25
0.5 mi
Sheek Creek

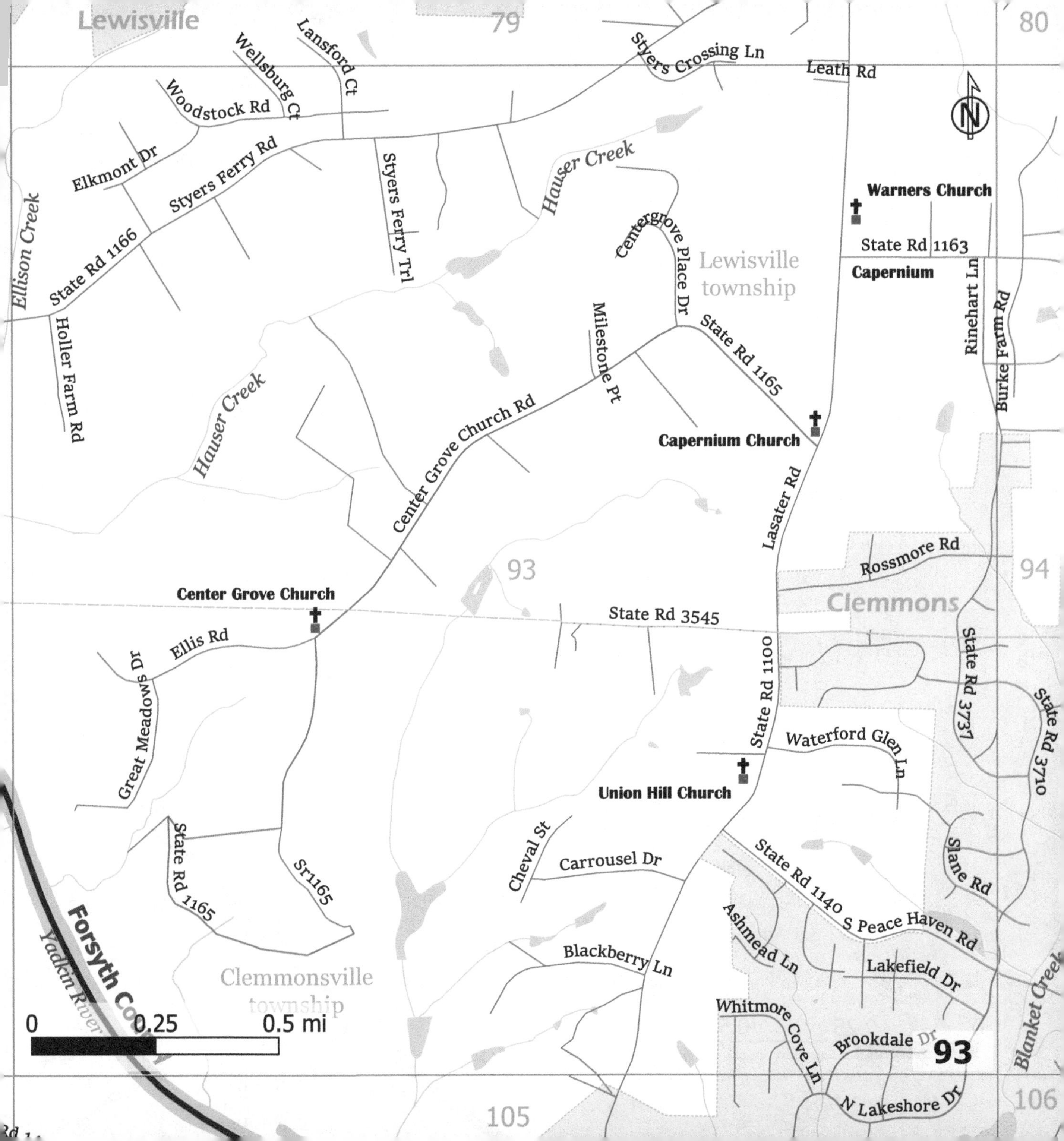

Lewisville
79
80
Lansford Ct
Wellsburg Ct
Styers Crossing Ln
Leath Rd
Woodstock Rd
Elkmont Dr
Styers Ferry Rd
Styers Ferry Trl
Hauser Creek
Ellison Creek
State Rd 1166
Holler Farm Rd
Centergrove Place Dr
Lewisville township
Warners Church
State Rd 1163
Capernium
Rinehart Ln
Burke Farm Rd
Milestone Pt
State Rd 1165
Hauser Creek
Center Grove Church Rd
Capernium Church
Lasater Rd
Rossmore Rd
93
94
Clemmons
Center Grove Church
State Rd 3545
Ellis Rd
Great Meadows Dr
State Rd 1100
State Rd 3737
State Rd 3710
Waterford Glen Ln
Union Hill Church
Cheval St
Carrousel Dr
State Rd 1165
Sr1165
State Rd 1140
Slane Rd
S Peace Haven Rd
Ashmead Ln
Lakefield Dr
Blackberry Ln
Forsyth County
Yadkin River
Clemmonsville township
Blanket Creek
Whitmore Cove Ln
Brookdale Dr
0
0.25
0.5 mi
105
106
N Lakeshore Dr

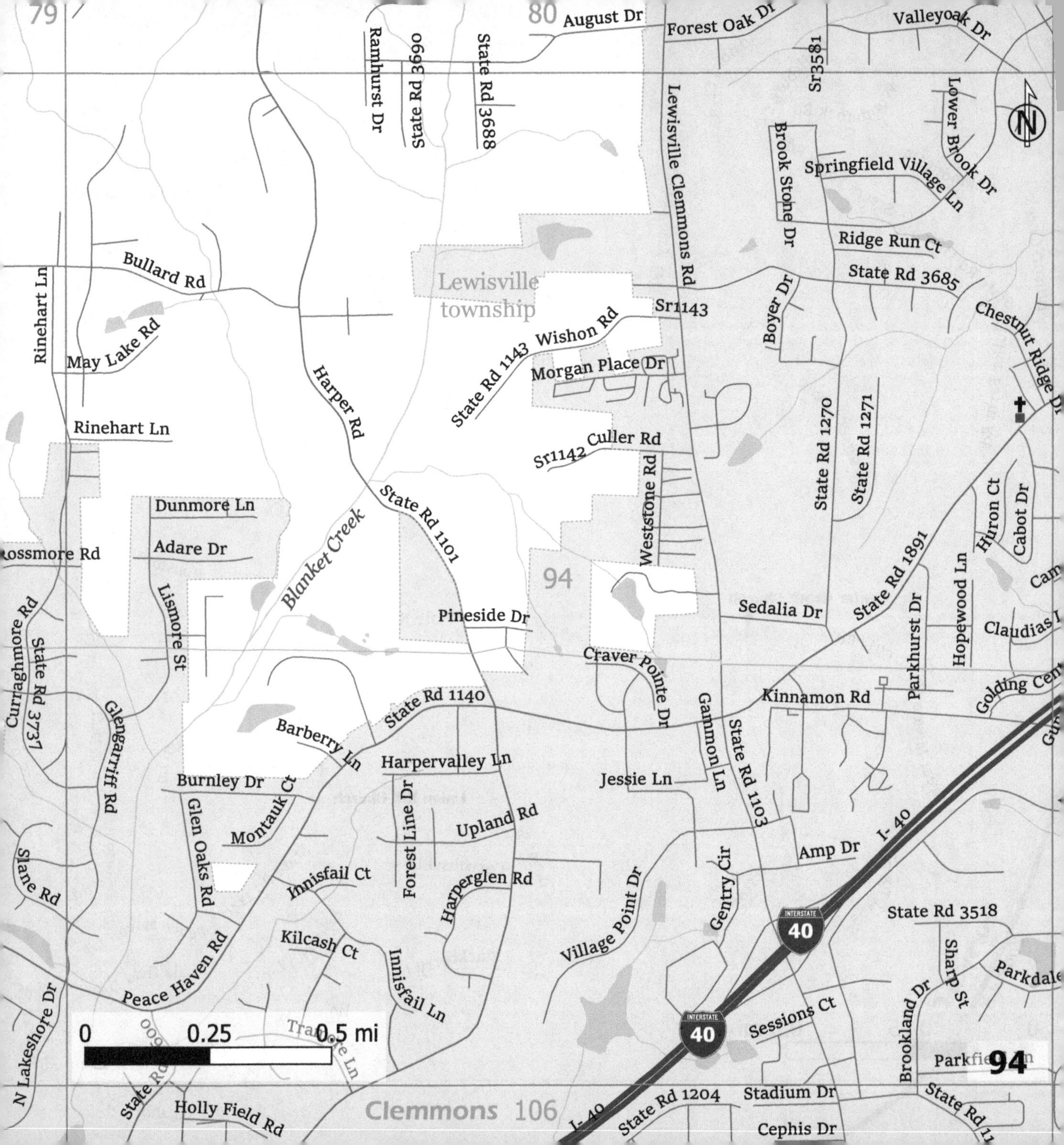
79
80
August Dr
Forest Oak Dr
Valleyoak Dr
Ramhurst Dr
State Rd 3690
State Rd 3688
Sr3581
Lewisville Clemmons Rd
Brook Stone Dr
Lower Brook Dr
Springfield Village Ln
Ridge Run Ct
State Rd 3685
Bullard Rd
Rinehart Ln
May Lake Rd
Lewisville township
Sr1143
Boyer Dr
Chestnut Ridge Dr
Wishon Rd
State Rd 1143
Morgan Place Dr
Harper Rd
Rinehart Ln
Culler Rd
Sr1142
Weststone Rd
State Rd 1270
State Rd 1271
State Rd 1101
Dunmore Ln
Blanket Creek
Adare Dr
Rossmore Rd
94
Lismore St
Pineside Dr
Sedalia Dr
State Rd 1891
Huron Ct
Cabot Dr
Hopewood Ln
Parkhurst Dr
Claudias
Curraghmore Rd
State Rd 3737
Glengarriff Rd
Craver Pointe Dr
State Rd 1140
Kinnamon Rd
Golding
Gammon Ln
State Rd 1103
Barberry Ln
Harpervalley Ln
Burnley Dr
Montauk Ct
Glen Oaks Rd
Jessie Ln
Forest Line Dr
Upland Rd
Amp Dr
I- 40
Slane Rd
Innisfail Ct
Harperglen Rd
Village Point Dr
Gentry Cir
40
State Rd 3518
Kilcash Ct
Peace Haven Rd
Innisfail Ln
Sharp St
Parkdale
N Lakeshore Dr
0 0.25 0.5 mi
Sessions Ct
Brookland Dr
Parkfield Ln
94
State Rd
Holly Field Rd
Clemmons 106
I- 40
State Rd 1204
Stadium Dr
Cephis Dr
State Rd 11

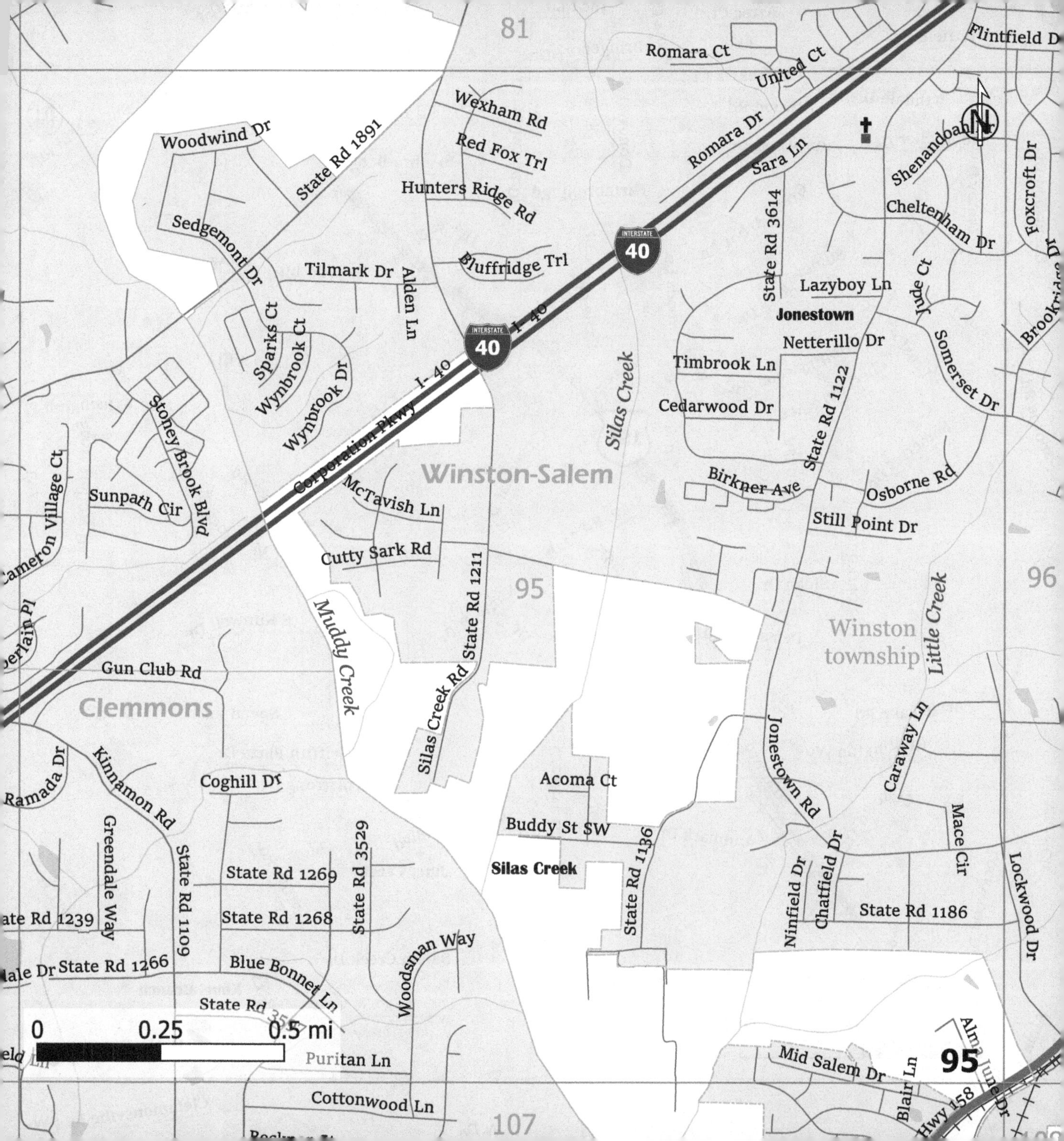

81
Flintfield Dr
Romara Ct
United Ct
Wexham Rd
Woodwind Dr
State Rd 1891
Red Fox Trl
Romara Dr
Sara Ln
Shenandoah Dr
Foxcroft Dr
Hunters Ridge Rd
Cheltenham Dr
Sedgemont Dr
State Rd 3614
40
Tilmark Dr
Bluffridge Trl
Alden Ln
Lazyboy Ln
Jude Ct
Jonestown
Brookridge Dr
I- 40
Sparks Ct
Wynbrook Ct
Wynbrook Dr
Netterillo Dr
Timbrook Ln
Somerset Dr
Silas Creek
State Rd 1122
Cedarwood Dr
Stoney Brook Blvd
Corporation Pkwy
Cameron Village Ct
Winston-Salem
Birkner Ave
Osborne Rd
McTavish Ln
Sunpath Cir
Still Point Dr
Cutty Sark Rd
State Rd 1211
95
96
Muddy Creek
Winston township
Little Creek
Gun Club Rd
Clemmons
Silas Creek Rd
Jonestown Rd
Caraway Ln
Ramada Dr
Kinnamon Rd
Coghill Dr
Acoma Ct
Buddy St SW
Greendale Way
State Rd 1136
Mace Cir
Chatfield Dr
Lockwood Dr
Silas Creek
State Rd 1109
State Rd 3529
State Rd 1269
Ninfield Dr
State Rd 1239
State Rd 1268
State Rd 1186
Woodsman Way
State Rd 1266
Blue Bonnet Ln
State Rd
0
0.25
0.5 mi
Alma June Dr
Puritan Ln
Mid Salem Dr
Blair Ln
95
Cottonwood Ln
Hwy 158
107

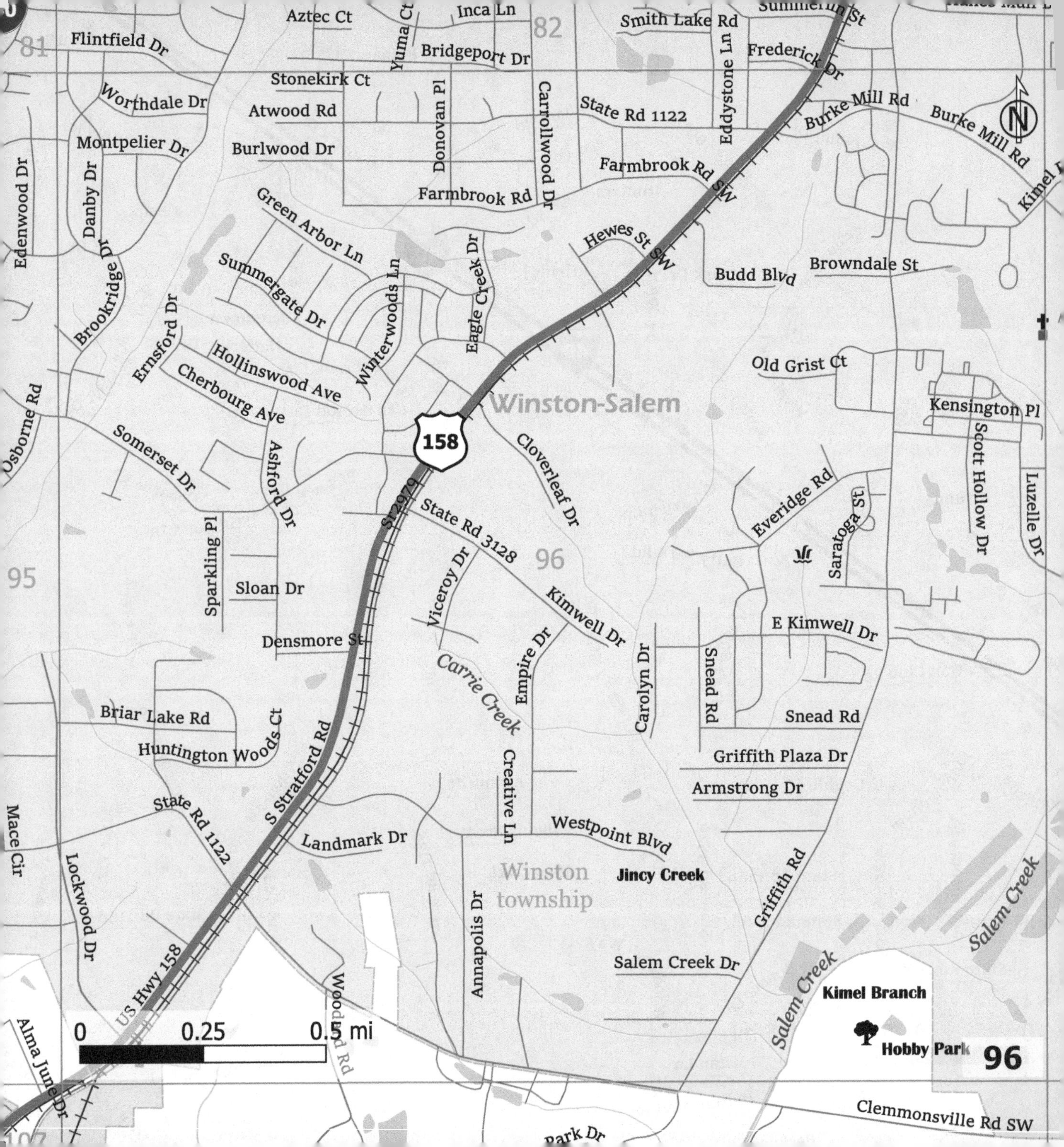

Aztec Ct
Inca Ln
Yuma Ct
82
Smith Lake Rd
81
Flintfield Dr
Bridgeport Dr
Frederick Dr
Stonekirk Ct
Worthdale Dr
Atwood Rd
Donovan Pl
Carrollwood Dr
State Rd 1122
Eddystone Ln
Burke Mill Rd
Burke Mill Rd
N
Montpelier Dr
Burlwood Dr
Farmbrook Rd SW
Edenwood Dr
Danby Dr
Farmbrook Rd
Green Arbor Ln
Hewes St SW
Budd Blvd
Browndale St
Summergate Dr
Brookridge Dr
Winterwoods Ln
Eagle Creek Dr
Ernsford Dr
Hollinswood Ave
Old Grist Ct
Cherbourg Ave
Winston-Salem
Kensington Pl
Osborne Rd
158
Somerset Dr
Ashford Dr
Cloverleaf Dr
Scott Hollow Dr
Luzelle Dr
Everidge Rd
Saratoga St
Sr2979
State Rd 3128
96
Sparkling Pl
95
Sloan Dr
Viceroy Dr
Kimwell Dr
E Kimwell Dr
Densmore St
Carrie Creek
Empire Dr
Carolyn Dr
Snead Rd
Snead Rd
Briar Lake Rd
Huntington Woods Ct
S Stratford Rd
Griffith Plaza Dr
Creative Ln
Armstrong Dr
State Rd 1122
Westpoint Blvd
Mace Cir
Landmark Dr
Lockwood Dr
Winston township
Jincy Creek
Griffith Rd
Annapolis Dr
Salem Creek Dr
Salem Creek
Salem Creek
Kimel Branch
US Hwy 158
Wood Rd
Hobby Park
0
0.25
0.5 mi
Alma June Dr
Clemmonsville Rd SW
Park Dr

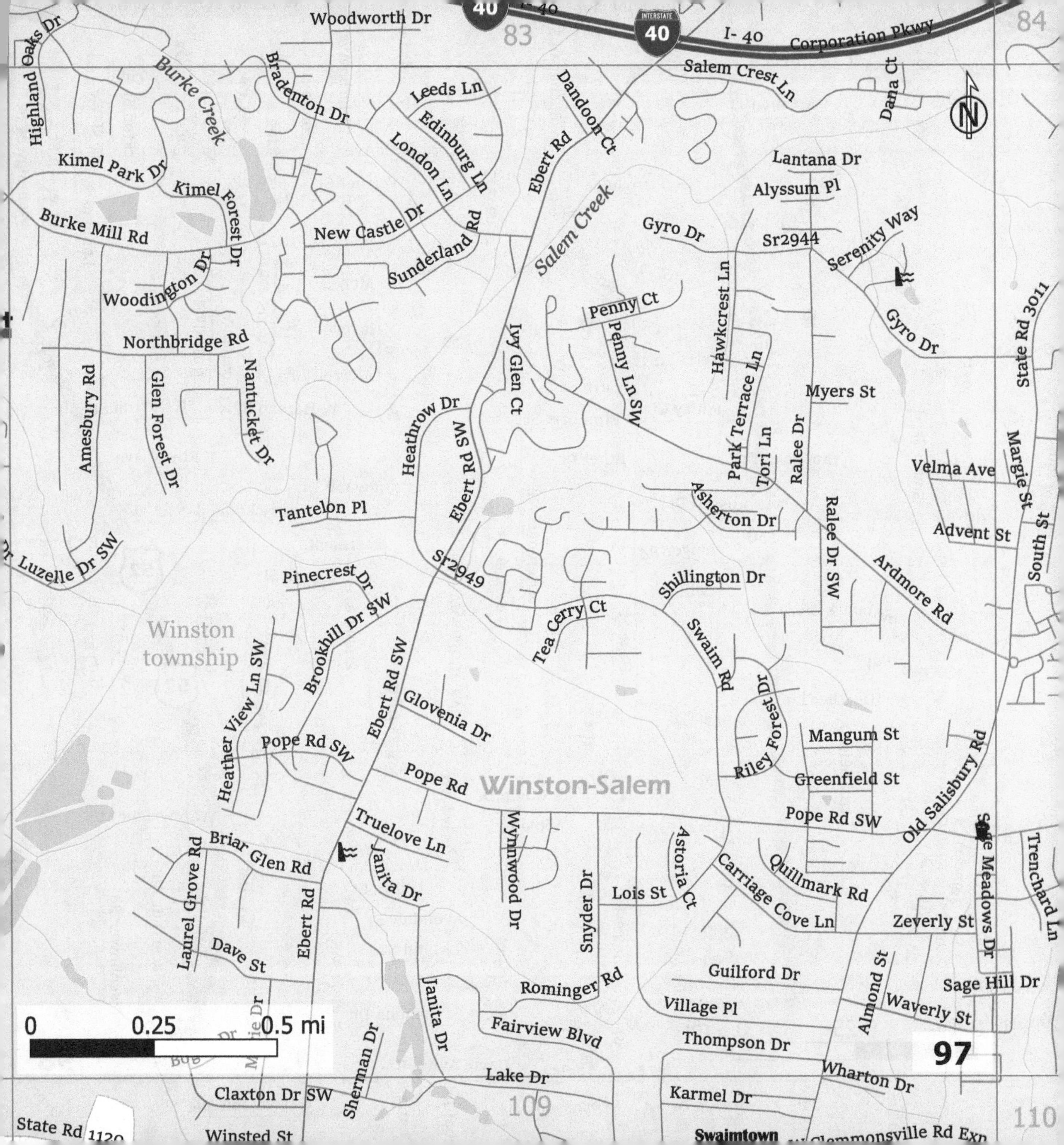

40
I-40
83
INTERSTATE 40
I- 40
Corporation Pkwy
84
Woodworth Dr
Highland Oaks Dr
Burke Creek
Bradenton Dr
Leeds Ln
Edinburg Ln
London Ln
Dandoon Ct
Salem Crest Ln
Dana Ct
Ebert Rd
Lantana Dr
Alyssum Pl
Kimel Park Dr
Kimel Forest Dr
Burke Mill Rd
New Castle Dr
Sunderland Rd
Salem Creek
Gyro Dr
Sr2944
Serenity Way
Woodington Dr
Penny Ct
Hawkcrest Ln
Gyro Dr
State Rd 3011
Northbridge Rd
Nantucket Dr
Glen Forest Dr
Amesbury Rd
Ivy Glen Ct
Penny Ln SW
Park Terrace Ln
Myers St
Heathrow Dr
Ebert Rd SW
Tori Ln
Ralee Dr
Margie St
Velma Ave
Tantelon Pl
Asherton Dr
Ralee Dr SW
Advent St
South St
Luzelle Dr SW
Sr2949
Ardmore Rd
Pinecrest Dr
Shillington Dr
Brookhill Dr SW
Tea Cerry Ct
Winston township
Swaim Rd
Ebert Rd SW
Heather View Ln SW
Glovenia Dr
Riley Forest Dr
Mangum St
Pope Rd SW
Pope Rd
Winston-Salem
Greenfield St
Old Salisbury Rd
Pope Rd SW
Truelove Ln
Wynnwood Dr
Astoria Ct
Sage Meadows Dr
Trenchard Ln
Briar Glen Rd
Laurel Grove Rd
Janita Dr
Quillmark Rd
Carriage Cove Ln
Lois St
Snyder Dr
Zeverly St
Ebert Rd
Dave St
Guilford Dr
Almond St
Sage Hill Dr
Janita Dr
Rominger Rd
Village Pl
Waverly St
0
0.25
0.5 mi
Fairview Blvd
Thompson Dr
97
Sherman Dr
Wharton Dr
Lake Dr
Claxton Dr SW
Karmel Dr
109
110
State Rd 1120
Winsted St
Swaimtown
Clemmonsville Rd Exp

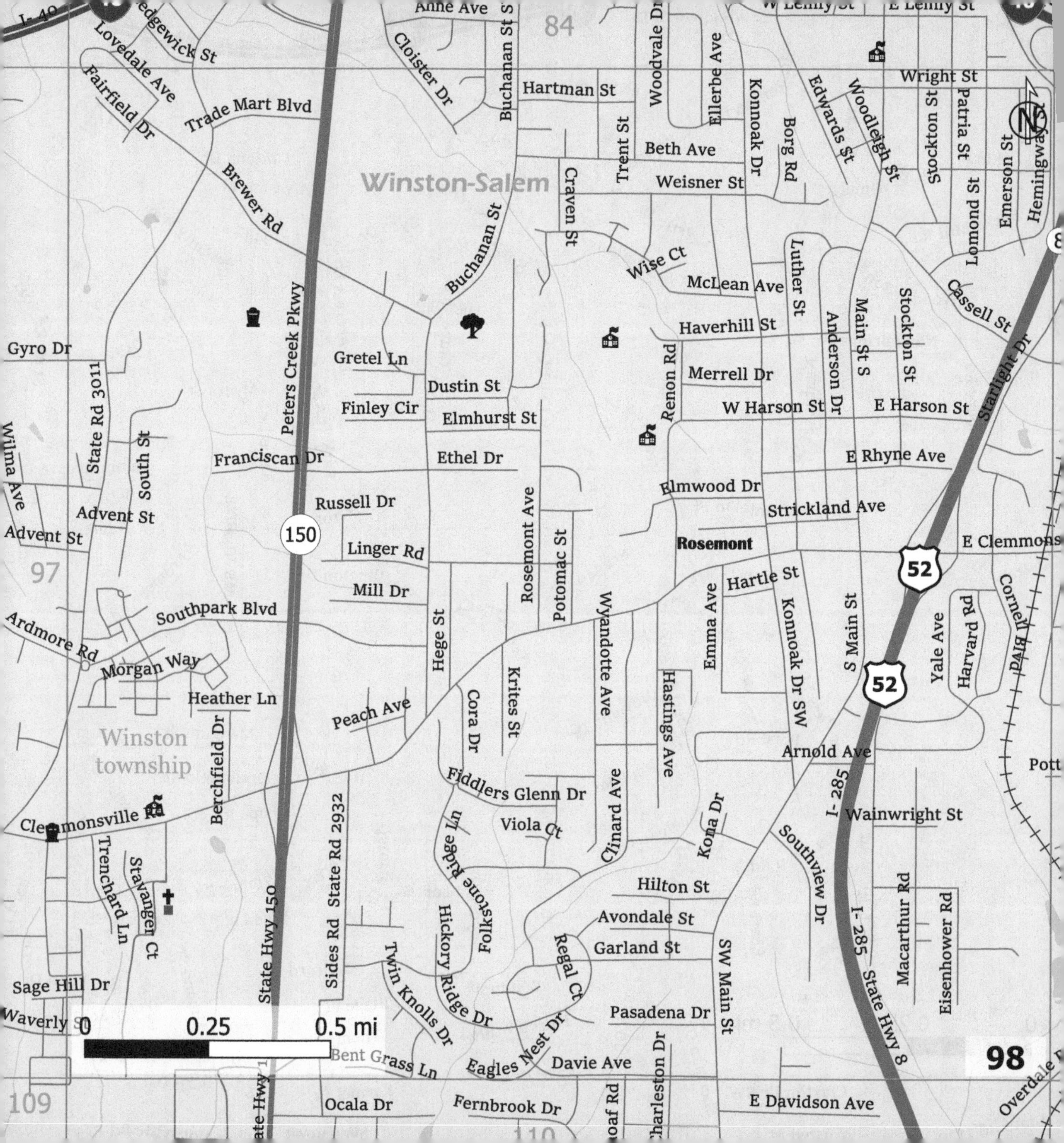

I-40
Sedgewick St
Anne Ave
84
Lovedale Ave
Fairfield Dr
Trade Mart Blvd
Cloister Dr
Buchanan St
Hartman St
Woodvale Dr
Ellerbe Ave
Konnoak Dr
Edwards St
Woodleigh St
Wright St
Stockton St
Patria St
Borg Rd
Beth Ave
Trent St
Weisner St
Craven St
Lomond St
Emerson St
Hemingway
Winston-Salem
Brewer Rd
Wise Ct
McLean Ave
Luther St
Cassell St
Buchanan St
Haverhill St
Anderson Dr
Main St S
Stockton St
Gyro Dr
Gretel Ln
Dustin St
Merrell Dr
Starlight Dr
Peters Creek Pkwy
State Rd 3011
Finley Cir
Elmhurst St
Renon Rd
W Harson St
E Harson St
Wilma Ave
South St
Franciscan Dr
Ethel Dr
E Rhyne Ave
Elmwood Dr
Russell Dr
Strickland Ave
Advent St
Advent St
150
Rosemont Ave
Potomac St
Rosemont
E Clemmons
Linger Rd
52
97
Hartle St
Mill Dr
Wyandotte Ave
Emma Ave
Konnoak Dr SW
S Main St
Yale Ave
Harvard Rd
Cornell Blvd
Southpark Blvd
Ardmore Rd
Hege St
Hastings Ave
Morgan Way
Krites St
52
Heather Ln
Cora Dr
Peach Ave
Winston township
Berchfield Dr
Arnold Ave
Pott
Fiddlers Glenn Dr
I-285
Clemmonsville Rd
Viola Ct
Clinard Ave
Kona Dr
Wainwright St
Hickory Ridge Ln
Trenchard Ln
Stavanger Ct
Southview Dr
Hilton St
Folkstone Ridge Ln
Macarthur Rd
Eisenhower Rd
State Hwy 150
Sides Rd State Rd 2932
Avondale St
Regal Ct
Garland St
SW Main St
I-285 State Hwy 8
Twin Knolls Dr
Hickory Ridge Dr
Sage Hill Dr
Pasadena Dr
Waverly St
0
0.25
0.5 mi
Eagles Nest Dr
Bent Grass Ln
Davie Ave
Charleston Dr
98
Overdale
109
Ocala Dr
Fernbrook Dr
E Davidson Ave

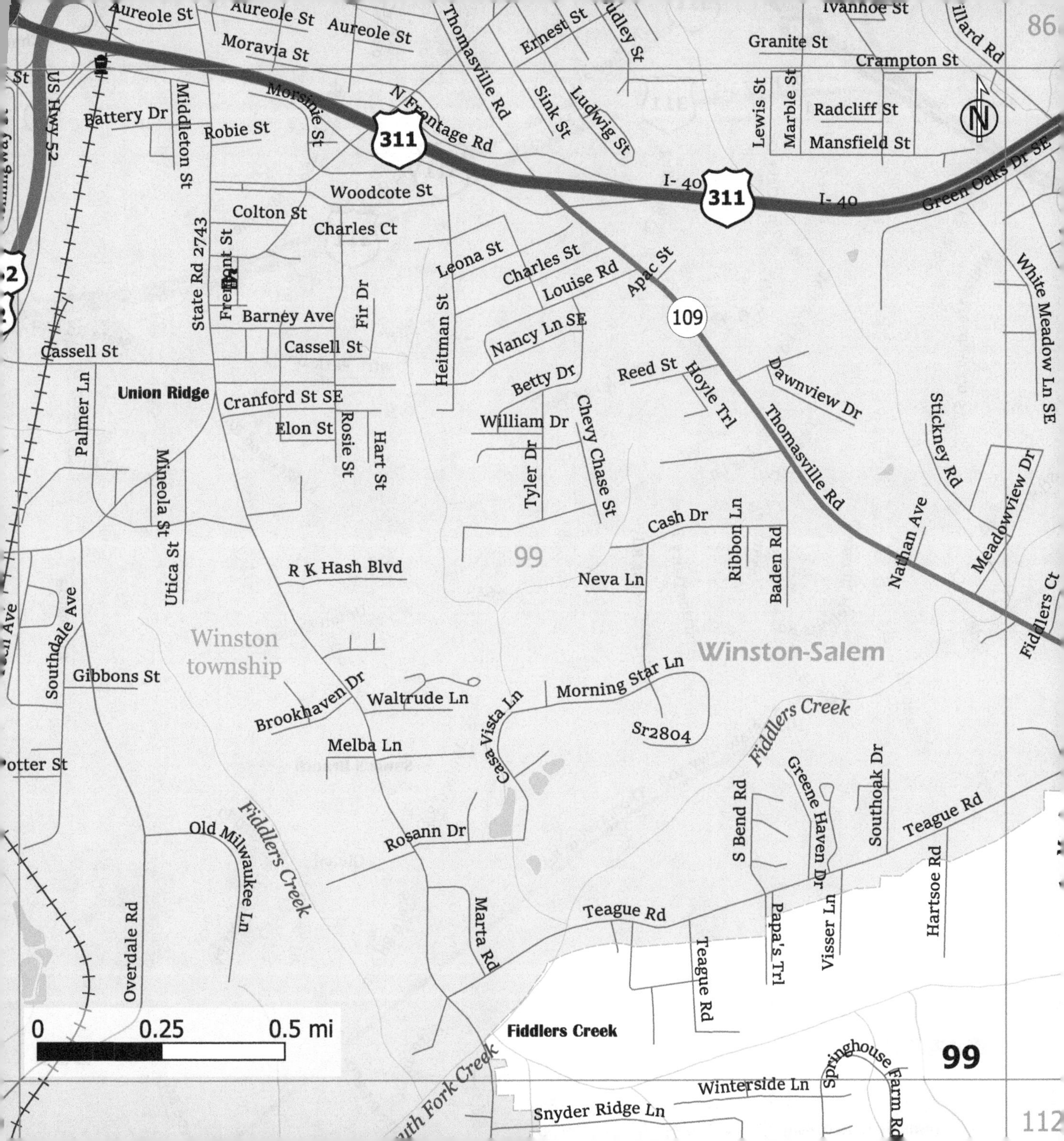

Aureole St
Ivanhoe St
Moravia St
Granite St
Crampton St
Ernest St
Thomasville Rd
Morsinie St
N Frontage Rd
Sink St
Ludwig St
Lewis St
Marble St
Radcliff St
Mansfield St
US Hwy 52
Battery Dr
Middleton St
Robie St
311
I- 40
Green Oaks Dr SE
Woodcote St
Colton St
Charles Ct
State Rd 2743
Fremont St
Leona St
Charles St
Louise Rd
Apac St
109
Barney Ave
Fir Dr
Nancy Ln SE
White Meadow Ln SE
Cassell St
Heitman St
Palmer Ln
Union Ridge
Cranford St SE
Betty Dr
Reed St
Hoyle Trl
Dawnview Dr
Elon St
Rosie St
Hart St
William Dr
Chevy Chase St
Thomasville Rd
Stickney Rd
Mineola St
Tyler Dr
Meadowview Dr
Cash Dr
Ribbon Ln
Baden Rd
Nathan Ave
99
Utica St
R K Hash Blvd
Neva Ln
Southdale Ave
Winston township
Winston-Salem
Fiddlers Ct
Gibbons St
Brookhaven Dr
Waltrude Ln
Morning Star Ln
Casa Vista Ln
Sr2804
Fiddlers Creek
Melba Ln
Potter St
S Bend Rd
Greene Haven Dr
Southoak Dr
Old Milwaukee Ln
Rosann Dr
Teague Rd
Hartsoe Rd
Overdale Rd
Marta Rd
Teague Rd
Papa's Trl
Visser Ln
0
0.25
0.5 mi
Fiddlers Creek
South Fork Creek
Springhouse Farm Rd
Winterside Ln
Snyder Ridge Ln
99
86
112

85
86
INTERSTATE 40
311
Utah
Cole Rd
Friedland Chu
Corporation Pkwy
US Hwy 311
Fanning Rd
I- 40
Green Oaks Ct SE
White Meadow Ln SE
Fanning Oaks Dr
Fanning Ct
State Rd 2699
Megahertz Dr
Winston-Salem
Winston township
Willard Rd
Golden Oaks Dr
Gateway Ln
Centre Park Blvd
State Rd 4229
Fiddlers Creek
Ridgewood Rd
Presley Dr
Borum Dr
Twain Dr
Mollie Ln
Stickney Rd
Naomi Dr
Chestnut Heights Rd
Martins Dairy Rd
Greene Cross Rd
100
Sr2643
Union Cross Rd
Fiddlers Ct
Teague Rd
109
State Hwy 109
Thomasville Rd
Sawmill Branch
Redfern Pl
Glenmore Creek Dr
Arrowcrest Pl
Broadbay township
State Rd 2700
0
0.25
0.5 mi
Furman Dr
Langden Rd
State Rd 2702
Luck D
111
112
Township of Broadbay

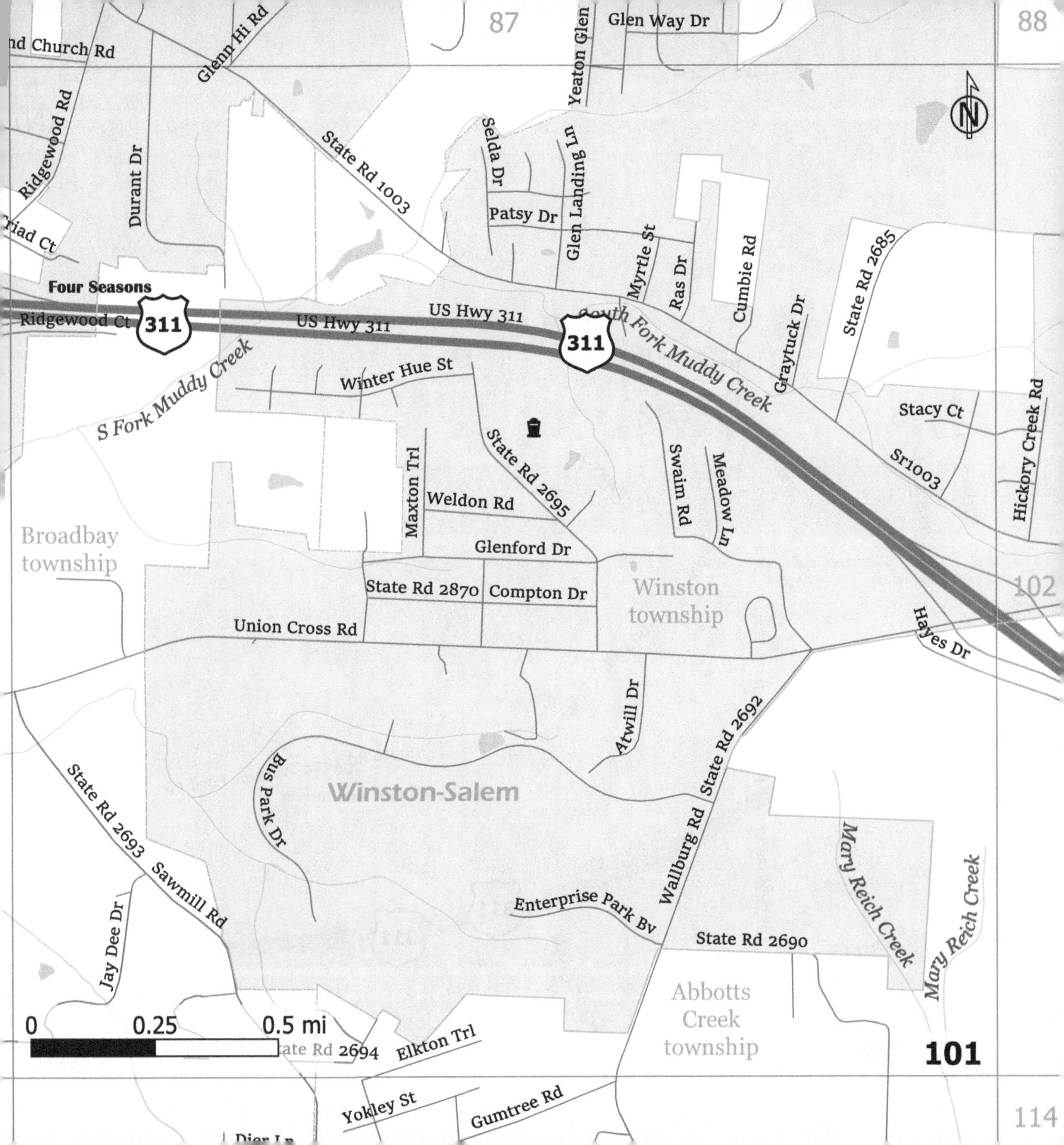

87
88
nd Church Rd
Glenn Hi Rd
Yeaton Glen
Glen Way Dr
Ridgewood Rd
Durant Dr
State Rd 1003
Selda Dr
Glen Landing Ln
Patsy Dr
Myrtle St
Ras Dr
Cumbie Rd
State Rd 2685
riad Ct
Four Seasons
Ridgewood Ct
311
US Hwy 311
US Hwy 311
311
South Fork Muddy Creek
Graytuck Dr
S Fork Muddy Creek
Winter Hue St
Stacy Ct
Hickory Creek Rd
Sr1003
State Rd 2695
Swaim Rd
Meadow Ln
Maxton Trl
Weldon Rd
Broadbay township
Glenford Dr
State Rd 2870
Compton Dr
Winston township
102
Union Cross Rd
Hayes Dr
Atwill Dr
State Rd 2692
Bus Park Dr
Winston-Salem
State Rd 2693
Sawmill Rd
Wallburg Rd
Mary Reich Creek
Mary Reich Creek
Jay Dee Dr
Enterprise Park Bv
State Rd 2690
Abbotts Creek township
0
0.25
0.5 mi
State Rd 2694
Elkton Trl
Yokley St
Gumtree Rd
114

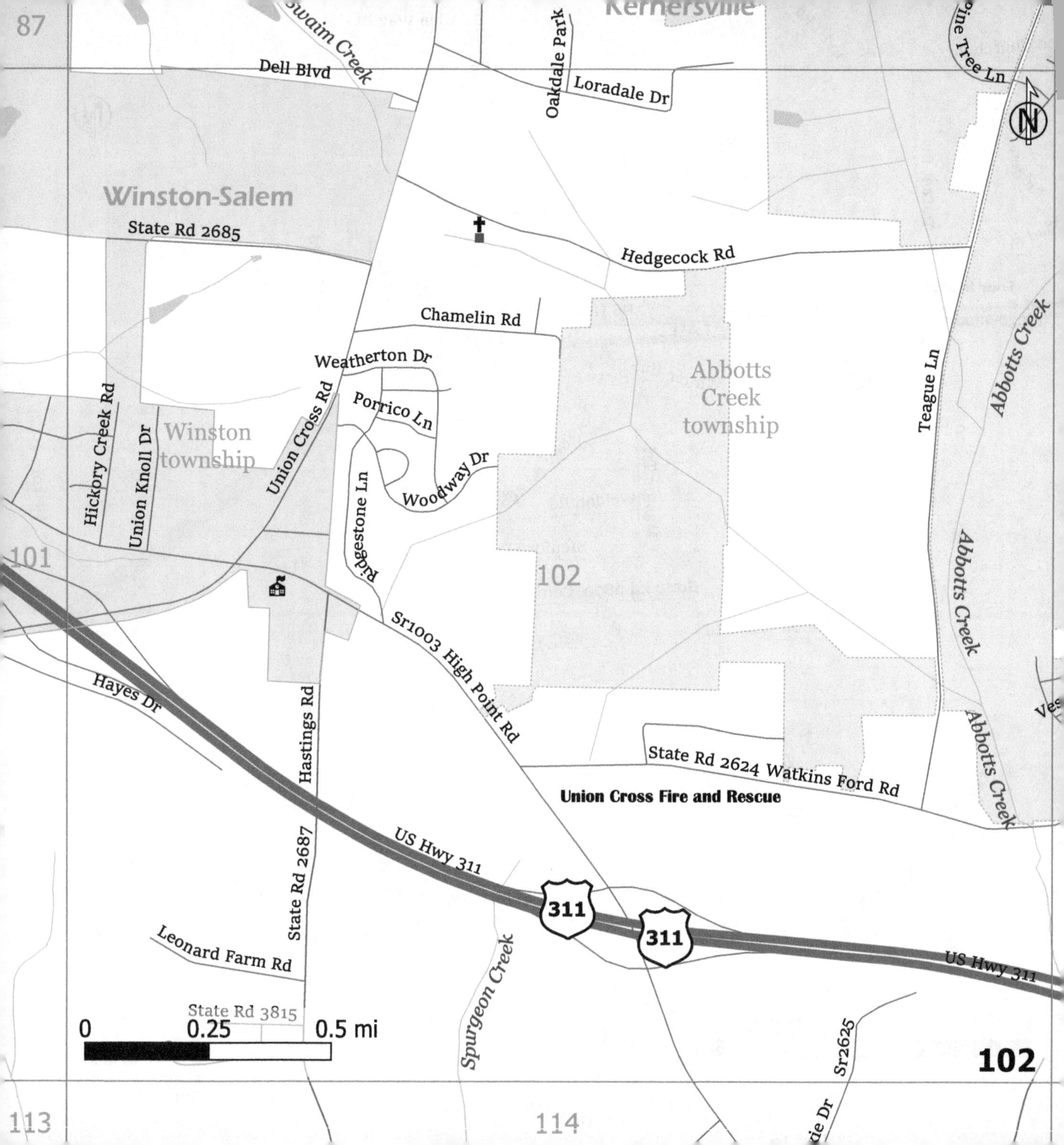
87
Kernersville
Swaim Creek
Dell Blvd
Oakdale Park
Loradale Dr
Pine Tree Ln
N
Winston-Salem
State Rd 2685
Hedgecock Rd
Chamelin Rd
Weatherton Dr
Abbotts Creek township
Teague Ln
Abbotts Creek
Porrico Ln
Hickory Creek Rd
Union Knoll Dr
Winston township
Union Cross Rd
Woodway Dr
Ridgestone Ln
101
102
Sr1003 High Point Rd
Hayes Dr
Hastings Rd
Abbotts Creek
Abbotts Creek
State Rd 2624 Watkins Ford Rd
Union Cross Fire and Rescue
US Hwy 311
311
311
US Hwy 311
State Rd 2687
Leonard Farm Rd
Spurgeon Creek
State Rd 3815
0
0.25
0.5 mi
Sr2625
113
114

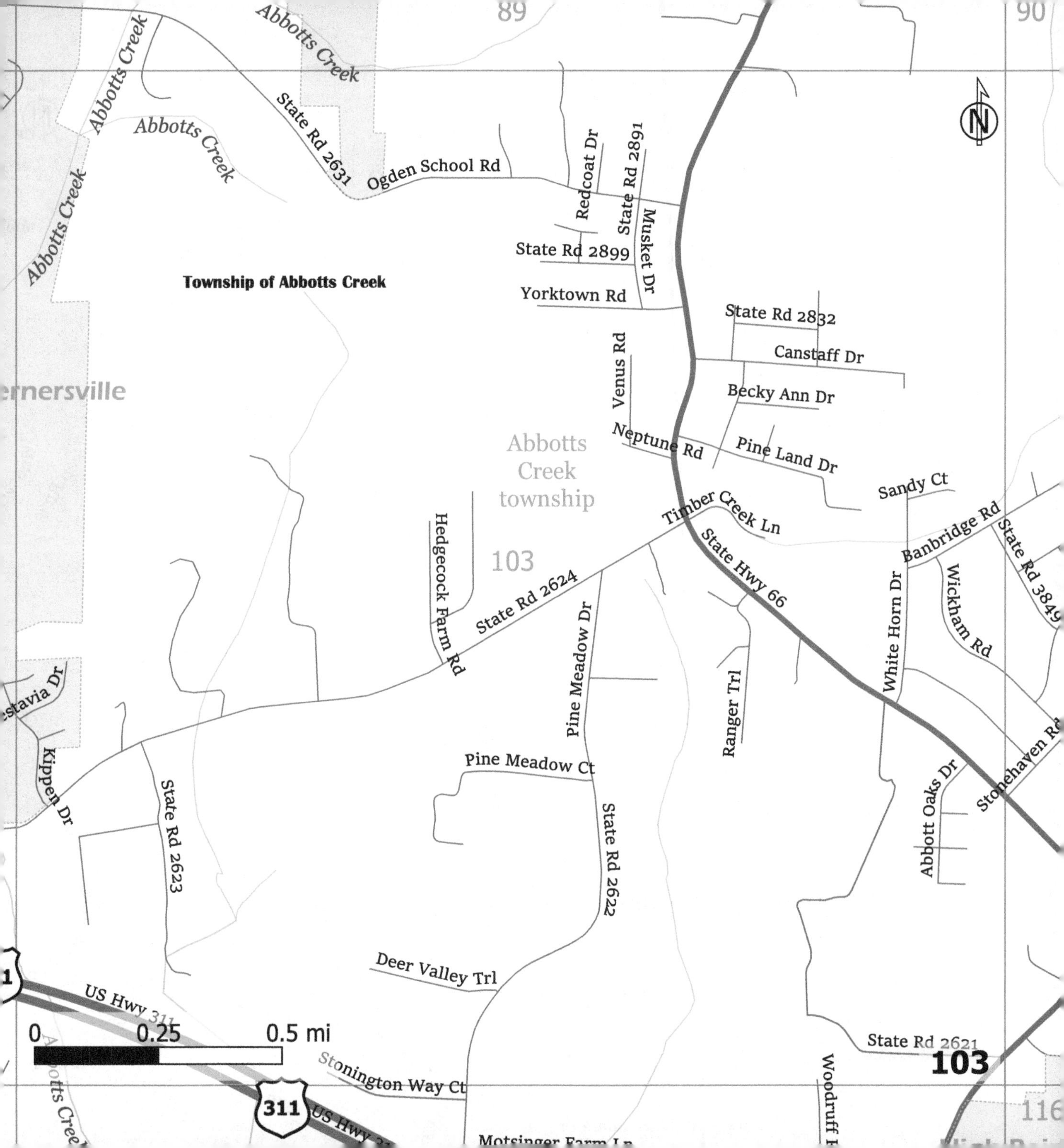

89
90
Abbotts Creek
Abbotts Creek
Abbotts Creek
Abbotts Creek
State Rd 2631
Ogden School Rd
Redcoat Dr
State Rd 2891
Musket Dr
State Rd 2899
Yorktown Rd
Township of Abbotts Creek
State Rd 2832
Canstaff Dr
Becky Ann Dr
Venus Rd
Neptune Rd
Pine Land Dr
ernersville
Abbotts Creek township
Sandy Ct
Timber Creek Ln
State Hwy 66
Banbridge Rd
State Rd 3849
Hedgecock Farm Rd
103
State Rd 2624
White Horn Dr
Wickham Rd
estavia Dr
Pine Meadow Dr
Ranger Trl
Kippen Dr
State Rd 2623
Pine Meadow Ct
Stonehaven Rd
Abbott Oaks Dr
State Rd 2622
Deer Valley Trl
US Hwy 311
0
0.25
0.5 mi
State Rd 2621
103
Stonington Way Ct
311
US Hwy 311
Woodruff
116
Motsinger Farm Ln

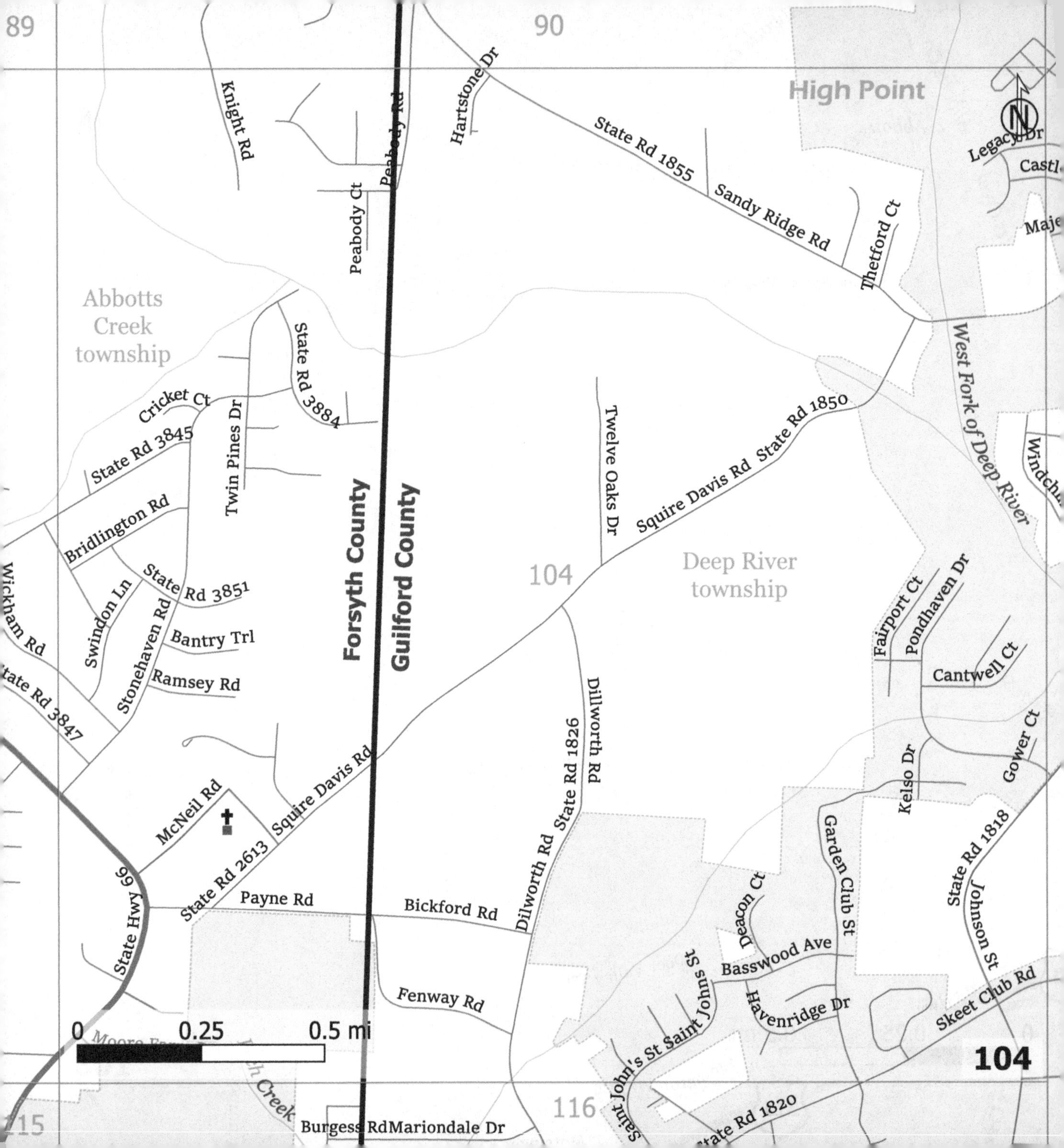

89
90
High Point
N
Knight Rd
Peabody Rd
Hartstone Dr
State Rd 1855
Sandy Ridge Rd
Thetford Ct
Legacy Dr
Peabody Ct
Abbotts Creek township
State Rd 3884
Cricket Ct
Twin Pines Dr
State Rd 3845
Bridlington Rd
Twelve Oaks Dr
Squire Davis Rd
State Rd 1850
West Fork of Deep River
Forsyth County
Guilford County
104
Deep River township
Wickham Rd
Swindon Ln
State Rd 3851
Stonehaven Rd
Bantry Trl
Ramsey Rd
State Rd 3847
Fairport Ct
Pondhaven Dr
Cantwell Ct
Dillworth Rd
State Rd 1826
Gower Ct
Kelso Dr
McNeil Rd
Squire Davis Rd
Garden Club St
State Rd 1818
State Hwy 66
State Rd 2613
Payne Rd
Bickford Rd
Dilworth Rd
Deacon Ct
Johnson St
Basswood Ave
Saint Johns St
Havenridge Dr
Skeet Club Rd
Fenway Rd
0
0.25
0.5 mi
Saint John's St
Creek
116
State Rd 1820
Burgess Rd
Mariondale Dr
115

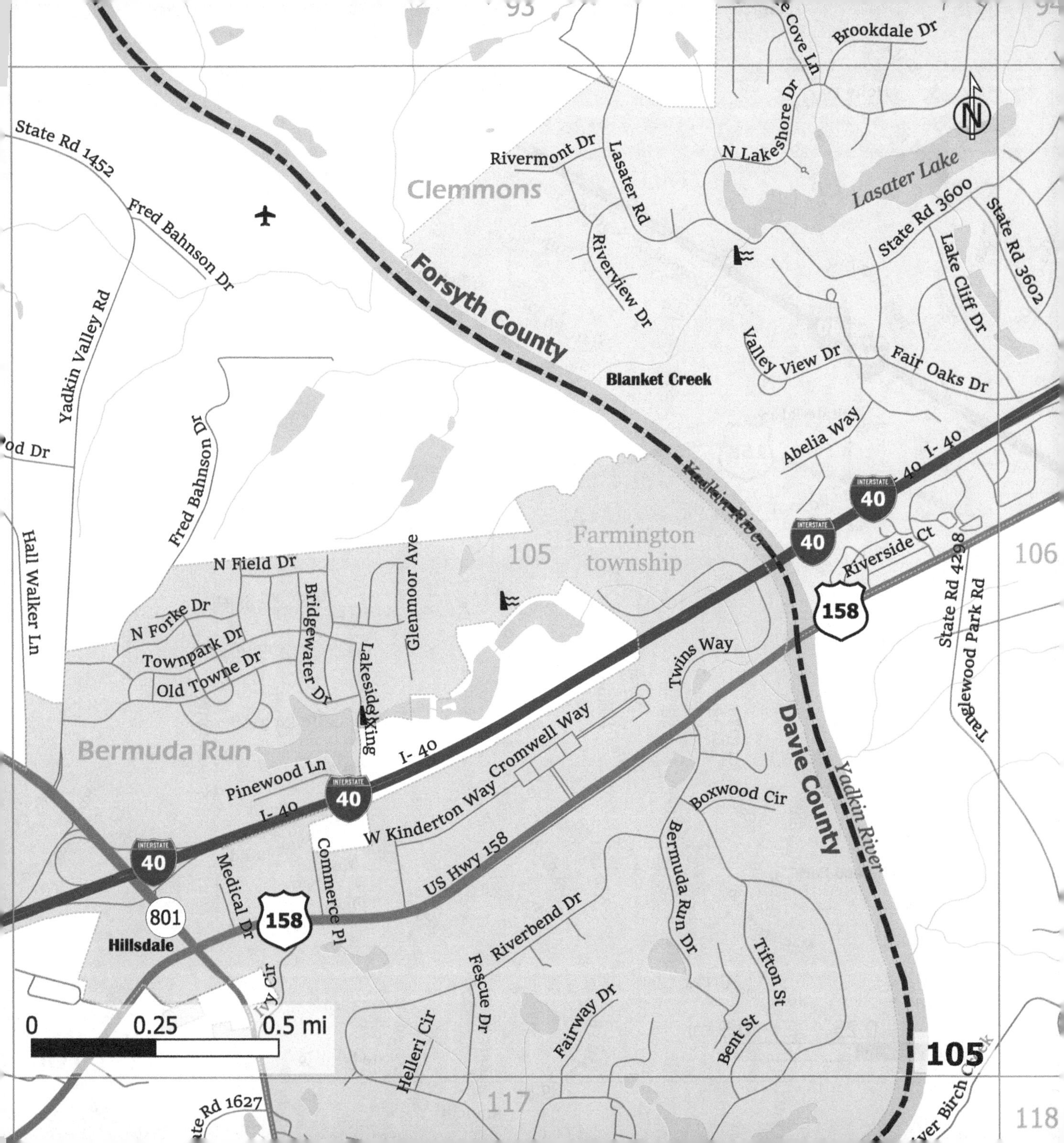
93
94
Cove Ln
Brookdale Dr
N Lakeshore Dr
Lasater Lake
State Rd 1452
Rivermont Dr
Lasater Rd
Clemmons
Fred Bahnson Dr
State Rd 3600
State Rd 3602
Lake Cliff Dr
Riverview Dr
Forsyth County
Yadkin Valley Rd
Valley View Dr
Fair Oaks Dr
Blanket Creek
Abelia Way
Fred Bahnson Dr
Yadkin River
I- 40
40
Hall Walker Ln
N Field Dr
Glenmoor Ave
105
Farmington township
Riverside Ct
106
State Rd 4298
Tanglewood Park Rd
158
N Forke Dr
Bridgewater Dr
Townpark Dr
Old Towne Dr
Lakeside
Twins Way
Cromwell Way
Bermuda Run
Davie County
Yadkin River
Pinewood Ln
W Kinderton Way
Boxwood Cir
Bermuda Run Dr
Medical Dr
Commerce Pl
US Hwy 158
801
Hillsdale
Riverbend Dr
Tifton St
Ivy Cir
Fescue Dr
Fairway Dr
Helleri Cir
Bent St
0
0.25
0.5 mi
105
117
118
State Rd 1627

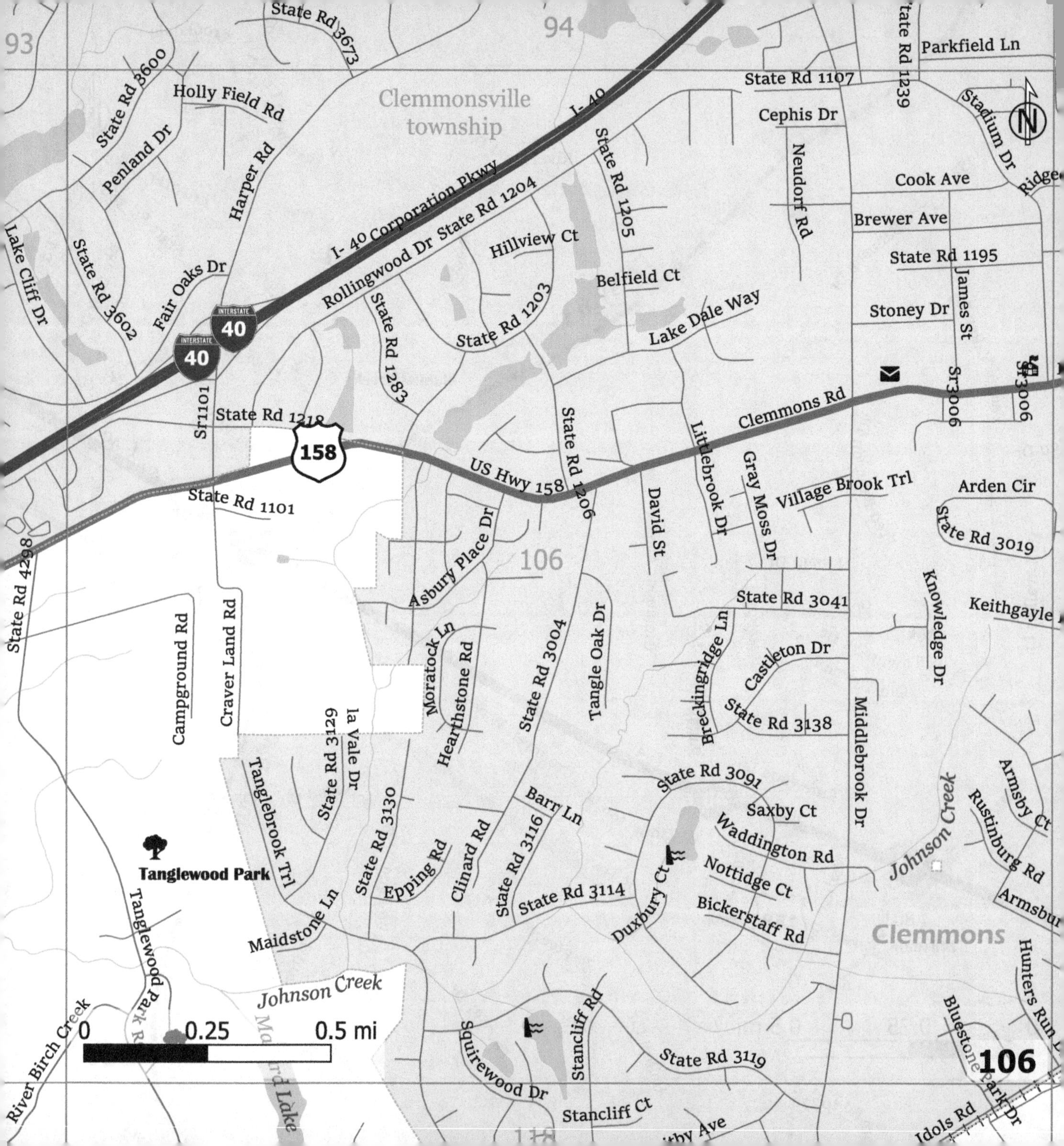
93
94
106
State Rd 3673
State Rd 3600
Holly Field Rd
Clemmonsville
township
Penland Dr
Harper Rd
I- 40
I- 40 Corporation Pkwy
Rollingwood Dr State Rd 1204
Lake Cliff Dr
State Rd 3602
Fair Oaks Dr
Hillview Ct
State Rd 1205
Belfield Ct
State Rd 1203
Lake Dale Way
State Rd 1283
Interstate 40
Sr1101
State Rd 1218
158
US Hwy 158
State Rd 1101
State Rd 1206
Clemmons Rd
Littlebrook Dr
Gray Moss Dr
Village Brook Trl
David St
State Rd 4298
Parkfield Ln
State Rd 1107
State Rd 1239
Cephis Dr
Stadium Dr
Neudorf Rd
Cook Ave
Ridge
Brewer Ave
State Rd 1195
James St
Stoney Dr
Sr3006
Arden Cir
State Rd 3019
Asbury Place Dr
State Rd 3041
Keithgayle
Knowledge Dr
Campground Rd
Craver Land Rd
Moratock Ln
Hearthstone Rd
State Rd 3004
Tangle Oak Dr
Breckingridge Ln
Castleton Dr
State Rd 3138
Middlebrook Dr
State Rd 3129
la Vale Dr
Tanglebrook Trl
State Rd 3130
Barr Ln
State Rd 3091
Saxby Ct
Waddington Rd
Armsby Ct
Rustinburg Rd
Johnson Creek
Tanglewood Park
Epping Rd
Clinard Rd
State Rd 3116
State Rd 3114
Duxbury Ct
Nottidge Ct
Bickerstaff Rd
Armsbur
Clemmons
Maidstone Ln
Tanglewood Park Rd
Hunters Run
River Birch Creek
0
0.25
0.5 mi
Stancliff Rd
Squirewood Dr
State Rd 3119
Bluestone Park Dr
Stancliff Ct
Idols Rd

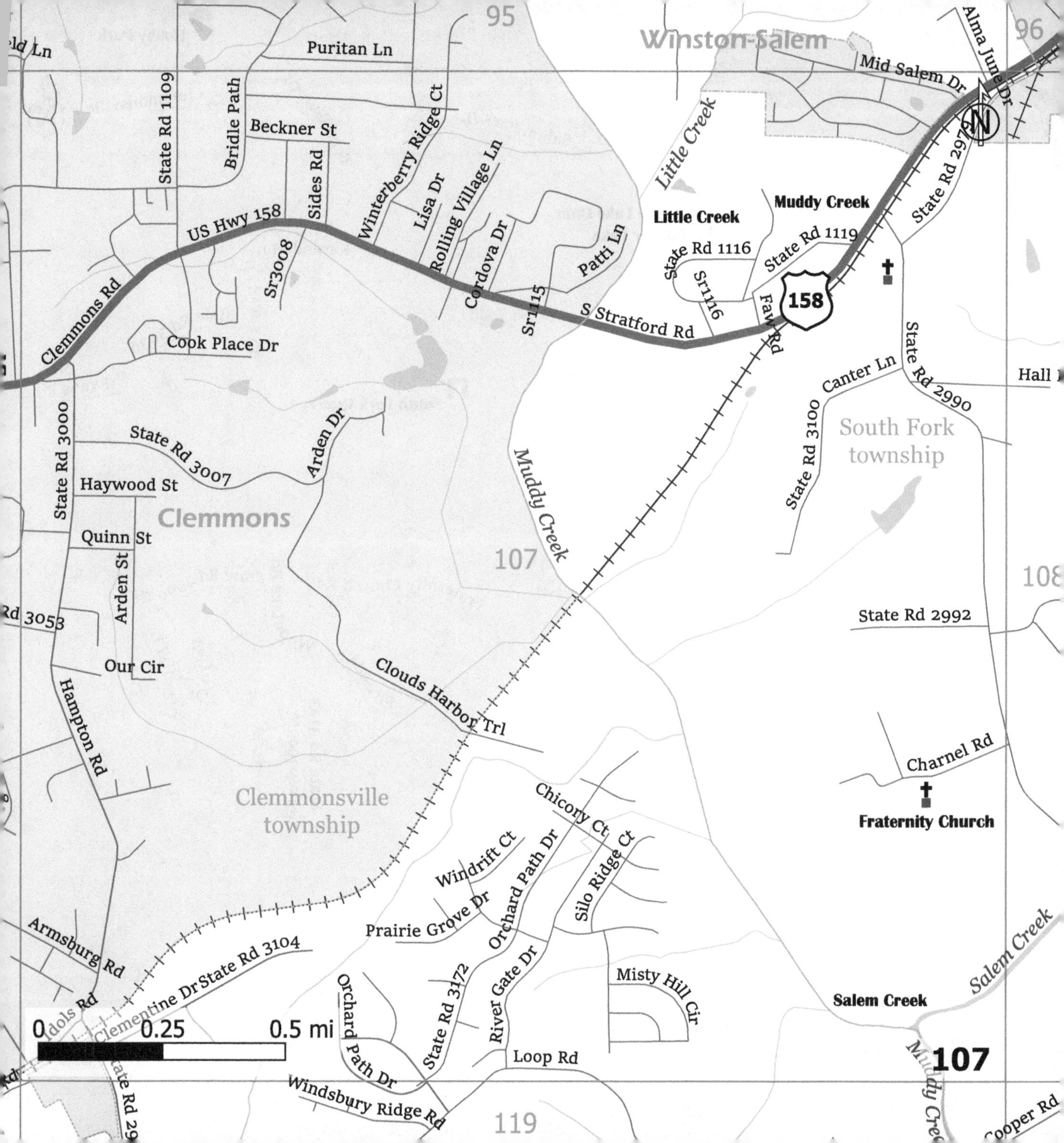
95
96
Winston-Salem
Puritan Ln
Mid Salem Dr
Alma June Dr
State Rd 1109
Bridle Path
Beckner St
Winterberry Ridge Ct
Sides Rd
Lisa Dr
Rolling Village Ln
Little Creek
Muddy Creek
Little Creek
State Rd 2979
US Hwy 158
Sr3008
Cordova Dr
Patti Ln
State Rd 1116
State Rd 1119
Clemmons Rd
Sr1115
S Stratford Rd
Sr1116
Faw Rd
158
Cook Place Dr
State Rd 3000
Arden Dr
Canter Ln
State Rd 2990
Hall
State Rd 3007
State Rd 3100
South Fork township
Haywood St
Muddy Creek
Clemmons
Quinn St
Arden St
107
108
Rd 3053
State Rd 2992
Our Cir
Clouds Harbor Trl
Hampton Rd
Charnel Rd
Clemmonsville township
Chicory Ct
Fraternity Church
Windrift Ct
Orchard Path Dr
Silo Ridge Ct
Prairie Grove Dr
Armsburg Rd
Clementine Dr
State Rd 3104
Salem Creek
Misty Hill Cir
Orchard Path Dr
State Rd 3172
River Gate Dr
Salem Creek
Idols Rd
0
0.25
0.5 mi
Loop Rd
107
Windsbury Ridge Rd
119
Cooper Rd

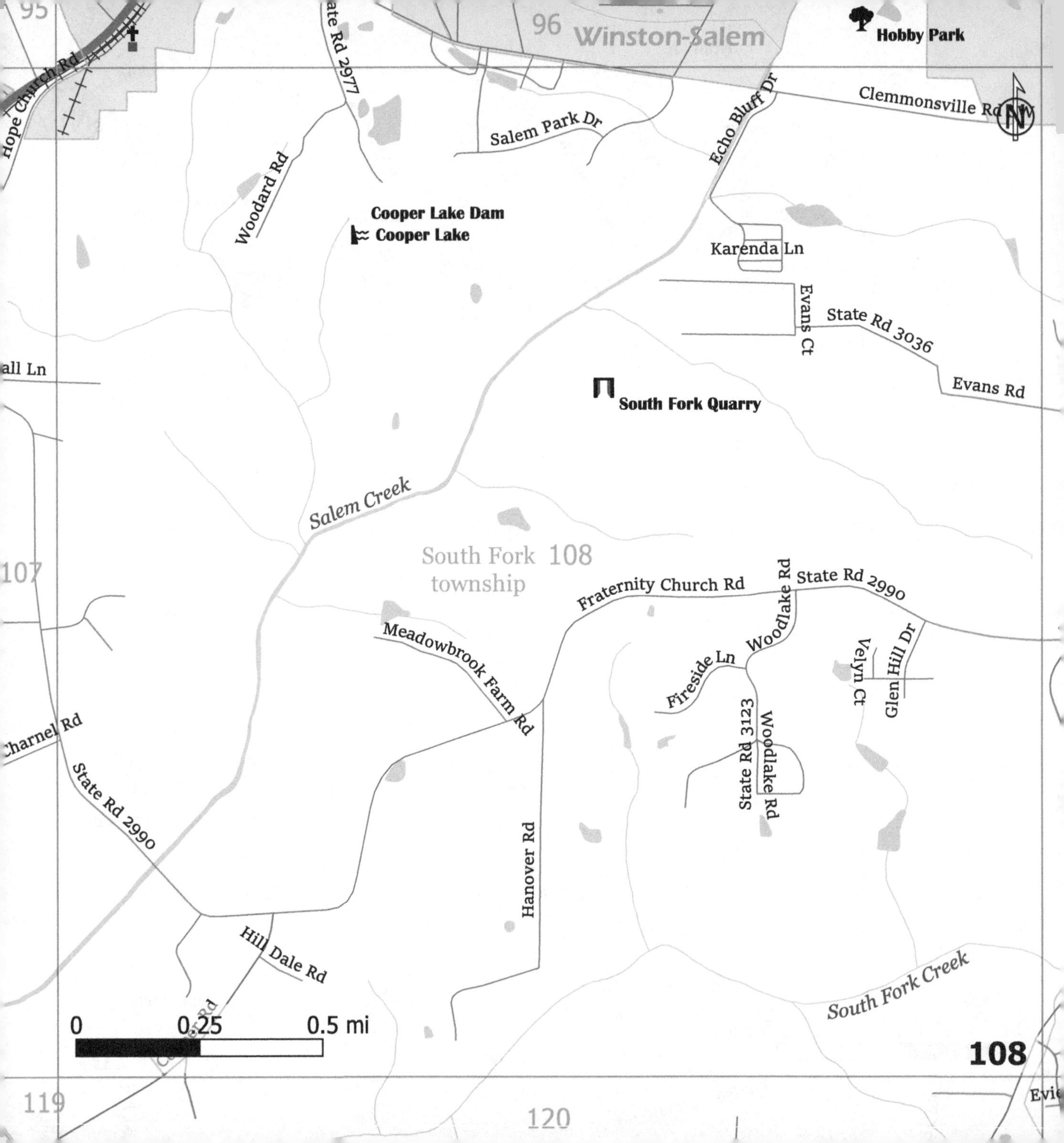
95
96
Winston-Salem
Hobby Park
Hope Church Rd
State Rd 2977
Clemmonsville Rd NW
Salem Park Dr
Echo Bluff Dr
Woodard Rd
Cooper Lake Dam
Cooper Lake
Karenda Ln
Evans Ct
State Rd 3036
Evans Rd
all Ln
South Fork Quarry
Salem Creek
South Fork township
108
107
Fraternity Church Rd
Woodlake Rd
State Rd 2990
Meadowbrook Farm Rd
Fireside Ln
Woodlake Rd
Velyn Ct
Glen Hill Dr
Charnel Rd
State Rd 3123
Woodlake Rd
State Rd 2990
Hanover Rd
Hill Dale Rd
South Fork Creek
0
0.25
0.5 mi
108
119
120

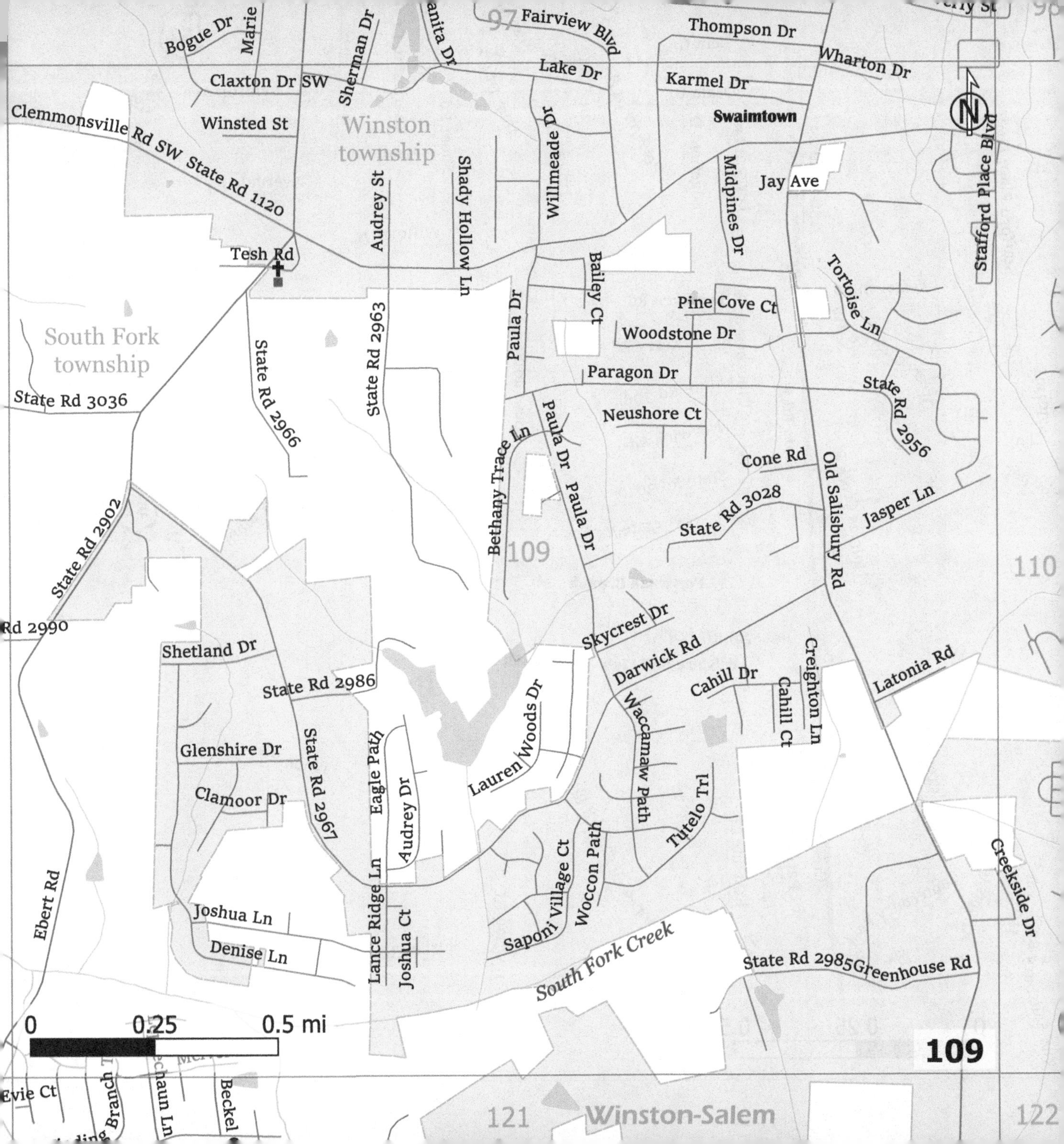

Fairview Blvd
Thompson Dr
Bogue Dr
Marie
Sherman Dr
Lake Dr
Wharton Dr
Claxton Dr SW
Karmel Dr
Swaimtown
Winston township
Winsted St
Clemmonsville Rd SW State Rd 1120
Audrey St
Shady Hollow Ln
Willmeade Dr
Midpines Dr
Jay Ave
Stafford Place Blvd
Tesh Rd
Bailey Ct
Tortoise Ln
Pine Cove Ct
South Fork township
State Rd 2966
State Rd 2963
Paula Dr
Woodstone Dr
Paragon Dr
State Rd 3036
State Rd 2956
Neushore Ct
Bethany Trace Ln
Cone Rd
Old Salisbury Rd
State Rd 3028
Jasper Ln
State Rd 2902
109
110
Rd 2990
Skycrest Dr
Shetland Dr
Darwick Rd
Creighton Ln
Cahill Dr
Cahill Ct
Latonia Rd
State Rd 2986
Lauren Woods Dr
Waccamaw Path
Glenshire Dr
State Rd 2967
Eagle Path
Audrey Dr
Clamoor Dr
Tutelo Trl
Saponi Village Ct
Woccon Path
Creekside Dr
Ebert Rd
Joshua Ln
Lance Ridge Ln
Joshua Ct
Denise Ln
South Fork Creek
State Rd 2985
Greenhouse Rd
0
0.25
0.5 mi
Evie Ct
Branch
Beckel
121
Winston-Salem
122
97

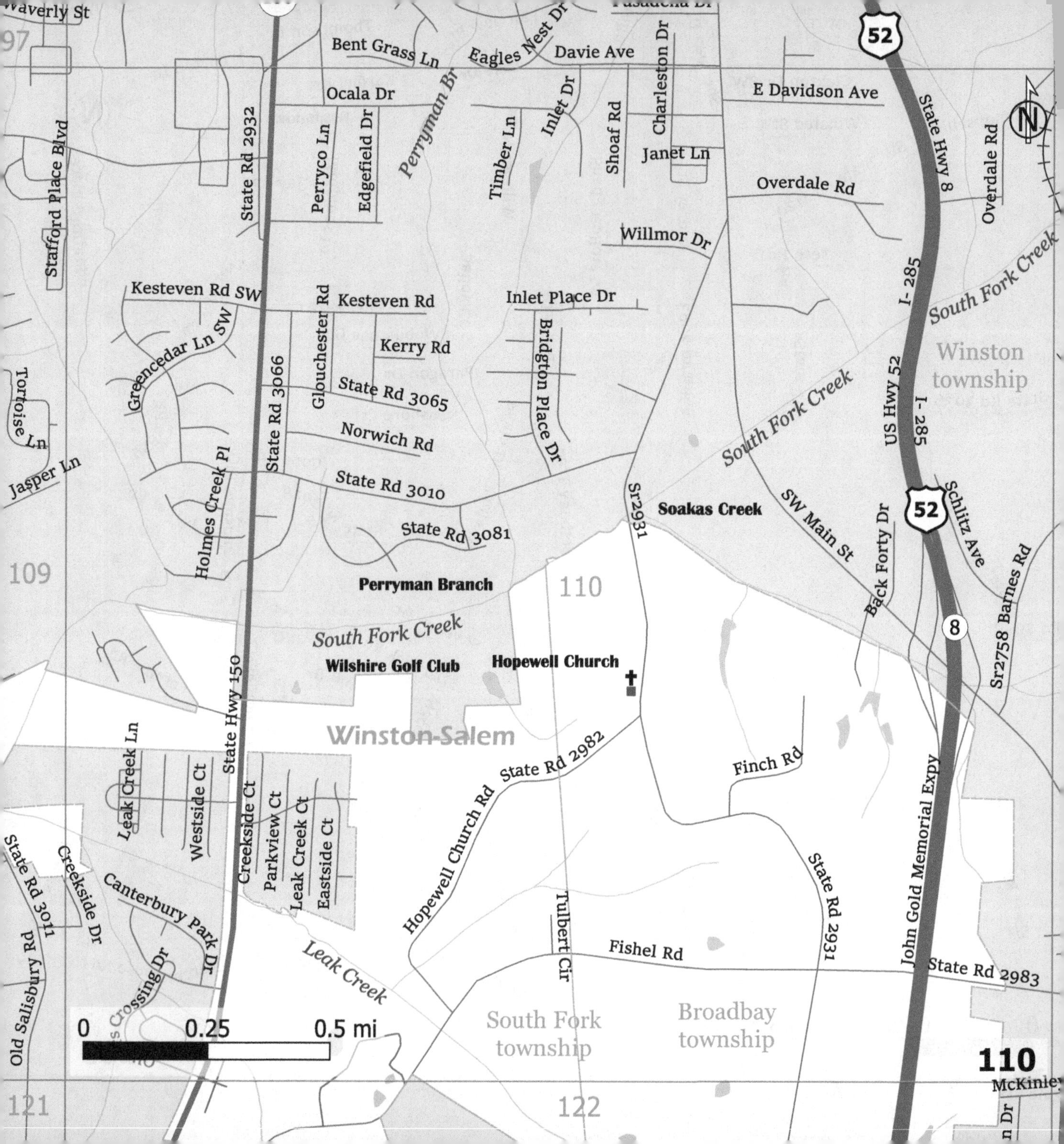

97
Bent Grass Ln
Eagles Nest Dr
Davie Ave
52
Ocala Dr
Perryman Br
E Davidson Ave
Charleston Dr
Inlet Dr
Shoaf Rd
Timber Ln
Edgefield Dr
Perryco Ln
State Rd 2932
Stafford Place Blvd
Janet Ln
State Hwy 8
Overdale Rd
Overdale Rd
N
Willmor Dr
I- 285
South Fork Creek
Kesteven Rd SW
Kesteven Rd
Gloucester Rd
Inlet Place Dr
Bridgton Place Dr
Kerry Rd
Greencedar Ln SW
Winston township
Tortoise Ln
State Rd 3066
State Rd 3065
Norwich Rd
South Fork Creek
US Hwy 52
I- 285
Jasper Ln
Holmes Creek Pl
State Rd 3010
Sr2931
Soakas Creek
SW Main St
52
Schlitz Ave
Back Forty Dr
Barnes Rd
State Rd 3081
109
110
Perryman Branch
8
Sr2758
South Fork Creek
Wilshire Golf Club
Hopewell Church
State Hwy 150
Winston-Salem
State Rd 2982
Finch Rd
Leak Creek Ln
Westside Ct
Creekside Ct
Parkview Ct
Leak Creek Ct
Eastside Ct
Hopewell Church Rd
John Gold Memorial Expy
State Rd 2931
State Rd 3011
Creekside Dr
Canterbury Park Dr
Old Salisbury Rd
Crossing Dr
Leak Creek
Tulbert Cir
Fishel Rd
State Rd 2983
South Fork township
Broadbay township
0
0.25
0.5 mi
121
122

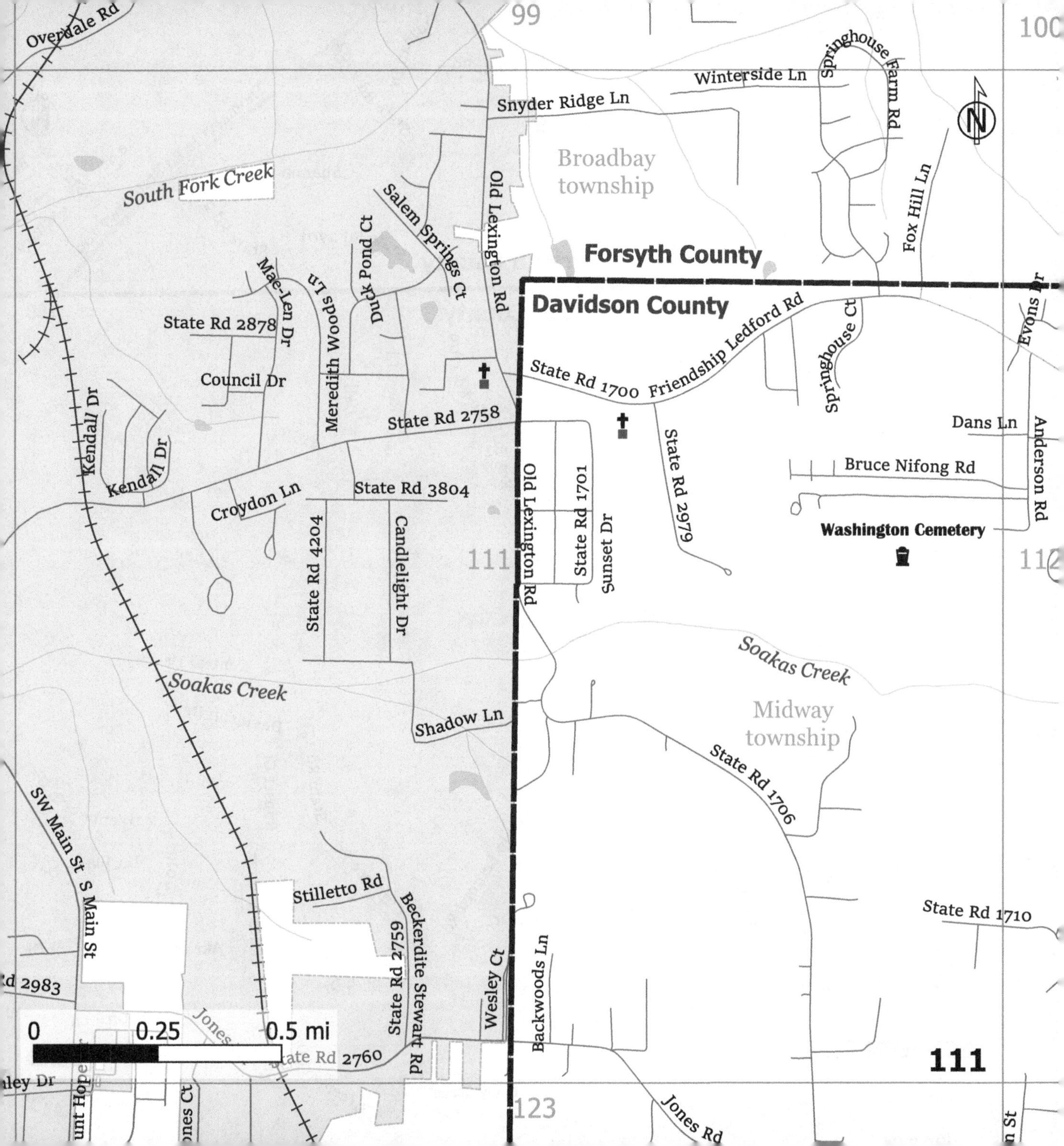

99
100
Overdale Rd
Winterside Ln
Springhouse Farm Rd
Snyder Ridge Ln
Broadbay township
South Fork Creek
Salem Springs Ct
Old Lexington Rd
Fox Hill Ln
Forsyth County
Davidson County
Mae-Len Dr
Meredith Woods Ln
Duck Pond Ct
State Rd 2878
Friendship Ledford Rd
Springhouse Ct
Evans Dr
Council Dr
State Rd 1700
Kendall Dr
State Rd 2758
Dans Ln
Anderson Rd
State Rd 2979
Bruce Nifong Rd
Croydon Ln
State Rd 3804
State Rd 1701
Washington Cemetery
111
112
State Rd 4204
Candlelight Dr
Sunset Dr
Soakas Creek
Midway township
Shadow Ln
State Rd 1706
SW Main St
S Main St
Stilletto Rd
Beckerdite Stewart Rd
State Rd 2759
State Rd 1710
Rd 2983
Wesley Ct
Backwoods Ln
Jones
0
0.25
0.5 mi
State Rd 2760
111
Jones Ct
Jones Rd
123

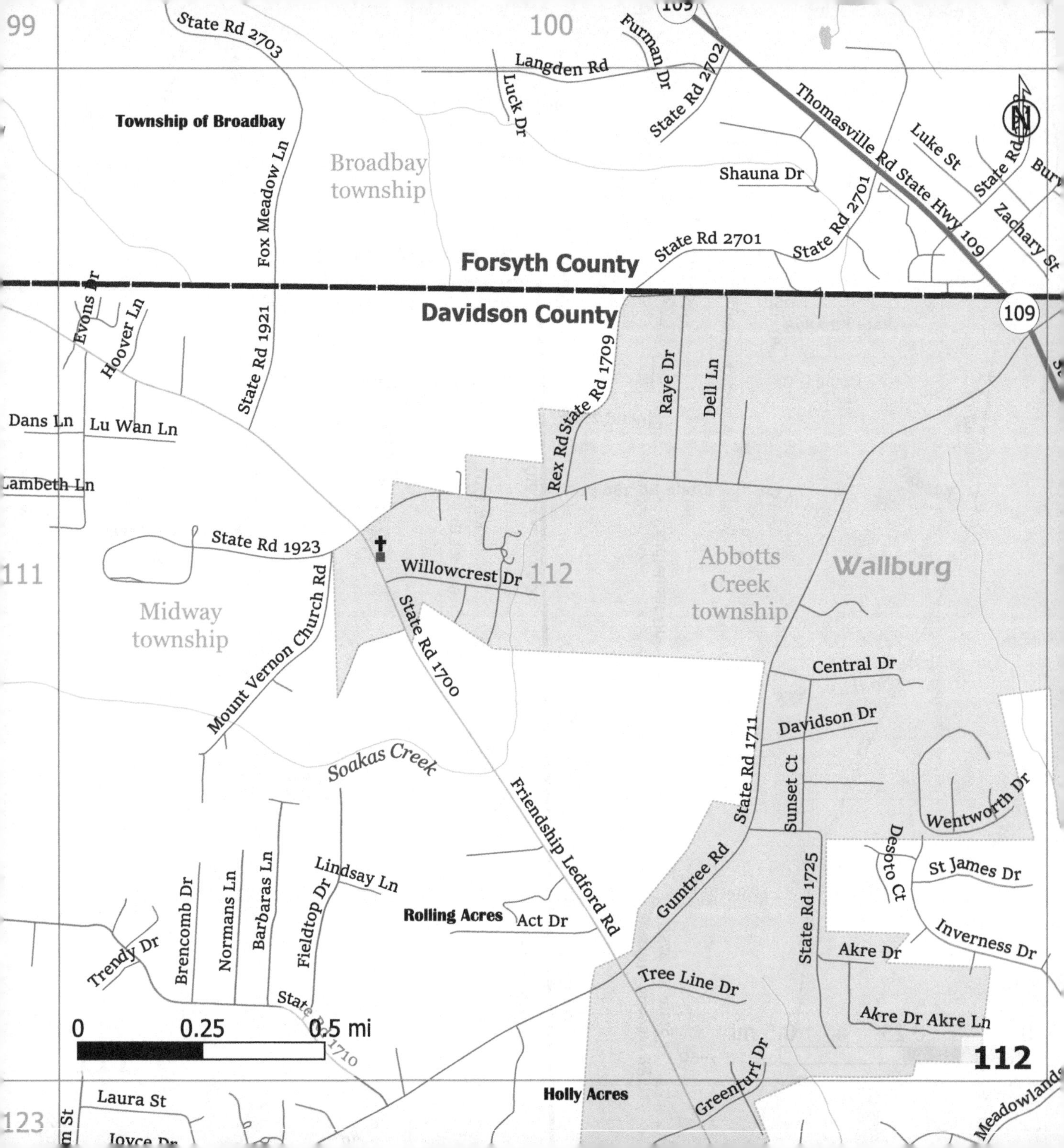
99
100
State Rd 2703
Furman Dr
Langden Rd
Luck Dr
State Rd 2702
Thomasville Rd State Hwy 109
Township of Broadbay
Broadbay township
Fox Meadow Ln
Shauna Dr
Luke St
State Rd
State Rd 2701
Zachary St
State Rd 2701
Forsyth County
Davidson County
109
Evons Dr
Hoover Ln
State Rd 1921
Rex Rd State Rd 1709
Raye Dr
Dell Ln
Dans Ln
Lu Wan Ln
Lambeth Ln
State Rd 1923
Willowcrest Dr
111
112
Abbotts Creek township
Wallburg
Midway township
Mount Vernon Church Rd
State Rd 1700
Central Dr
Davidson Dr
Soakas Creek
State Rd 1711
Sunset Ct
Wentworth Dr
Friendship Ledford Rd
Desoto Ct
St James Dr
Lindsay Ln
Gumtree Rd
State Rd 1725
Brencomb Dr
Normans Ln
Barbaras Ln
Fieldtop Dr
Rolling Acres
Act Dr
Inverness Dr
Trendy Dr
Akre Dr
Tree Line Dr
State Rd 1710
Akre Dr Akre Ln
0
0.25
0.5 mi
112
Greenturf Dr
Laura St
Holly Acres
123
Joyce Dr
Meadowlands

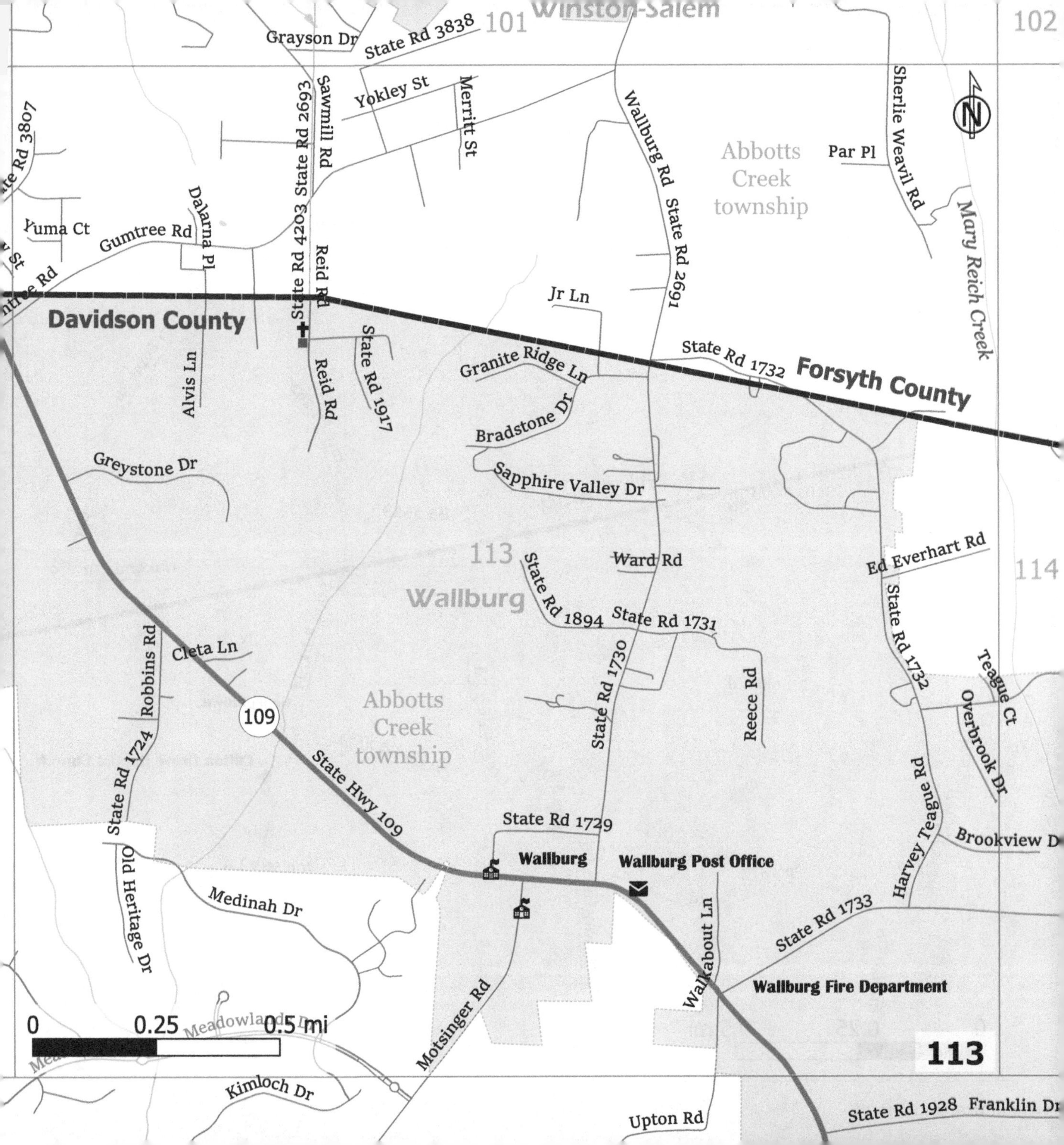

Winston-Salem
101
102
Grayson Dr
State Rd 3838
Yokley St
Sawmill Rd
Merritt St
State Rd 2693
State Rd 3807
Yuma Ct
Gumtree Rd
Dalarna Pl
State Rd 4203
Reid Rd
Wallburg Rd
State Rd 2691
Abbotts Creek township
Par Pl
Sherlie Weavil Rd
Mary Reich Creek
Jr Ln
Davidson County
Forsyth County
State Rd 1732
Alvis Ln
Reid Rd
State Rd 1917
Granite Ridge Ln
Bradstone Dr
Greystone Dr
Sapphire Valley Dr
113
Ward Rd
Ed Everhart Rd
114
Wallburg
State Rd 1894
State Rd 1731
Robbins Rd
Cleta Ln
State Rd 1730
Reece Rd
State Rd 1732
Teague Ct
109
Abbotts Creek township
Overbrook Dr
State Rd 1724
State Hwy 109
Harvey Teague Rd
State Rd 1729
Brookview D
Old Heritage Dr
Wallburg
Wallburg Post Office
Medinah Dr
State Rd 1733
Walkabout Ln
Wallburg Fire Department
Motsinger Rd
Meadowlands Dr
0
0.25
0.5 mi
Kimloch Dr
Upton Rd
State Rd 1928
Franklin Dr

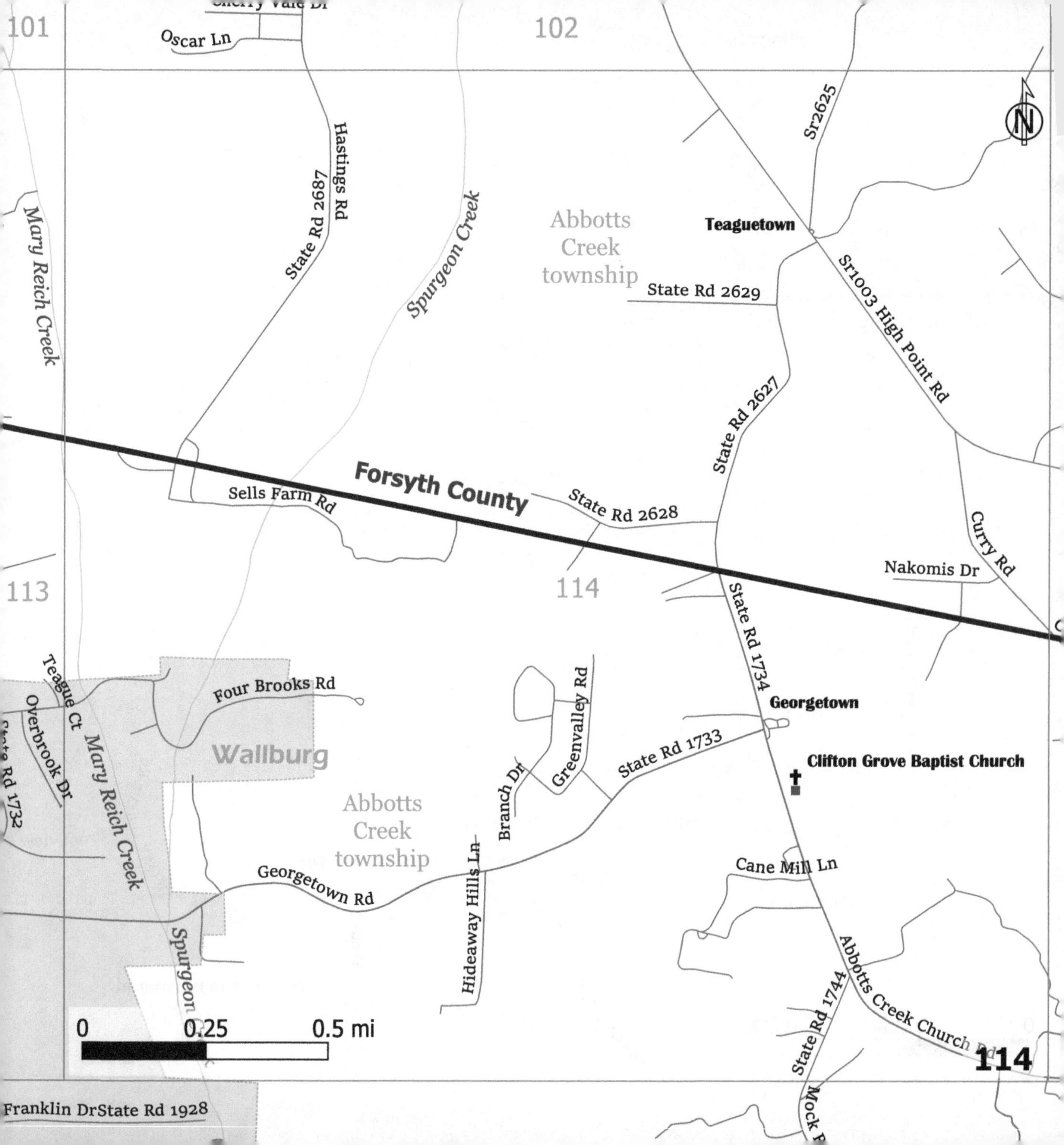
101
102
113
114
Sherry Vale Dr
Oscar Ln
Hastings Rd
State Rd 2687
Spurgeon Creek
Mary Reich Creek
Abbotts
Creek
township
Teaguetown
Sr2625
State Rd 2629
Sr1003 High Point Rd
State Rd 2627
Forsyth County
Sells Farm Rd
State Rd 2628
Curry Rd
Nakomis Dr
State Rd 1734
Teague Ct
Four Brooks Rd
Overbrook Dr
Wallburg
Greenvalley Rd
Georgetown
Clifton Grove Baptist Church
State Rd 1733
Branch Dr
State Rd 1732
Abbotts
Creek
township
Hideaway Hills Ln
Georgetown Rd
Cane Mill Ln
Spurgeon
Abbotts Creek Church Rd
State Rd 1744
Mock
0
0.25
0.5 mi
114
Franklin DrState Rd 1928

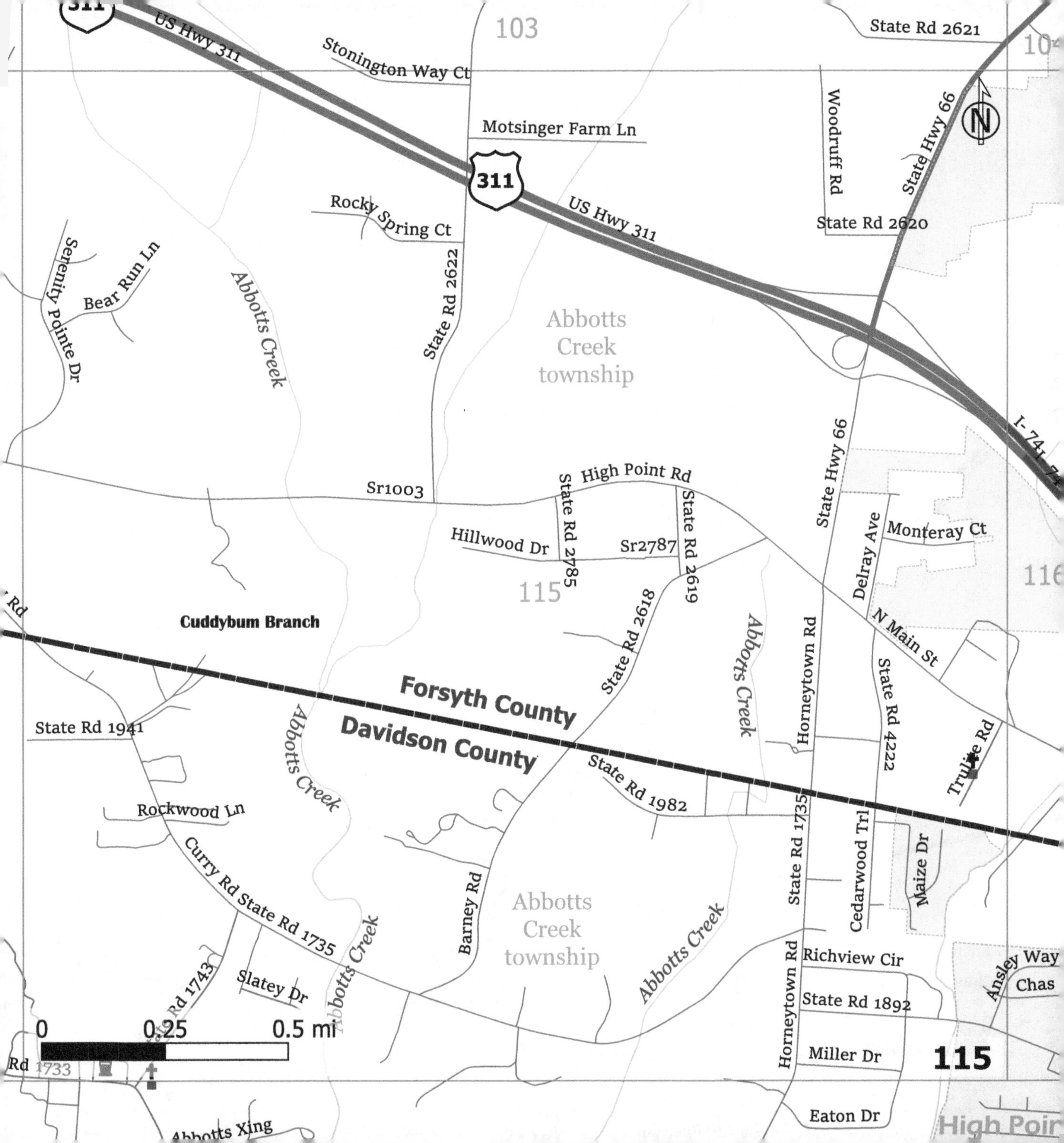

US Hwy 311
311
103
104
State Rd 2621
Stonington Way Ct
Motsinger Farm Ln
Woodruff Rd
State Hwy 66
Rocky Spring Ct
US Hwy 311
State Rd 2620
Serenity Pointe Dr
Bear Run Ln
Abbotts Creek
State Rd 2622
Abbotts Creek township
State Hwy 66
I-74
Sr1003
High Point Rd
State Rd 2785
State Rd 2619
Hillwood Dr
Sr2787
Delray Ave
Monteray Ct
115
116
State Rd 2618
Cuddybum Branch
Horneytown Rd
Abbotts Creek
N Main St
State Rd 4222
Forsyth County
Davidson County
State Rd 1941
Abbotts Creek
State Rd 1982
Trulite Rd
State Rd 1735
Rockwood Ln
Cedarwood Trl
Maize Dr
Curry Rd State Rd 1735
Barney Rd
Abbotts Creek township
Abbotts Creek
Abbotts Creek
Horneytown Rd
Richview Cir
Ansley Way
Chas
State Rd 1743
Slatey Dr
State Rd 1892
0
0.25
0.5 mi
Miller Dr
Rd 1733
Eaton Dr
Abbotts Xing
High Poir

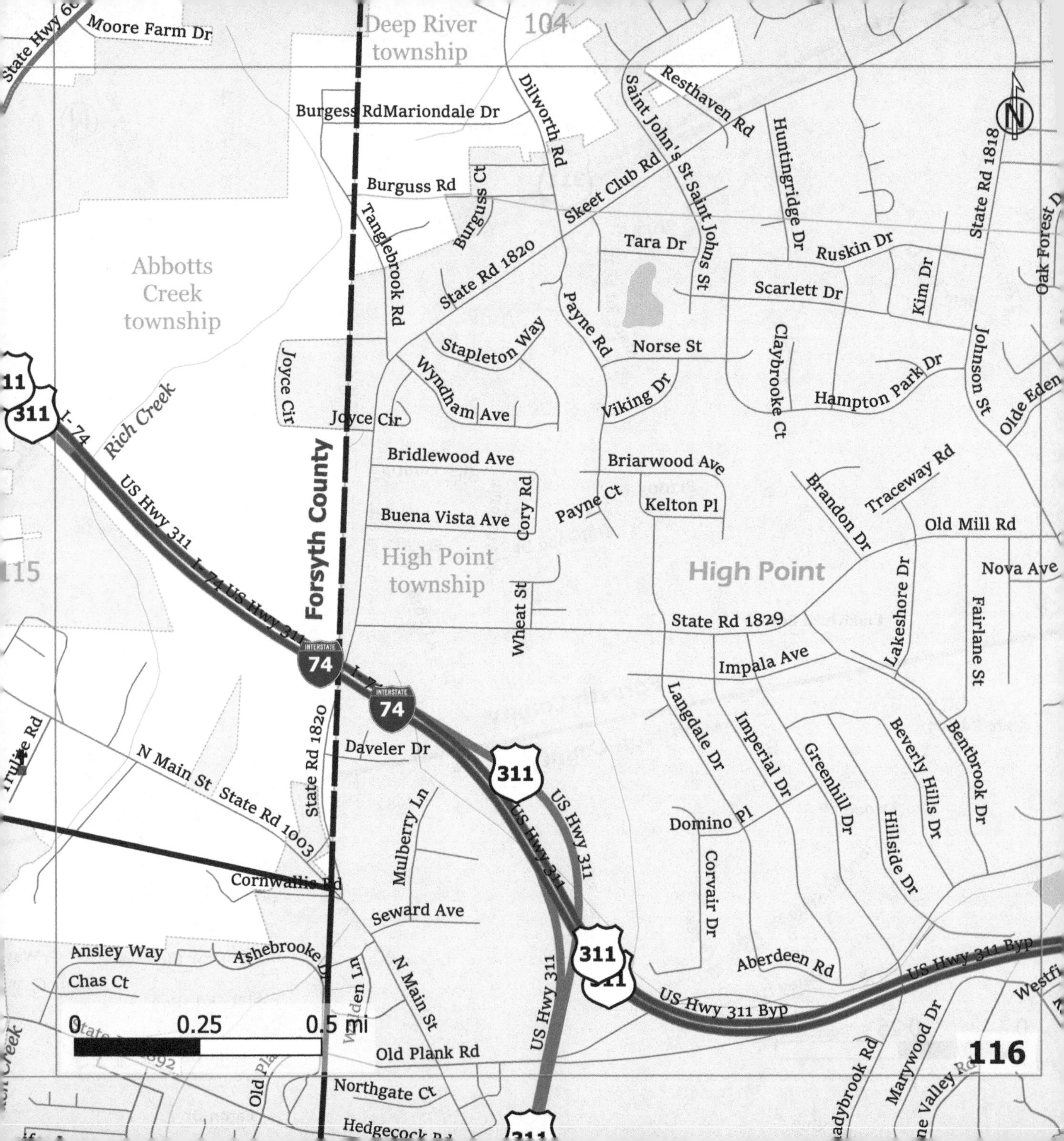
Moore Farm Dr
State Hwy 66
Deep River township
104
Burgess Rd
Mariondale Dr
Dilworth Rd
Resthaven Rd
Saint John's St
Saint Johns St
Huntingridge Dr
State Rd 1818
Burguss Rd
Burguss Ct
Skeet Club Rd
Tanglebrook Rd
State Rd 1820
Tara Dr
Ruskin Dr
Oak Forest Dr
Abbotts Creek township
Scarlett Dr
Kim Dr
Payne Rd
Stapleton Way
Norse St
Claybrooke Ct
Johnson St
Hampton Park Dr
Olde Eden
Joyce Cir
Wyndham Ave
Viking Dr
Rich Creek
I- 74
Bridlewood Ave
Briarwood Ave
Brandon Dr
Traceway Rd
US Hwy 311
Cory Rd
Payne Ct
Kelton Pl
Buena Vista Ave
Old Mill Rd
Forsyth County
High Point township
High Point
Nova Ave
115
Wheat St
Lakeshore Dr
Fairlane St
State Rd 1829
Impala Ave
74
311
Daveler Dr
Langdale Dr
Imperial Dr
Greenhill Dr
Beverly Hills Dr
Bentbrook Dr
N Main St
State Rd 1003
Mulberry Ln
Domino Pl
Hillside Dr
Corvair Dr
Cornwallis Rd
Seward Ave
Ansley Way
Ashebrooke Dr
Chas Ct
Walden Ln
Aberdeen Rd
US Hwy 311 Byp
0
0.25
0.5 mi
Old Plank Rd
Marywood Dr
Northgate Ct
Hedgecock Rd

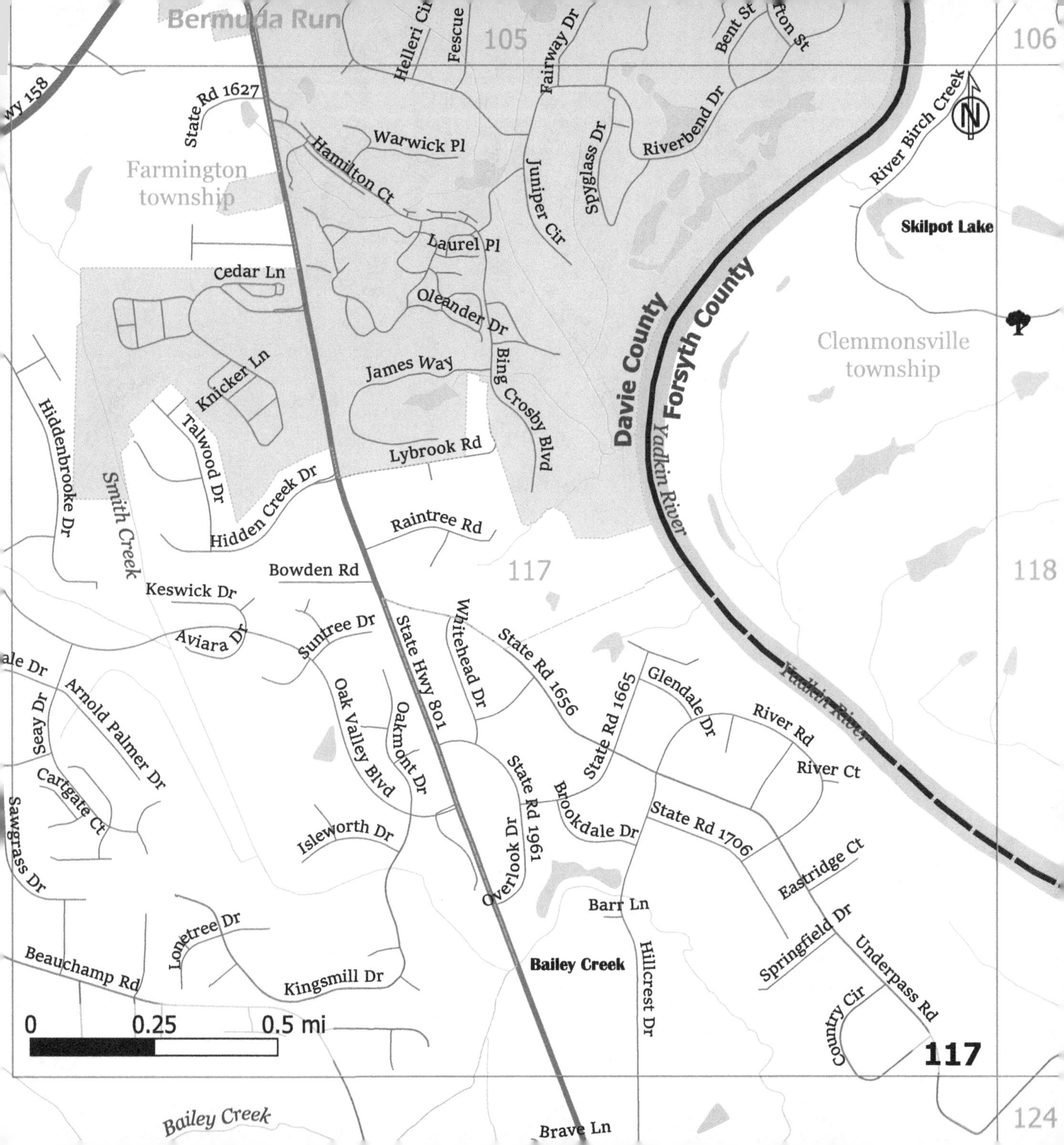
Bermuda Run
105
106
Hwy 158
State Rd 1627
Helleri Cir
Fescue
Fairway Dr
Bent St
Riverbend Dr
Spyglass Dr
Juniper Cir
Warwick Pl
Hamilton Ct
Farmington township
Laurel Pl
Cedar Ln
Oleander Dr
James Way
Knicker Ln
Bing Crosby Blvd
Talwood Dr
Lybrook Rd
Hidden Creek Dr
Hiddenbrooke Dr
Smith Creek
Raintree Rd
Bowden Rd
117
Keswick Dr
Aviara Dr
Suntree Dr
Whitehead Dr
State Hwy 801
State Rd 1656
State Rd 1665
Glendale Dr
River Rd
River Ct
Davie County
Forsyth County
Yadkin River
River Birch Creek
Skilpot Lake
Clemmonsville township
118
Arnold Palmer Dr
Seay Dr
Cartgate Ct
Sawgrass Dr
Oak Valley Blvd
Oakmont Dr
State Rd 1961
Overlook Dr
Brookdale Dr
State Rd 1706
Eastridge Ct
Isleworth Dr
Barr Ln
Hillcrest Dr
Springfield Dr
Underpass Rd
Country Cir
Lonetree Dr
Kingsmill Dr
Beauchamp Rd
Bailey Creek
0
0.25
0.5 mi
117
124
Brave Ln

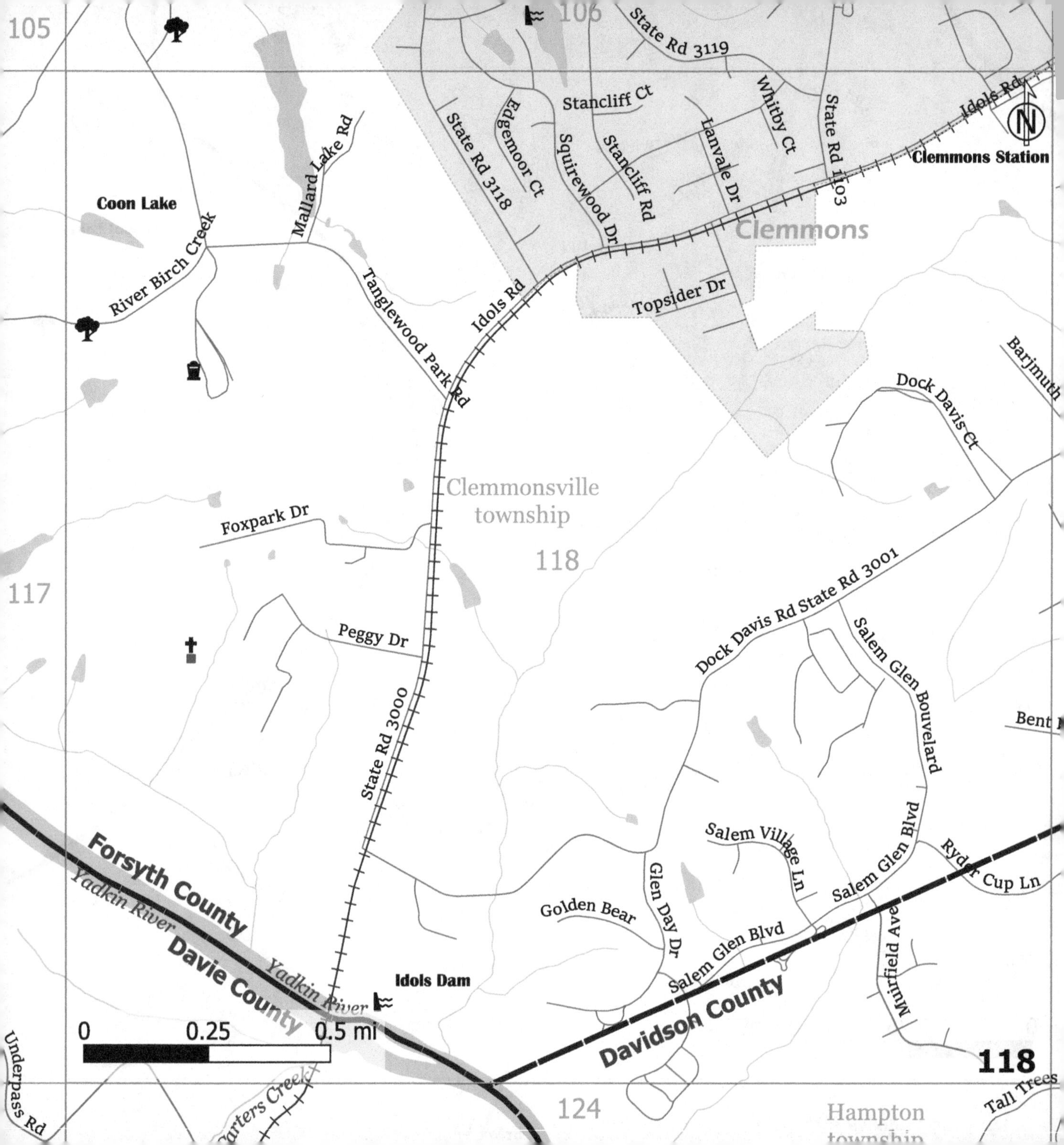
105
106
117
118
124
Coon Lake
River Birch Creek
Mallard Lake Rd
Tanglewood Park Rd
Idols Rd
State Rd 3118
Edgemoor Ct
Squirewood Dr
Stancliff Ct
Stancliff Rd
Lanvale Dr
Whitby Ct
State Rd 3119
State Rd 1103
Clemmons Station
Clemmons
Topsider Dr
Clemmonsville township
Foxpark Dr
Peggy Dr
State Rd 3000
Dock Davis Ct
Barjinuth
Dock Davis Rd State Rd 3001
Salem Glen Bouvelard
Bent
Salem Village Ln
Salem Glen Blvd
Ryder Cup Ln
Golden Bear
Glen Day Dr
Muirfield Ave
Forsyth County
Yadkin River
Davie County
Idols Dam
Davidson County
0
0.25
0.5 mi
Underpass Rd
Carters Creek
Hampton township
Tall Trees
118

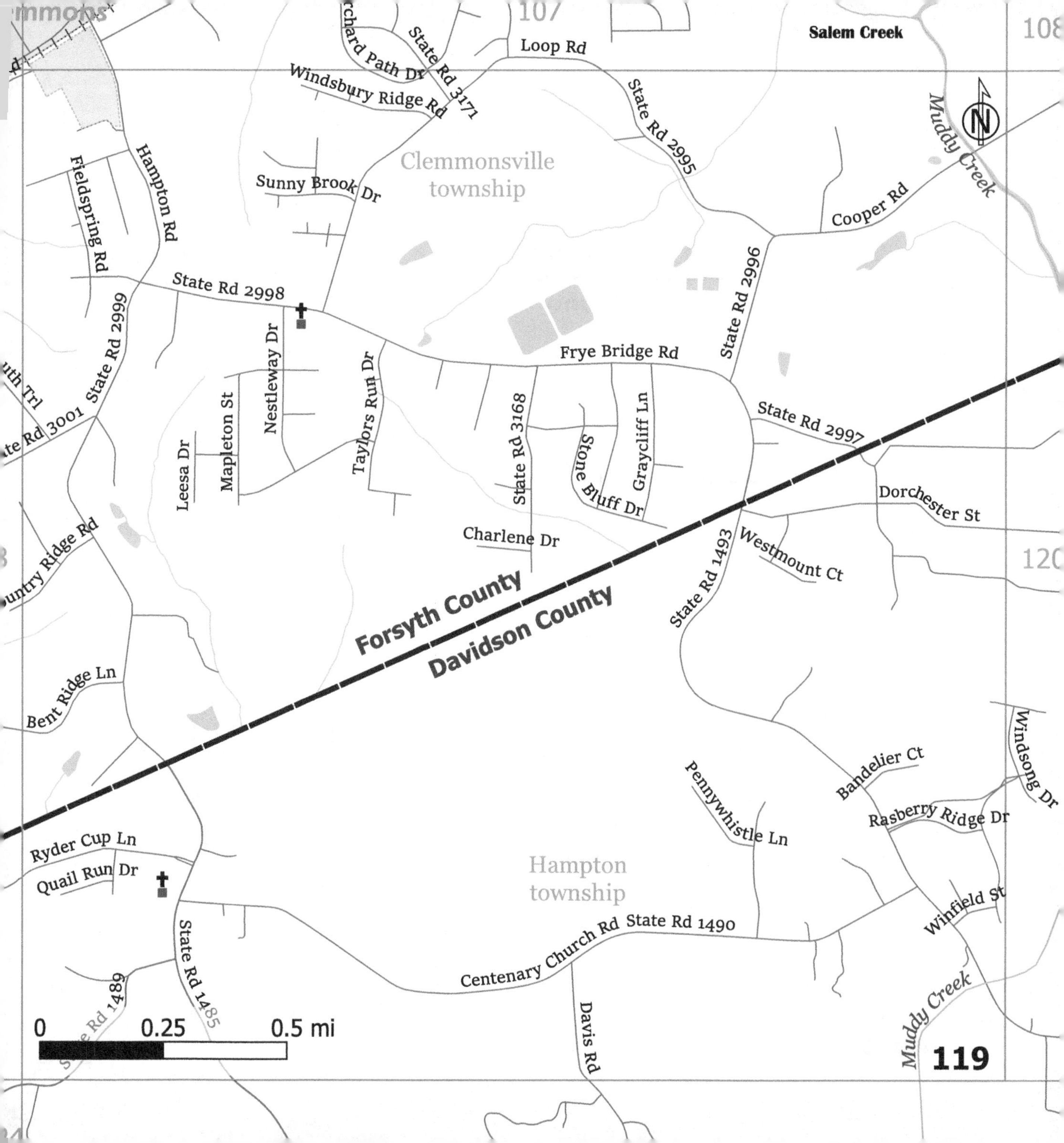

107
108
Salem Creek
Loop Rd
Orchard Path Dr
State Rd 3171
Windsbury Ridge Rd
State Rd 2995
Muddy Creek
N
Clemmonsville
township
Fieldspring Rd
Hampton Rd
Sunny Brook Dr
Cooper Rd
State Rd 2996
State Rd 2998
Frye Bridge Rd
State Rd 2999
Nestleway Dr
Taylors Run Dr
State Rd 3001
Mapleton St
Leesa Dr
State Rd 3168
Stone Bluff Dr
Graycliff Ln
State Rd 2997
Dorchester St
Charlene Dr
Westmount Ct
State Rd 1493
120
Forsyth County
Davidson County
Bent Ridge Ln
Bandelier Ct
Windsong Dr
Pennywhistle Ln
Rasberry Ridge Dr
Ryder Cup Ln
Quail Run Dr
Hampton
township
Winfield St
State Rd 1485
Centenary Church Rd
State Rd 1490
State Rd 1489
Davis Rd
Muddy Creek
0
0.25
0.5 mi

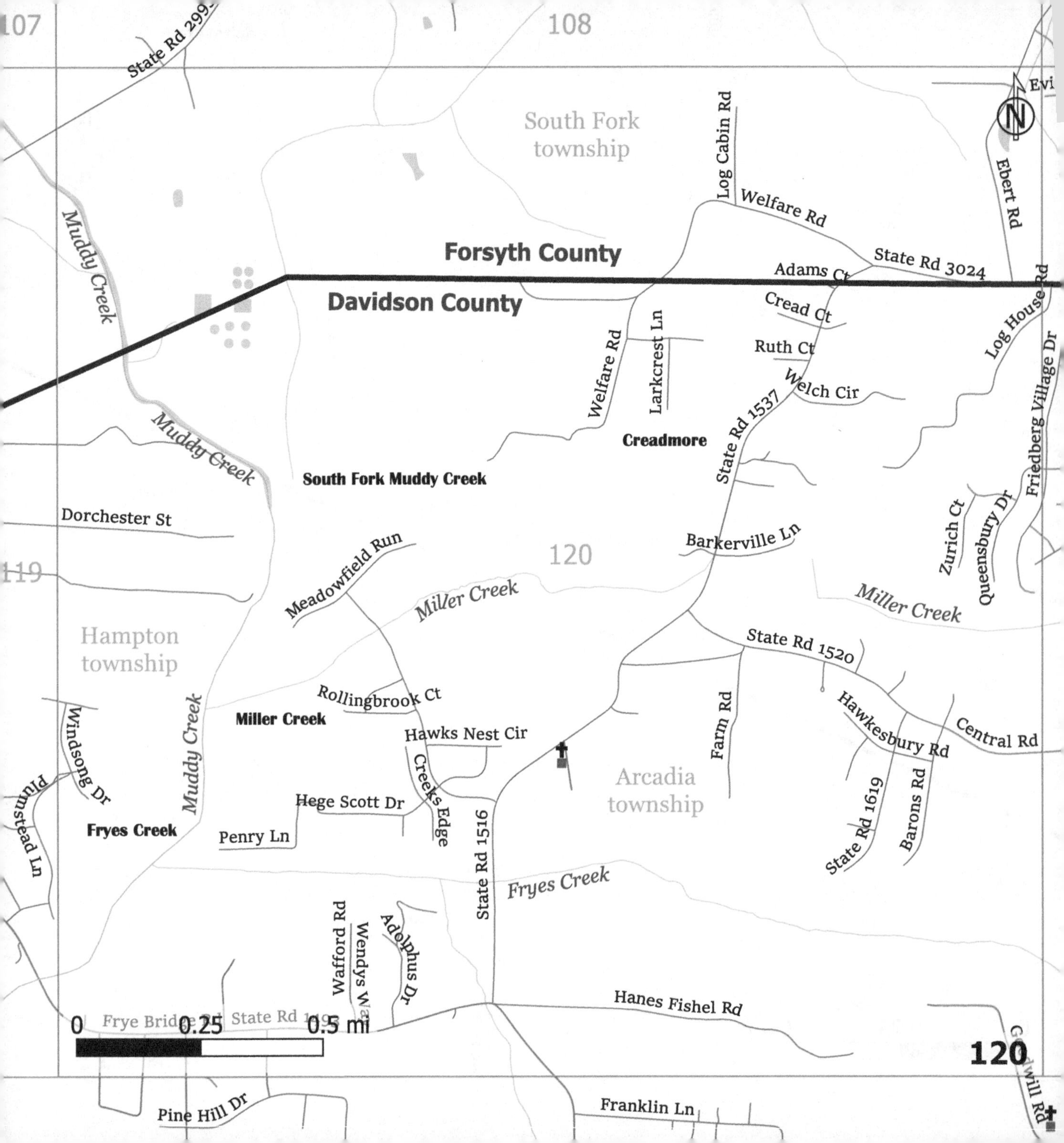
107
108
State Rd 2995
South Fork
township
Log Cabin Rd
Welfare Rd
Ebert Rd
Muddy Creek
Forsyth County
Davidson County
Adams Ct
State Rd 3024
Cread Ct
Log House Rd
Welfare Rd
Larkcrest Ln
Ruth Ct
Welch Cir
Friedberg Village Dr
State Rd 1537
Creadmore
Muddy Creek
South Fork Muddy Creek
Dorchester St
Zurich Ct
Queensbury Dr
Barkerville Ln
Meadowfield Run
120
119
Miller Creek
Miller Creek
Hampton
township
State Rd 1520
Rollingbrook Ct
Hawkesbury Rd
Central Rd
Windsong Dr
Muddy Creek
Miller Creek
Farm Rd
Hawks Nest Cir
Creeks Edge
Arcadia
township
Plumstead Ln
Hege Scott Dr
Barons Rd
Fryes Creek
State Rd 1619
Penry Ln
State Rd 1516
Fryes Creek
Wafford Rd
Adolphus Dr
Hanes Fishel Rd
0
0.25
0.5 mi
120
Pine Hill Dr
Franklin Ln

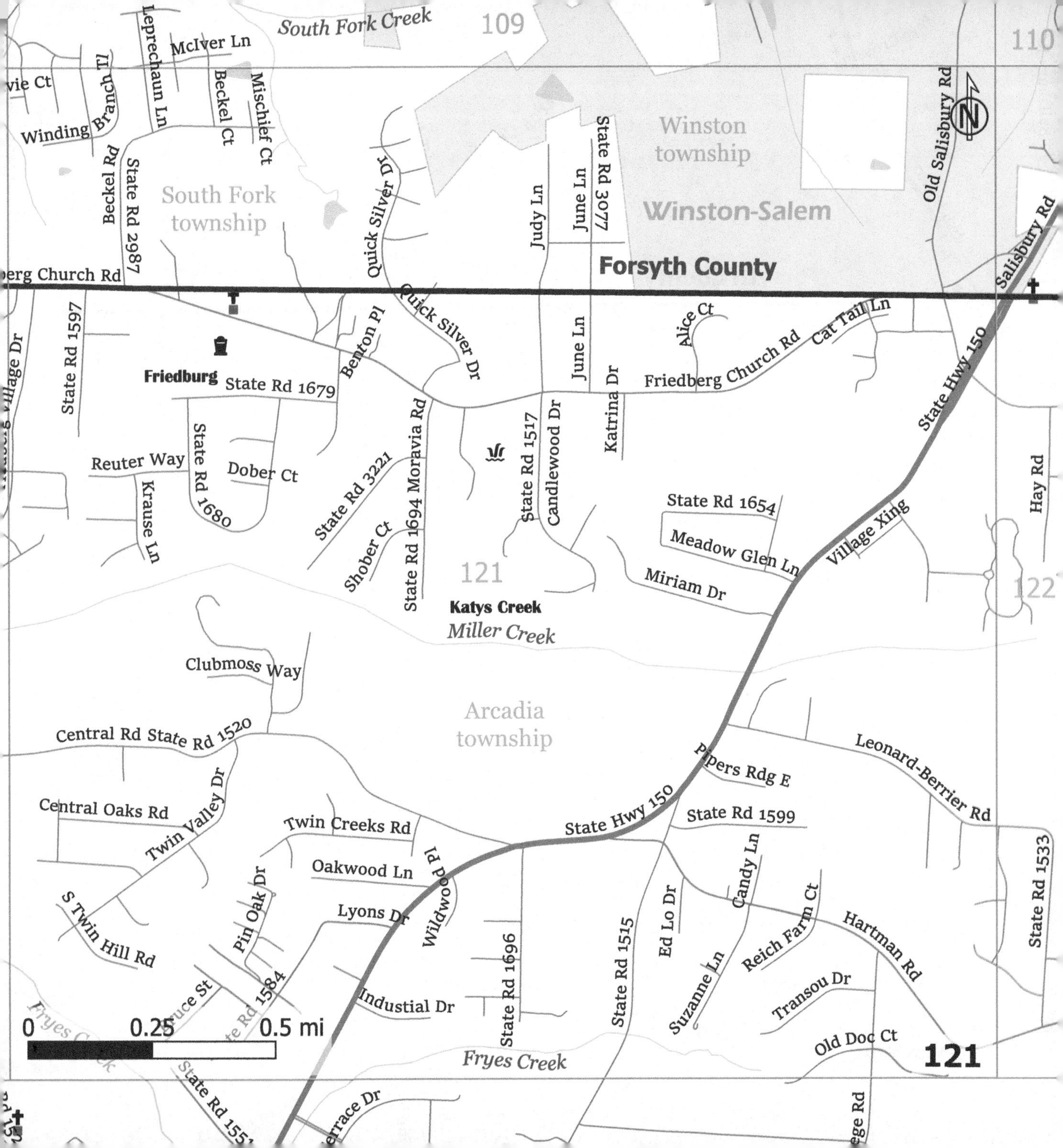

South Fork Creek
109
110
McIver Ln
Leprechaun Ln
Winding Branch Tl
Beckel Ct
Mischief Ct
Beckel Rd
State Rd 2987
South Fork township
Quick Silver Dr
Judy Ln
June Ln
State Rd 3077
Winston township
Winston-Salem
Forsyth County
Old Salisbury Rd
Salisbury Rd
State Rd 1597
Friedburg
State Rd 1679
Benton Pl
Alice Ct
Cat Tail Ln
Friedberg Church Rd
Katrina Dr
State Hwy 150
Reuter Way
Krause Ln
State Rd 1680
Dober Ct
State Rd 3221
Shober Ct
State Rd 1694 Moravia Rd
State Rd 1517
Candlewood Dr
State Rd 1654
Meadow Glen Ln
Village Xing
Hay Rd
Miriam Dr
121
122
Katys Creek
Miller Creek
Clubmoss Way
Arcadia township
Central Rd State Rd 1520
Central Oaks Rd
Twin Valley Dr
Twin Creeks Rd
Oakwood Ln
Pipers Rdg E
Leonard-Berrier Rd
State Rd 1599
State Hwy 150
State Rd 1533
S Twin Hill Rd
Pin Oak Dr
Lyons Dr
Wildwood Pl
Ed Lo Dr
Candy Ln
Reich Farm Ct
Hartman Rd
State Rd 1696
State Rd 1515
Suzanne Ln
Transou Dr
Industial Dr
Old Doc Ct
0
0.25
0.5 mi
Fryes Creek
121

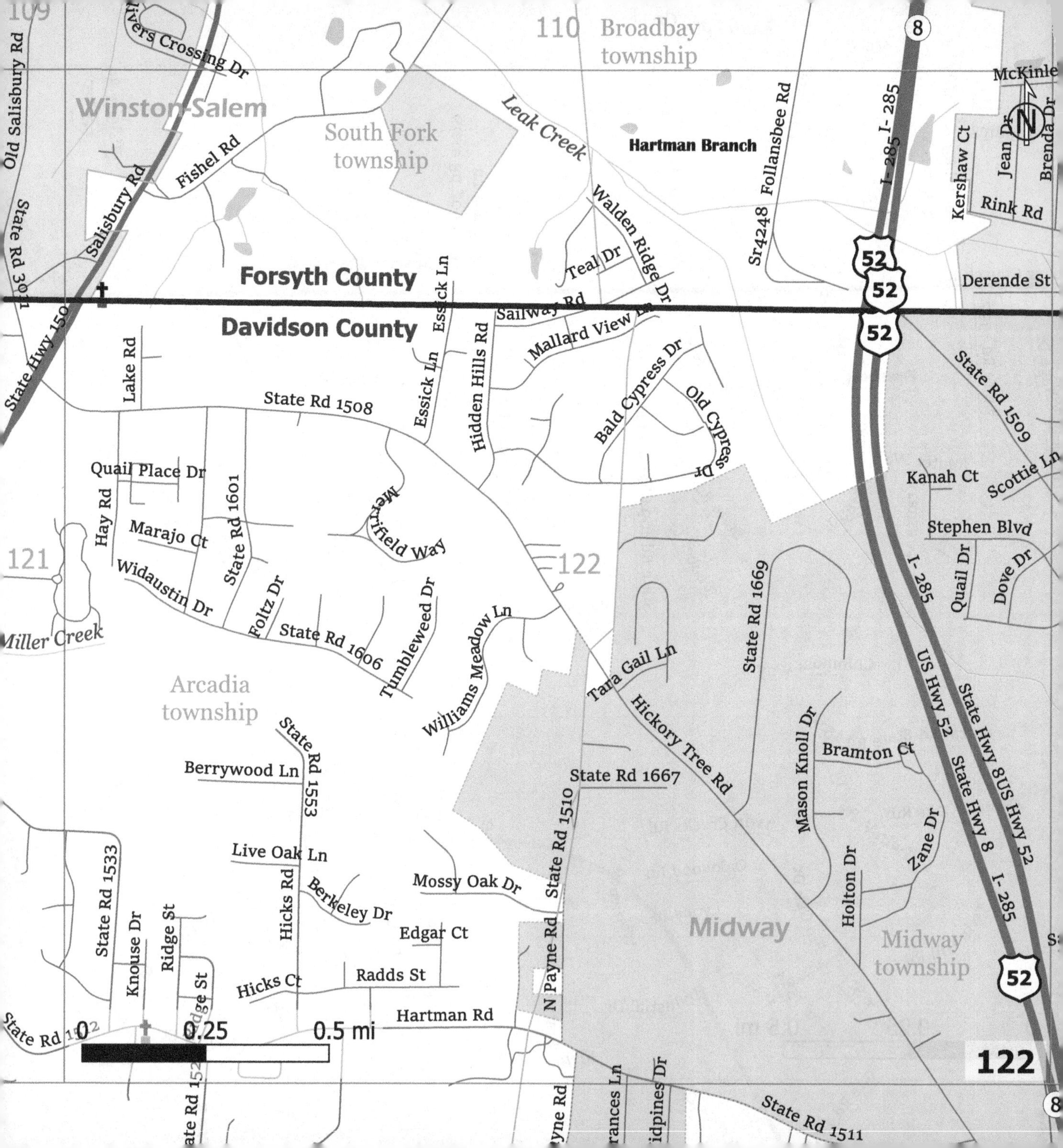

109
110
Broadbay township
Rivers Crossing Dr
Old Salisbury Rd
Winston-Salem
South Fork township
Leak Creek
Hartman Branch
Follansbee Rd
I- 285
McKinley
Kershaw Ct
Jean Dr
Brenda Dr
Rink Rd
Fishel Rd
Salisbury Rd
State Rd 3011
Sr4248
Walden Ridge Dr
Teal Dr
Forsyth County
Essick Ln
52
Derende St
8
Davidson County
Sailway Rd
Mallard View Ln
State Hwy 150
Lake Rd
Hidden Hills Rd
Bald Cypress Dr
Old Cypress Dr
State Rd 1509
State Rd 1508
Quail Place Dr
Kanah Ct
Scottie Ln
Hay Rd
State Rd 1601
Merrifield Way
Stephen Blvd
Marajo Ct
121
122
Widaustin Dr
Foltz Dr
Tumbleweed Dr
State Rd 1669
Quail Dr
Dove Dr
Miller Creek
State Rd 1606
Williams Meadow Ln
Tara Gail Ln
Arcadia township
Hickory Tree Rd
US Hwy 52
State Hwy 8
State Hwy 8US Hwy 52
State Rd 1553
Mason Knoll Dr
Bramton Ct
Berrywood Ln
State Rd 1667
State Rd 1510
Zane Dr
Live Oak Ln
State Rd 1533
Hicks Rd
Berkeley Dr
Mossy Oak Dr
Holton Dr
Midway
Midway township
Edgar Ct
Knouse Dr
Ridge St
N Payne Rd
Hicks Ct
Radds St
Hartman Rd
State Rd 1512
0
0.25
0.5 mi
122
State Rd 1511

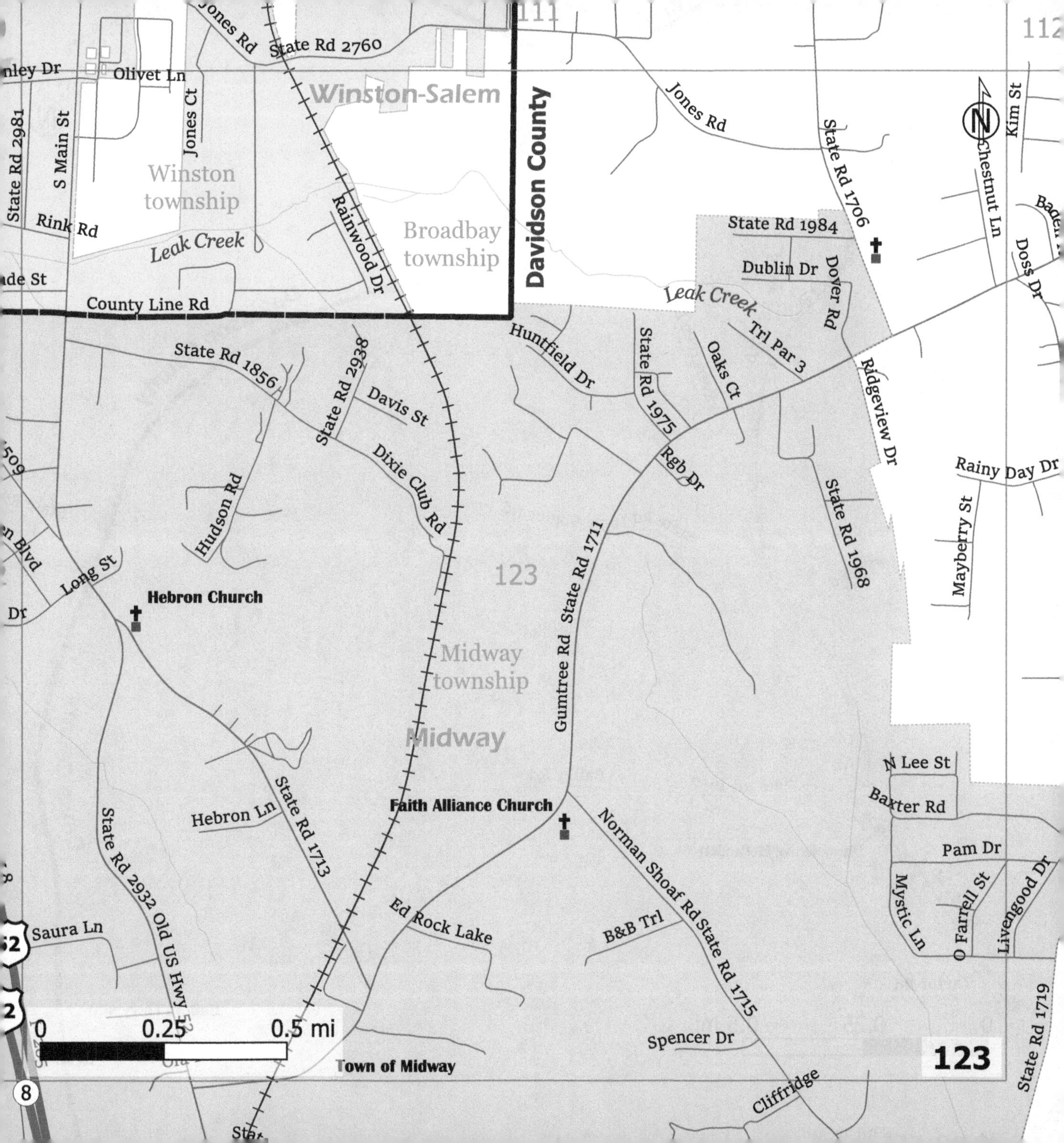

111
112
Jones Rd
State Rd 2760
Olivet Ln
Winston-Salem
Davidson County
State Rd 2981
S Main St
Jones Ct
Winston township
Rink Rd
Leak Creek
Rainwood Dr
Broadbay township
County Line Rd
State Rd 1706
Chestnut Ln
Kim St
State Rd 1984
Dublin Dr
Dover Rd
Doss Dr
Trl Par 3
Huntfield Dr
State Rd 1975
Oaks Ct
Ridgeview Dr
State Rd 1856
State Rd 2938
Davis St
Dixie Club Rd
Rgb Dr
Rainy Day Dr
State Rd 1968
Mayberry St
Hudson Rd
Long St
Hebron Church
123
Gumtree Rd State Rd 1711
Midway township
Midway
N Lee St
Baxter Rd
Pam Dr
Mystic Ln
O Farrell St
Livengood Dr
Hebron Ln
State Rd 1713
Faith Alliance Church
Norman Shoaf Rd State Rd 1715
State Rd 2932 Old US Hwy 52
Saura Ln
Ed Rock Lake
B&B Trl
Spencer Dr
Cliffridge
State Rd 1719
0
0.25
0.5 mi
Town of Midway
123
8

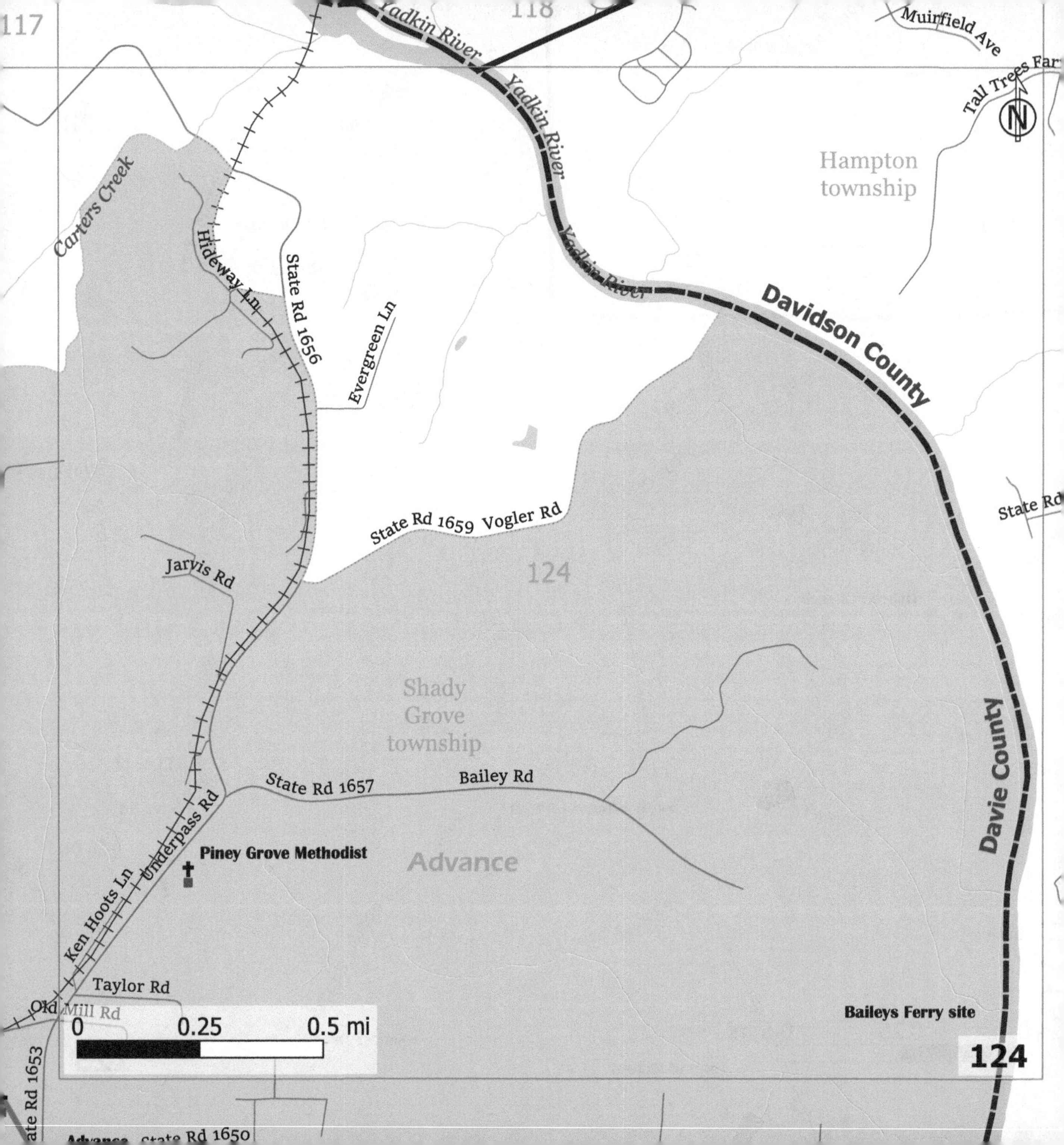
117
118
Yadkin River
Muirfield Ave
Tall Trees Farm
Hampton
township
Carters Creek
Hideway Ln
State Rd 1656
Evergreen Ln
Davidson County
State Rd 1659 Vogler Rd
State Rd
124
Jarvis Rd
Shady
Grove
township
State Rd 1657
Bailey Rd
Underpass Rd
Piney Grove Methodist
Advance
Davie County
Ken Hoots Ln
Taylor Rd
Old Mill Rd
0
0.25
0.5 mi
Baileys Ferry site
124
State Rd 1653
Advance
State Rd 1650

Made in the USA
Coppell, TX
02 June 2023